13.50
x

W. EDWARDS DEMING

QUALITÉ

LA REVOLUTION DU MANAGEMENT

Traduction de l'Américain et
adaptation pour l'édition française
par

Jean-Marie Gogue

Ingénieur civil des Mines

ECONOMICA
49, rue Héricart, 75015 Paris

Cet ouvrage est une traduction du livre publié par Cambridge University Press, Cambridge, sous le titre *Out of the Crisis*.

Introduction

C'est en octobre 1978, à Tokyo, que j'ai rencontré le professeur W. Edwards Deming pour la première fois. Il donnait un exposé au cours de la séance plénière d'une conférence internationale organisée par la JUSE (Japanese Union of Scientists and Engineers). A cette époque, le professeur Deming était peu connu aux Etats-Unis et ne l'était pas plus en Europe, alors qu'il était déjà considéré au Japon comme un personnage fabuleux. Des ingénieurs japonais qui assistaient à cette conférence m'ont expliqué que son enseignement du contrôle statistique de la qualité était à l'origine de la transformation industrielle de leur pays, et que chaque année, depuis 1950, une récompense portant son nom, le "Prix Deming", était attribuée à des entreprises en reconnaissance de leur aptitude à améliorer la qualité et la productivité. Il est intéressant de noter que le Docteur Kaoru Ishikawa, fondateur du mouvement des cercles de qualité, s'est beaucoup inspiré de l'expérience du "Prix Deming" pour développer la gestion de la qualité au Japon (1).

En novembre 1980, j'invitai le professeur Deming en France, à l'occasion de la remise du "Prix Industrie et Qualité" que j'avais organisé sur le modèle du "Prix Deming", afin qu'il apporte son témoignage à des chefs d'entreprise. Je l'accompagnai à Paris pendant trois jours exceptionnels, discutant avec lui jour et nuit. Il me fit découvrir la philosophie de Walter Shewhart, son maître à penser. C'est alors que je commençai à comprendre comment une nouvelle attitude des cadres supérieurs, résultant essentiellement d'un nouveau type de formation, pouvait être un levier capable de retourner en quelques années une culture industrielle périmée. Shewhart était un physicien de génie qui faisait partie de la direction technique de la société *Bell Telephone laboratories.* Avant la guerre, il avait mis au point une méthode de management destinée à améliorer la qualité et la productivité dans une production de série. Le professeur Deming explique en annexe de ce livre comment il a mis en pratique la théorie de Shewhart au Japon après la guerre en commençant par former le niveau le plus élevé de la structure industrielle, et en propageant son enseignement jusqu'à la base.

Les sociologues français qui ont étudié l'industrie japonaise au cours des dernières années ont une vision vague et inexacte de ce phénomène. A en croire certains auteurs, notamment Hervé Serieyx (2), la société industrielle japonaise a été modifiée après la dernière guerre mondiale par la mise en œuvre d'un concept central d'organisation dont les principaux axes seraient la communication et l'imagination. Ils n'ont pas compris que le facteur décisif de la transformation, dont les PDG japonais ne font pourtant pas mystère, était la formation des cadres supérieurs aux méthodes de contrôle statistique de la qualité.

De leur côté, les statisticiens français qui ont étudié l'œuvre de Shewhart dans l'après guerre n'ont en général pas assimilé sa philosophie, car ils ont négligé sa dimension sociale pour ne retenir que son aspect mathématique. Le point de vue du professeur Vessereau, qui a formé plusieurs générations d'ingénieurs aux méthodes statistiques, est significatif à cet égard. Pour lui, la méthode de Shewhart est une méthode de "contrôle en cours de fabrication" (3).

Cette double incompréhension a contribué à détériorer l'industrie française. Dans nos entreprises, nous voyons d'une part une vérification des produits *a posteriori,* baptisée "contrôle", coûteuse et inefficace, mais dont les chefs d'entreprise semblent ne pas vouloir se passer, et d'autre part des expériences participatives (soi-disant cercles de qualité) de plus en plus dérisoires qui tournent court après avoir été lancées à grand renfort de publicité. Nous ne pourrons sortir l'industrie de ce chaos et de cette impasse qu'en construisant méthodiquement un nouveau système de management dans lequel l'approche statistique et l'approche sociale seront réconciliées. Le professeur Deming est seul à le proposer.

W. Edwards Deming est né en 1900 au sein d'une famille modeste, à Sioux City dans l'Iowa. Il fait ses études à l'Université du Wyoming, puis à l'Université du Colorado. Là, son professeur de mathématiques le remarque et le fait inscrire à la célèbre Université de Yale. Il obtient son doctorat ès sciences en 1928. Il entre alors au Ministère de l'Agriculture, à Washington, pour y faire des recherches sur les engrais azotés. Quelques années plus tard, sous l'influence de J. Neyman, il s'intéresse à la statistique appliquée, science nouvelle à cette époque, et commence à donner des cours à l'Ecole Supérieure d'Agronomie. En 1935, il fait la connaissance de Shewhart, qui est connu dans la communauté scientifique américaine pour un ouvrage célèbre paru en 1931 (Economic Control of Quality of Manufactured Product). En 1937, il invite Shewhart à donner dans cette école une série de conférences ; c'est pour lui l'occasion d'étudier en détail la théorie de la stabilité des systèmes, que l'auteur conçoit non seulement comme un support mathématique pour l'étude des processus industriels, mais aussi comme une philosophie de management. Shewhart lui explique longuement ses idées et l'invite chez lui le dimanche pour travailler quand le temps leur manque en semaine.

En 1938, Deming est nommé conseiller scientifique au Bureau National de Recensement. En 1940, il utilise pour la première fois, en appliquant les principes de Shewhart, des méthodes d'échantillonnage. En 1942, il est détaché au Ministère de la Guerre. Il propose alors d'enseigner la méthode de Shewhart à des ingénieurs et cadres supérieurs afin d'améliorer la qualité du matériel utilisé sur le front du Pacifique. L'idée est adoptée avec enthousiasme et les premiers cours ont lieu en juillet 1942 à l'Université de Stanford. Ils se poursuivront pendant toute la guerre ; néamoins Deming fait remarquer que leur efficacité reste faible en raison de l'indifférence des chefs d'entreprise à l'égard d'une méthode qui doit les impliquer nécessairement.

En 1946 et en 1948, Deming est envoyé au Japon par le Ministère de la Guerre pour participer à une étude économique. Curieusement, ce grand américain dont l'allure est celle d'un cow boy du Middle West tombe amoureux du Japon. A Tokyo, il rencontre les principaux statisticiens japonais et leur explique comment ils pourront intervenir dans l'industrie comme formateurs pour amorcer le changement d'organisation préconisé par Shewhart. Parmi les statisticiens avec lesquels il discute tard le soir, dans son hôtel, il y a l'un des fondateurs de la JUSE, la grande association des ingénieurs japonais. Celui-ci parvient à persuader le président du Kei-dan-ren (la fédération patronale) de la nécessité d'apprendre la méthode de Shewhart aux chefs d'entreprise. C'est ainsi que Deming, invité par la JUSE, donne une série de cours aux plus hauts dirigeants de l'industrie japonaise en juin 1950.

Jusqu'en 1980, Deming se rendra dix-huit fois au Japon et sera témoin de la formidable mutation qu'il a déclenchée. En 1960, l'Empereur Hirohito en personne lui remet la Médaille du Second Ordre du Trésor Sacré. Et pendant tout ce temps, ce prophète des temps modernes reste inconnu dans son pays.

Mais voici qu'en juin 1980, la chaine de télévision NBC diffuse un programme intitulé "Si le Japon y arrive, pourquoi pas nous ?" On y voit comment M. Deming, un professeur de mathématiques qui vit depuis cinquante ans à Washington, dans une petite maison bourgeoise, est responsable de l'amélioration de la qualité d'un grand nombre de produits japonais. Aussitôt, le voici devenu une vedette de la haute société américaine. A cinq mille dollars la journée, transport par jet privé et limousine, il donne des conseils au gratin des décisionnaires du big business. Aux Etats-Unis, la révolution industrielle est enfin en marche, c'est certain, mais il faudra tout de même plusieurs années pour en voir les effets. Comme le dit Deming, créer une nouvelle philosophie, c'est autre chose que de poser une moquette dans le bureau d'un directeur général.

Deming n'apprécie pas trop cette popularité. Il cherche avant tout à transmettre son savoir et son expérience à de bons ingénieurs et cadres désireux de mettre en pratique ses "quatorze points" dans une entreprise, et de traiter énergiquement les "maladies mortelles" du management. Depuis 1982, il fait régulièrement le tour du monde pour animer des séminaires résidentiels de quatre jours sous l'égide de l'Université George Washington. Chaque année, dix ou douze séminaires rassemblent chacun trois cents personnes. En six ans, il a enseigné sa théorie à plusieurs milliers de cadres supérieurs, pour la plupart citoyens des Etats-Unis. Souvent à la fin du stage, le public, debout, lui fait une longue ovation. C'est un signe encourageant, mais il sera difficile à ces hommes de bonne volonté d'assumer dans leur vie professionnelle toutes les conséquences de la nouvelle philosophie.

Tout le monde a des idées sur la qualité, chacun peut si risquer à en parler sans paraître trop ignorant, et cette apparente simplicité permet depuis plusieurs années à des personnes peu compétentes d'utiliser le discours sur la qualité comme un miroir aux alouettes pour capter l'attention des cadres supérieurs dans l'industrie et dans l'administration. Or il ne s'agit pas du tout de prêcher une nouvelle morale, mais au contraire d'apprendre à maîtriser en permanence la qualité des produits, des services, pour donner aux clients la meilleure satisfaction possible, au moindre coût. On n'y parvient pas avec des exhortations mais avec un processus scientifique.

Le docteur Kaoru Ishikawa dit très clairement que la gestion de la qualité est une révolution de pensée dans le management, et que sa pratique exige la formation pour tous, du directeur général à l'ouvrier. Il précise que les cours de base organisés par la JUSE au Japon durent six mois à raison de cinq jours par mois (4). Cent mille ingénieurs et cadres reçoivent chaque année cette formation. Ce chiffre considérable devrait normalement donner des inquiétudes aux chefs d'entreprise français, mais il n'en est rien. La révolution de pensée de l'industrie japonaise n'a pas encore atteint notre vieux monde.

Le professeur Deming est venu en France, comme je l'ai dit plus haut, en novembre 1980. Il a rencontré des présidents de grandes entreprises et même un ministre. Malheureusement, les méthodes qu'il a exposées à Paris à cette date, et qui se trouvent dans ce livre, n'ont pas eu un grand retentissement. La situation de notre industrie était identique à celle des Etats-Unis, dont le management consistait principalement à compter des dollars en fin de trimestre. C'est seulement à partir de 1981 que le professeur Deming fut appelé en consultation par les PDG des plus grandes firmes américaines (on peut citer notamment Ford Motor Company, General Motors, Control Data, Eastman Kodak).

La démarche proposée par Deming à l'industrie occidentale est le résultat d'une longue réflexion sur les causes de l'insuccès de la théorie de Shewhart – cette théorie qui a par ailleurs si bien réussi en Extrême-Orient – et sur les chances qui nous sont offertes par la nouvelle donne industrielle. Il a formé de nombreux disciples, tels que William Conway, PDG de Nashua, Donald Petersen, PDG de Ford, et bien d'autres. Ceux-ci ont fourni un effort considérable pour transformer radicalement leur entreprise et aujourd'hui, pour la première fois depuis 1973, depuis ce choc économique qui n'annonçait pas une crise mais une métamorphose, ils commencent à récolter les fruits de leur nouvelle philosophie de management.

Jean-Marie Gogue
Versailles, 1988

(1) Kaoru Ishikawa *Le TQC ou la Qualité à la Japonaise* (traduit du japonais) EYROLLES 1984 - p. 17

(2) Hervé Serieyx *Mobiliser l'intelligence de l'entreprise* Entreprise Moderne d'Edition 1982 - p. 30-32

(3) André Vessereau *La Statistique* PUF 1986 - p. 122-124.

(4) Kaoru Ishikawa *Le TQC (op. cit.)* - p. 42-43.

Préface à l'édition française

C'est pour moi un plaisir d'écrire cette préface à la version française de mon livre, *Out of the Crisis*, dont la traduction et l'adaptation ont été réalisées par Monsieur Jean-Marie Gogue. Je suis certain que le public de langue française sera reconnaissant à Jean-Marie Gogue, qui est mon collègue et mon ami depuis dix ans, de tous ses efforts pour aboutir à la publication de cet ouvrage.

En novembre 1980, Jean-Marie Gogue m'avait invité à Paris pour présider la cérémonie de remise du *Prix Industrie et Qualité*, une manifestation nationale comparable au *Deming Prize* qui fut institué au Japon en 1951. Ce voyage de quelques jours me donna l'occasion de rencontrer de nombreux dirigeants de l'industrie française et d'avoir avec eux d'utiles conversations. Cependant je fus étonné, et aussi un peu déçu, je l'avoue, de constater chez eux un désir unanime de s'inspirer d'anciennes méthodes américaines de management qui sont sur le point d'être abandonnées. Je pensais que les français avaient un esprit critique plus développé.

Le type de management que vous cherchez à copier a conduit l'économie américaine dans une impasse. Il ne sait que compter des dollars et néglige totalement les hommes. L'imitation des méthodes avec lesquelles l'industrie américaine a été dirigée jusqu'à présent risque de provoquer en France des dégâts incalculables.

Le but essentiel de mon enseignement est de développer un système de management qui assure à chacun la fierté de son travail. Techniquement parlant, afin de réussir dans cet enseignement, il faut une certaine connaissance de la psychologie, une certaine connaissance du concept de variation et la ferme intention de réduire les variations des processus. Il faut aussi comprendre suffisamment ce que sont l'interaction des forces et les définitions opérationnelles.

Ma théorie fait mieux comprendre les méfaits de la soi-disant méthode du salaire au mérite ou de l'évaluation annuelle des personnes. En réalité, les notes données par ce type de méthode ne sont pas celles des individus, mais surtout de l'organisation où ils travaillent. En fait, l'organisation où les personnes travaillent et l'interaction de cette organisation avec les personnes comptent certainement pour 90 à 95 pour cent de la performance.

La compréhension des causes communes de variation et celle des causes spéciales met en évidence combien sont illusoires des études sur des exemples de réussite. Ceux qui étudient les succès des entreprises répètent l'erreur qui consiste à attribuer ces succès à des causes spéciales, extérieures au système, alors qu'ils proviennent en réalité des causes communes du système. Les échecs des entreprises proviennent aussi des causes communes du système.

Ce sont les mêmes causes dont les effets se manifestent aux deux extrémités d'une distribution statistique.

La compréhension du concept de variation, celle des causes communes et des causes spéciales, celle de l'interaction des forces et des définitions opérationnelles doivent être les éléments d'une éducation libérale.

Les personnes qui observent les enseignements de la théorie sous-jacente constatent un changement dans leur propre vie, ainsi que dans leurs relations avec les membres de leur famille, avec leurs associés et leurs compagnons de travail.

Je suis certain que cette édition connaîtra un grand succès et j'espère que ce livre aidera de nombreux hommes de culture française à guérir leurs entreprises des maladies mortelles qui les menacent et à préparer leur transformation. Je tiens, pour terminer, à exprimer toute ma reconnaissance à Monsieur Jean-Marie Gogue.

W. Edwards Deming
Washington, 24 avril 1988

Préface à l'édition anglaise

Ce livre a pour but la transformation du style de management américain. Cette transformation nécessite une structure entièrement nouvelle à partir des fondations. Nous pourrions parler aussi d'une mutation, mais en écartant l'idée de spontanéité et de chaos que ce mot implique. Cette transformation doit se mettre en place avec un effort soigneusement dirigé, tel que l'indique ce livre. Nous verrons qu'il est nécessaire de transformer aussi les relations entre le gouvernement et l'industrie.

L'échec du management à préparer l'avenir et anticiper les problèmes conduit à des gaspillages de main-d'œuvre, de matières premières et d'équipements, toutes choses qui font augmenter les prix de revient et les prix de vente. Mais le consommateur n'est pas toujours d'accord pour subventionner ces gaspillages : il s'ensuit inévitablement une perte de marché qui engendre le chômage. La performance du management doit être mesurée à sa capacité d'améliorer les produits, de se maintenir dans les affaires, de développer l'investissement, d'assurer des dividendes pour l'avenir et de créer des emplois. Elle ne doit pas être mesurée aux dividendes distribués aux actionnaires chaque trimestre.

Socialement, il est devenu inacceptable que les entreprises se débarrassent de leurs employés en les envoyant à la décharge publique du chômage. Les pertes de marché et les problèmes sociaux qui en résultent ne sont pas dans l'ordre normal des choses. Ils ne sont pas inévitables, ils sont l'œuvre de l'homme.

La raison fondamentale du mal dont souffre l'industrie américaine et du chômage latent vient de l'incapacité des dirigeants à diriger. En effet, une entreprise qui ne vend pas des produits n'est pas capable d'en acheter.

Les causes d'échec des entreprises que l'on cite généralement sont : le coût de lancement d'un produit, le dépassement du prix de revient, la dépréciation des stocks excédentaires, la concurrence. Mais la cause réelle, c'est un mauvais management, purement et simplement.

Que doivent faire les dirigeants dans la situation actuelle ? Où peuvent-ils apprendre à accomplir la transformation nécessaire ? Leur expérience ne suffit pas pour savoir comment améliorer la qualité, la productivité et la position concurrentielle de l'entreprise.

Dire que chacun doit faire de son mieux n'est pas une bonne réponse. Il faut d'abord que chacun sache ce qu'il faut faire. C'est pourquoi un changement radical s'impose. La première étape de la transformation proposée ici consiste à apprendre comment faire le changement.

Tous les dirigeants en quête d'une transformation doivent se préparer à un long apprentissage de cette nouvelle philosophie. Les esprits pusillanimes et ceux qui attendent des résultats rapides seront obligatoirement déçus.

Le déclin de l'industrie américaine ne sera pas enrayé par le fait de résoudre constamment des problèmes, ni par l'accroissement du parc d'ordinateurs, ni avec d'autres gadgets dont on parle beaucoup. Il est vain d'espérer obtenir un bénéfice substantiel par la prolifération des nouvelles machines. La réponse n'est pas non plus dans l'expansion actuelle de l'enseignement des méthodes statistiques aux ouvriers, ni dans les gigantesques spots publicitaires présentant les cercles de qualité.

Toutes ces activités ne sont pas inutiles mais elles ne font que prolonger la vie du malade sans pouvoir enrayer le progrès de la maladie. Seule la transformation du style de management américain et des relations entre le gouvernement et l'industrie peuvent stopper le déclin et donner à l'industrie américaine une chance de dominer à nouveau le monde.

La fonction de management est inséparable du bien-être de la société. La grande mobilité de l'encadrement d'une société à l'autre est une situation que l'industrie américaine ne peut pas se permettre plus longtemps. Il faut que les dirigeants affirment une politique pour l'avenir, celle de rester présent sur le marché et de fournir toujours plus d'emplois à leur personnel. Il faut que les dirigeants aient une bonne compréhension de la conception des produits et des services, de l'approvisionnement en matières premières, des problèmes de production et de la maîtrise des processus. Il faut, aussi, qu'ils aient une bonne compréhension des obstacles qui apparaissent constamment dans les ateliers et qui ont pour résultat de déposséder les ouvriers de la fierté du travail bien fait, ce droit que nous avons tous à la naissance.

Aux Etats-Unis il y a presque tous les jours des conférences sur la productivité, qui sont consacrées surtout à présenter des gadgets. Comme le dit William E. Conway, ancien PDG de Nashua, il en est des mesures de productivité comme des statistiques d'accident. Elles vous disent qu'il y a un problème mais elles n'influent pas sur les accidents. Ce livre traduit une volonté d'améliorer la productivité et pas seulement de la mesurer.

Nous n'avons pas fait de distinction entre l'industrie de production et l'industrie de service. Celle-ci comprend l'administration, notamment l'éducation nationale et les PTT. Toutes les industries, de production ou de service, sont soumises aux mêmes principes de management.

Tout dirigeant a besoin, pour la transformation du management, d'un minimum de connaissances sur une science nouvelle qui traite de la nature des variations.De nombreux exemples montrent tout au long du livre comment la méconnaissance du concept de définition opération-nelle (objet du chapitre 10) et l'inaptitude à faire la différence entre les causes de variation (objet du chapitre 2) font perdre de l'argent et démoralisent le personnel.

En dehors du fait que le style de management américain ne convient plus à notre époque, le lecteur découvrira que certaines lois aux USA sont périmées, notamment la loi antitrust. Elles poussent l'industrie américaine vers son déclin et compromettent le bien-être du peuple américain. Ainsi, par exemple, le comportement agressif qui consiste à s'emparer du pouvoir en évinçant ses partenaires est un cancer qui ronge l'économie américaine. La crainte d'une OPA sauvage ainsi que l'importance attribuée aux dividendes trimestriels font qu'il n'y a pas de permanence dans les objectifs. Cela signifie que l'on mettra de moins en moins de produits et de services sur le marché, que l'on s'engagera vers plus de récession et plus de chômage.

Quand on a évalué l'importance du travail à faire, il devient évident qu'un long chemin de croix nous attend pendant des dizaines d'années.

Les protections tarifaires et les lois "Achetons américain" dont dépend l'économie ne font qu'encourager l'incompétence.

Cependant il ne serait pas juste de laisser au lecteur le sentiment qu'aucune action n'est mise en place. En vérité, dans un certain nombre de sociétés américaines, les dirigeants travaillent sur les quatorze points présentés dans ce livre et examinent les maux qui affligent notre industrie. Ils ont déjà enregistré des résultats substantiels. Quelques grandes écoles donnent des cours sur la transformation du style de ma-nagement américain à partir des notes que j'ai utilisées ces dernières années dans la conduite de séminaires.

Remerciements

Je rends hommage aux grands hommes, aujourd'hui disparus, avec lesquels j'ai eu la chance insigne de faire mon apprentissage : Walter A. Shewhart, Harold F. Dodge, George Edwards, tous membres des *Bell Telephone Laboratories.* Je suis également reconnaissant envers d'autres collègues que je tiens en grande estime.

Ce livre n'aurait jamais pu être édité sans le dévouement, la persévérance et l'optimisme de ma secrétaire Cecilia S. Kilian, qui me prête son concours depuis 32 ans dans mes travaux sur la statistique. A partir d'une multitude de notes que j'avais griffonnées à la hâte dans les avions, elle a élaboré d'abord plusieurs versions successives d'un texte que j'ai utilisé pour mes séminaires, et finalement le texte définitif du présent ouvrage.

Chapitre 1

Qualité, productivité, réduction des prix de revient, conquête du marché : une réaction en chaîne

*Qui donc sème le trouble dans l'assemblée
en parlant sans connaître la question ?*

Job 38:2

But de ce chapitre. Le but de ce chapitre est d'illustrer la notion de système stable dans une unité de fabrication, et d'expliquer que, parce que le système est stable, l'amélioration de la qualité est la responsabilité du management. D'autres exemples apparaîtront dans les chapitres suivants.

Un peu de folklore. Un refrain du folklore de l'industrie américaine dit que la qualité et la productivité sont incompatibles, que vous ne pouvez pas avoir les deux à la fois. Un directeur d'usine vous dira habituellement que c'est l'une ou l'autre. Son expérience lui a montré que s'il fait un effort pour la qualité, sa production diminue et que, s'il active la production, la qualité en souffre. Et c'est bien ce qui se passe lorsque le directeur d'usine ne sait pas ce que c'est que la qualité et ne sait pas comment l'obtenir.

Au cours d'une réunion avec 22 ouvriers, tous syndicalistes, quelqu'un a donné une réponse claire et concise à ma question qui était: "Pourquoi est-ce que la productivité augmente lorsque la qualité s'améliore ?"

– Moins de retouches.

– Moins de gaspillage.

Il n'y a pas de meilleure réponse.

Pour un ouvrier, faire de la bonne qualité veut dire que sa performance lui donne satisfaction, le rend fier d'un travail bien fait.

L'amélioration de la qualité fait que des heures de travail et de temps machine qui auraient été gaspillées vont à la réalisation d'un bon produit et d'un meilleur service. Ceci a pour effet une réaction en chaîne : un prix de revient plus faible, une meilleure position concurrentielle, des gens plus heureux au travail, et des emplois plus nombreux.

Mon ami le docteur Yoshikasu Tsuda, de l'Université Rikkyo à Tokyo, a énoncé clairement la relation entre la qualité et la productivité dans une lettre qu'il m'a adressée de San Francisco le 23 mars 1980 :

> *Je viens de passer un an dans l'hémisphère nord, dans 23 pays, où j'ai pu visiter beaucoup d'établissements industriels et discuter avec beaucoup d'industriels.*
>
> *En Europe et en Amérique, les gens sont actuellement intéressés surtout par le coût de la qualité et par la méthode de l'audit qualité. Mais au Japon nous gardons un intérêt très puissant pour les méthodes d'amélioration de la qualité que vous avez lancées... Quand nous améliorons la qualité, nous améliorons aussi la productivité, exactement comme vous nous l'aviez prédit en 1950.*

Le Dr. Tsuda dit que l'industrie occidentale se contente d'améliorer la qualité jusqu'à un niveau tel que les chiffres visibles jettent un doute sur l'avantage économique d'une amélioration ultérieure. Ainsi, quelqu'un lui a demandé : "Jusqu'où pouvons-nous abaisser le niveau de la qualité sans perdre des clients ? ". Cette question révèle en quelques mots un abîme d'incompréhension typique du management américain. Inversement, les Japonais vont toujours de l'avant et améliorent les processus sans se soucier des chiffres. Ainsi, ils améliorent la productivité, réduisent les prix de revient, et font la conquête du marché.

Le réveil du Japon. Les dirigeants de certaines sociétés japonaises avaient remarqué en 1948 et 1949 que l'amélioration de la qualité engendrait nécessairement une amélioration de la productivité. Cette observation était le résultat du travail de plusieurs ingénieurs japonais qui étudiaient les documents concernant le contrôle de la qualité que leur avaient transmis les ingénieurs des laboratoires Bell employés à l'Etat-Major du Général MacArthur. Ces ouvrages comprenaient le livre de Walter A. Shewhart "Economic Control of Quality of Manufactured Product". Les résultats furent saisissants. Ils montraient que la productivité s'améliore au fur et à mesure que l'on réduit les variations des caractéristiques des produits. C'est exactement ce que prophétisait le livre de Shewhart. A la suite de la visite d'un expert étranger au cours de l'été 1950, la réaction en chaîne représentée ci-dessous est devenue partie intégrante du mode de vie japonais.

Cette réaction en chaîne a été écrite au tableau noir au cours de toutes mes réunions avec les directeurs généraux au Japon, à partir de 1950 et jusqu'à ces dernières années.

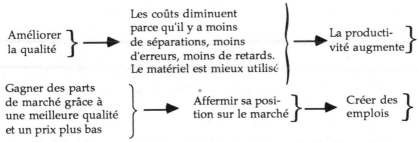

Au Japon comme partout dans le monde, l'ouvrier a toujours été conscient de cette réaction en chaine, conscient aussi du fait que les défauts qui parviennent jusqu'au consommateur font perdre le marché à son entreprise et lui font perdre son emploi.

Dès que les milieux dirigeants japonais eurent adopté cette politique, tout le personnel, de 1950 à nos jours, n'a plus eu qu'un but : la qualité.

En l'absence de débiteurs, d'actionnaires obsédés par les dividendes, cet effort a fait naître des liens très solides entre les directions générales et les ouvriers. Au Japon, il n'y a pas de place pour les OPA inamicales et les manœuvres boursières. Les directeurs généraux ne sont pas influencés par le rendement de leurs actions. C'est pourquoi ils peuvent adopter des objectifs constants.

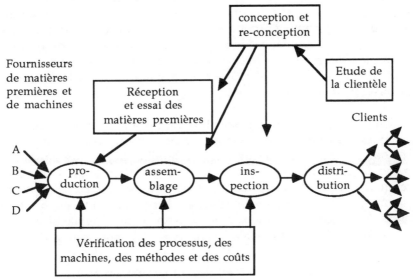

Fig. 1 : La production considérée comme un système. L'amélioration de la qualité enveloppe toute la ligne de production, depuis les matières premières jusqu'au consommateur, en comprenant la redéfinition des produits et des services pour l'avenir. J'ai utilisé ce graphique pour la première fois en août 1950 au cours d'une conférence avec des directeurs généraux à l'hôtel de Yama sur le Mont Hakone au Japon. Dans une société de service, les sources A, B, C, etc... peuvent être des sources d'information ou des actions initiales telles que (par exemple dans un grand magasin) : prévision d'activités, commandes, annulations, inventaires, expéditions, etc.

Diagramme de flux. Ce n'est pas quand on parle beaucoup de la qualité que l'on en fait le plus. Il était donc nécessaire de passer à l'action, et c'est le diagramme de flux de la fig.1 qui a donné le départ. Sur la partie gauche, les matières premières et les équipements. J'ai expliqué qu'il était nécessaire d'améliorer les matières premières, de travailler avec le fournisseur sur le long terme, pour améliorer la qualité et réduire le prix de ses produits, dans un esprit de confiance et de loyauté, en le considérant comme un partenaire.

Le consommateur est le point le plus important de la ligne de production. La qualité a pour but de satisfaire les besoins du consommateur, présents et futurs.

La qualité commence avec la définition du projet par la direction générale. Il sera traduit par les ingénieurs et cadres sous forme de plans, de spécifications, d'instructions pour la production et les essais. Les principes qui sont exposés ici, notamment le diagramme de la fig. 1, avec les techniques qui ont été enseignées à des centaines d'ingénieurs, ont amorcé la transformation de l'industrie japonaise (voir annexe). Une nouvelle ère économique commençait.

Les directeurs apprenaient quelles étaient leurs responsabilités en matière d'amélioration à tous les stades. Les ingénieurs apprenaient les leurs ; ils apprenaient des méthodes simples mais puissantes permettant de détecter l'existence de causes de variations spéciales ; ils apprenaient que l'amélioration continuelle des processus est essentielle. Subitement, l'amélioration de la qualité devint un impératif général, comprenant toutes les activités industrielles: les approvisionnements, la conception des produits et des services, l'instrumentation, les études de marché. La qualité se développa ainsi à l'échelle de chaque établissement, de chaque société, puis à l'échelle du pays tout entier.

Un pays, quel qu'il soit, peut-il échapper à la pauvreté ? En 1950, le Japon était en déficit. Comme maintenant, il était dépourvu de ressources naturelles: de pétrole, de houille, de fer, de cuivre, de manganèse et même de bois. De plus, le Japon avait l'exécrable réputation de produire de la camelote à bon marché. Le Japon devait exporter des marchandises en échange de produits alimentaires et de biens d'équipement. Cette bataille ne pouvait être gagnée qu'à l'aide de la qualité, le consommateur étant le point le plus important de la chaine.

Ce fut un terrible défi pour les dirigeants japonais.

Suivant l'exemple du Japon, tout autre pays possédant de la main-d'œuvre et un bon management peut échapper à la pauvreté en réalisant des produits adaptés à ses talents et au marché. L'abondance de ressources naturelles n'est pas nécessaire à la prospérité. Le bien-être d'une nation dépend plus de sa population, de ses chefs d'entreprise et de ses gouvernants que de ses ressources naturelles. Le problème est de savoir où trouver un bon management. Ce serait une erreur que d'exporter le management américain vers un pays ami.

Quel est au monde le pays le plus sous-développé ? Etant donné le fonds de compétences et de connaissances que représentent ses millions de chômeurs, étant donné le gaspillage de plus en plus scandaleux de cette armée de personnes sans emploi à tous les niveaux de l'industrie, l'on peut dire aujourd'hui que les Etats-Unis sont la nation la plus sous-développée du monde.

Rôle des services publics. Dans la plupart des services publics, il n'y a pas de marché à conquérir. En revanche, le service public doit fournir le service défini par les règlements, pour la plus grande satisfaction des usagers et dans les conditions les plus économiques. Par une amélioration constante de ses services, l'administration gagnerait l'estime des américains, sauverait ses emplois et contribuerait à créer des emplois dans l'industrie.

Premier exemple simple. Quelques chiffres tirés de l'expérience montrent ce qui arrive lorsque l'on améliore la qualité. Le directeur d'une usine avait des problèmes sur une chaine de production. Pour lui, ces problèmes n'étaient imputables qu'aux erreurs du personnel (24 personnes).

Il fit faire une enquête dont la première étape fut de rassembler des résultats de contrôle et de porter sur un graphique les pourcentages journaliers d'articles défectueux. Les variations aléatoires étaient stables de part et d'autre de la moyenne. Il était possible ainsi de prédire le niveau d'erreur. En d'autres termes, le système de production d'articles défectueux était stable. Dans ce cas, seule une action sur le système, qu'il appartenait à la direction d'entreprendre, pouvait apporter une amélioration significative. Il était parfaitement futile de faire appel aux bons sentiments des ouvrières.

Que pouvait faire la direction ? D'après son expérience, le consultant pensait que les ouvrières ainsi que l'inspectrice ne savaient pas suffisamment quelle sorte de travail était acceptable et quelle sorte ne l'était pas. Ayant admis cette hypothèse, le directeur et deux contremaîtres se sont mis au travail sur le sujet. Par approches successives, ils ont réalisé en sept semaines des définitions opérationnelles avec des exemples d'articles conformes et d'articles non-conformes. Ils les ont placés dans l'atelier pour que tout le monde puisse les voir. La proportion d'articles défectueux a diminué comme on le constate sur la figure 2.

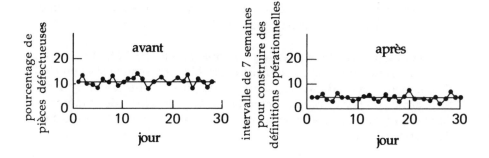

Fig. 2 : Proportion journalière d'articles défectueux, avant et après la mise en place des définitions opérationnelles. Le résultat moyen est passé de 11 à 5 pour cent.

Illustration du gain en productivité avec une meilleure qualité

	Avant amélioration (11 % défauts)	Après amélioration (5 % défauts)
Coût total	100	100
Dépense pour bons produits	89	95
Dépense pour mauvais produits	11	5

Gains :
La qualité augmente
la production de bons produits augmente de 6 %
la capacité augmente de 6 %
le prix de revient du bon produit diminue
le bénéfice augmente
le consommateur est plus satisfait
tout le monde est plus satisfait

Ces gains ont été immédiats (sept semaines) ; le coût est nul, le personnel n'a pas changé, la charge de travail n'a pas changé, aucun investissement n'a été fait pour de nouvelles machines.

Ceci est l'exemple d'un gain de productivité qui a été réalisé en modifiant le système. La définition du travail a été améliorée par la direction et les ouvrières ont pu travailler mieux sans travailler plus.

Mais il peut arriver qu'un nouveau facteur entre en ligne de compte. Il se peut que le contremaître, lorsque sa direction fait pression pour qu'il augmente la production, accepte un moins bon travail pour atteindre les objectifs qui lui sont fixés. Il jette alors le doute dans l'esprit des ouvrières et de l'inspectrice sur la définition du travail acceptable.

L'étape suivante a consisté à éliminer les cinq pour cent d'articles défectueux. Comment ? Nous avons d'abord noté que la variation était stable autour de la nouvelle moyenne. Pour obtenir une amélioration substantielle, il fallait donc à nouveau agir sur le système. Voici quelques suggestions qui ont été faites :
  – matières premières difficiles à utiliser ;
  – machines en mauvais état de marche ;
  – toutes les difficultés concernant la définition du travail n'ont peut-être pas été résolues.

Il serait peut-être judicieux de tenir un graphique du taux de défauts pour chaque opératrice pendant deux semaines. Les calculs montreraient alors que quelques ouvrières maîtrisent moins bien leur travail. Il faut faire des essais pour savoir s'il est utile de les former ou s'il faut les mettre sur un autre travail. Il faut aussi vérifier soigneusement si les matières premières créent des difficultés, si l'entretien des machines est suffisant.

Il y avait 24 personnes sur la chaîne. Lorsque j'approchai, la contrôleuse prit une boîte d'articles, les vérifia, enregistra les résultats puis saisit une autre boîte pour la vérifier. Je lui demandai : "Que faites-vous de ces fiches que vous remplissez ?" Elle répondit : "Je les mets sur la pile ici, quand la pile est trop grosse, je mets la moitié du dessous à la poubelle". Je repris : "Pouvez-vous me donner la moitié du dessus ?" Elle ne demandait pas mieux. Nous avons pris la partie du dessus qui concernait les six dernières semaines et j'ai construit le graphique de la figure 2.

Deuxième exemple simple. Le premier grand succès chez Nashua est survenu en mars 1980, il s'agissait de l'amélioration de la qualité et de la réduction du coût de fabrication de papier sans carbone.

Un revêtement contenant des produits chimiques est appliqué sur un papier qui se déroule. Si la quantité de produit est correcte, le client sera parfaitement satisfait lorsqu'il utilisera le papier quelques mois plus tard. Un injecteur dépose environ deux kilos de produit sur 100 m^2 de papier à une vitesse de 300 mètres minute, sur une feuille de 2 mètres de large environ. Des techniciens prennent des échantillons de papier et font des essais pour déterminer l'intensité de l'impression. Un essai a lieu après la fabrication et un autre après vieillissement en étuve pour simuler ce qui se passe en clientèle. Quand l'intensité d'impression, aux essais, est trop faible, l'ouvrier fait des réglages pour augmenter ou diminuer la quantité de produit déposé. On avait pris l'habitude d'arrêter souvent la machine, ce qui coûtait très cher.

Les ingénieurs savaient que le poids moyen du revêtement était trop grand mais ils ne savaient pas comment le diminuer sans risquer d'avoir des défauts. L'achat d'un nouvel injecteur coûtant 700 000 $ était à l'étude. Il fallait ajouter à cette somme le coût de l'injection et le risque de ne pas avoir de meilleurs résultats.

En août 1979, le directeur d'établissement me demanda de l'aider. Nous avons constaté que l'injecteur, si on ne l'avait pas constamment bricolé, aurait été parfaitement sous contrôle avec un taux de 18 grammes par m^2, plus ou moins 2.

L'élimination de diverses causes de variation, mises en évidence par les points trouvés hors des limites de contrôle, permit de diminuer le taux de revêtement tout en gardant une qualité constante. En avril 1980, l'injecteur marchait à un taux de 14 grammes par m^2, plus ou moins 2. L'économie était de 4 grammes par m^2, soit 800 000 $ par an.

Innovation pour améliorer le processus. La suite de l'histoire de Nashua est encore plus intéressante. Le contrôle statistique ouvrit la voie à l'innovation technique. Sans le contrôle statistique, le processus était instable, chaotique, et les perturbations cachaient les résultats de toutes les tentatives d'amélioration.

Avec la réussite du contrôle statistique, les ingénieurs et les chimistes entrèrent dans une phase de création et d'innovation. Ils pouvaient désormais tout identifier dans le processus. Ils modifièrent la composition chimique du produit de revêtement et réussirent à en utiliser de moins en moins. Toute réduction de 0,5 gramme par m^2 entrainait une économie de 100 000 $. Les ingénieurs améliorèrent aussi l'injecteur pour arriver à une uniformité du revêtement de plus en plus grande. Pendant ce temps, le contrôle statistique du revêtement était maintenu à des niveaux de plus en plus faibles avec une variation de plus en plus petite.

Une mauvaise qualité signifie des coûts élevés. Une usine était constamment confrontée à une énorme proportion de produits défectueux. "Combien de personnes avez-vous sur cette chaine pour réparer les défauts ?" demandais-je au directeur. Il fit le calcul au tableau et arriva au total de 21 % des effectifs de la production.

Les défauts ne sont pas gratuits. Quelqu'un les fait, il est payé pour les faire. Si nous supposons qu'il coûte aussi cher de réparer un défaut que de le faire, c'est 42 % des salaires et des charges qui sont dépensés pour faire des défauts et ensuite les réparer.

Quand le directeur eut constaté l'ampleur du problème, compris qu'il dépensait de l'argent pour faire des défauts et ensuite les réparer, il trouva le moyen d'améliorer le processus et d'aider les ouvriers de la chaine à mieux comprendre leur travail. En quelques mois, le coût des réparations diminua dans de grandes proportions.

Etape suivante: réduire la proportion de produits défectueux par un programme d'amélioration qui n'aura jamais de fin. Le coût des réparations n'est qu'une partie du coût de la non-qualité. La non-qualité engendre la non-qualité et réduit la productivité tout au long de la chaine, et quelques-uns des produits défectueux sortent de l'usine, vont chez le consommateur. Un consommateur mécontent en parle à ses amis. L'effet multiplicateur d'un consommateur mécontent, tout comme celui d'un consommateur heureux, est un chiffre imprévisible qui fait que vous réussissez ou non dans les affaires.

A.V. Feigenbaum a estimé que 15 à 40 pour cent du prix de revient de presque tous les produits américains que vous achetez en ce moment est dù à un gaspillage d'efforts, de main-d'œuvre et d'équipements. Il n'est pas étonnant que les produits américains soient difficiles à vendre sur le marché intérieur comme à l'exportation.

Au cours d'un travail que j'ai fait un jour pour une compagnie de chemins de fer, j'ai découvert que les mécaniciens d'un énorme atelier de réparation passaient les trois quarts de leur temps à faire la queue pour obtenir les pièces détachées dont ils avaient besoin.

Aux USA, le coût de certaines pratiques telles que l'adjudication à l'offre la moins élevée et le fait de déposséder les gens de la fierté du travail bien fait aggravent certainement encore l'estimation du Dr. Feigenbaum.

Les détériorations dues à une mauvaise manutention en usine sont souvent consternantes: elles atteignent parfois 5 à 8 pour cent des coûts de production. Les pertes sont aussi considérables au cours du transport et de la distribution. Demandez-donc à un épicier ce que lui coûtent les dégats causée par son personnel ou par ses clients dans le magasin et sur les rayons.

Les nouvelles machines et les gadgets ne sont pas la réponse. Nous venons de voir un exemple dans lequel des gains de qualité et de productivité importants sont obtenus par l'apprentissage d'une utilisation efficace des machines existantes.

Des articles de journaux attribuent le retard de la productivité américaine à un investissement trop faible en nouvelles machines, en automates et en toutes sortes de gadgets. Ces spéculations sont intéressantes à lire et encore plus intéressantes à écrire pour des gens qui ne connaissent rien aux problèmes de production. Les lignes qui suivent, écrites par un ami qui travaille dans une grande entreprise, illustrent ce propos:

> Ce vaste programme de développement et d'installation de nouvelles machines nous a entraînés dans quelques expériences malheureuses. Toutes ces merveilleuses machines remplissaient bien leurs fonctions au cours des essais. Mais lorsque nous les avons mises en service dans nos usines, avec notre personnel, elles étaient si souvent hors service pour telle ou telle raison que

notre dépense totale, au lieu de diminuer, augmenta. Personne n'avait évalué le taux de défaillance probable et la maintenance nécessaire. Finalement, nous étions constamment soumis à des pannes, nous manquions de pièces détachées, et nous n'avions pas de solution de rechange.

Les gadgets pour l'automation et l'enregistrement automatique dans les bureaux et les usines ne sont pas non plus la réponse. Des milliers de gens visitent des expositions où de tels gadgets sont exposés. Ils cherchent là des moyens faciles d'augmenter la productivité, des moyens matériels.

Quelques gadgets peuvent augmenter la productivité jusqu'à couvrir leurs propres dépenses, mais l'ensemble des résultats dus aux nouvelles machines, aux gadgets et aux idées brillantes est peu de chose en comparaison des gains de productivité qui seront réalisés par un bon management des entreprises qui survivent au déclin.

Si j'étais banquier, je ne prêterais pas mon argent pour acheter de nouveaux équipements, sauf si l'entreprise qui demande un prêt peut statistiquement mettre en évidence qu'elle utilise ses équipements actuels au voisinage de leur capacité maximum. Je vérifierais aussi qu'elle travaille pour éliminer les graves obstacles exposés au chapitre 4.

La mesure de la productivité n'améliore pas la productivité. Aux Etats-Unis, chaque jour et souvent plusieurs fois par jour, il y a des conférences sur la productivité. Il y a même un Comité National pour la Productivité. Le but de ces conférences est d'élaborer des résultats. Il est important d'avoir des résultats pour comparer la productivité aux Etats-Unis d'une année sur l'autre et pour comparer la productivité de différents pays. Malheureusement, les chiffres sur la productivité n'aident pas un pays à améliorer sa productivité. Les mesures de productivité sont comme les statistiques d'accidents: elles vous indiquent le nombre d'accidents à la maison, sur la route, au travail, mais elles ne vous indiquent pas comment réduire leur fréquence.

Malheureusement, il est à craindre que l'assurance-qualité ne se traduise souvent que par un déluge de chiffres qui vous indiquent combien d'articles défectueux ont été produits le mois dernier, dans chaque type, accompagnés de comparaisons avec les mois et les années précédentes. De tels chiffres indiquent ce qui s'est passé, mais ils ne donnent pas aux dirigeants la marche à suivre pour s'améliorer.

Au cours de la conférence de l'Institut de l'Administration des Banques qui s'est tenu à Atlanta en Janvier 1982, Quelqu'un a proposé que chaque banque crée un bureau de productivité pour mesurer la productivité. Comme il y a 14 000 banques aux Etats-Unis, cette idée pourrait conduire à la création de 14 000 emplois. Mais le seul ennui, c'est que la mesure de la productivité n'améliore pas la productivité.

Toute action doit prendre en considération les buts à atteindre. On dit que Thomas A.Edison, le grand inventeur américain, avait proposé une machine à voter pour améliorer la procédure de vote au Congrès américain. Il avait présenté son appareil au Président de l'Assemblée et au Président du Sénat. Chaque député et chaque sénateur aurait eu trois boutons sur l'accoudoir de son fauteuil ; un rouge pour non, un vert pour oui et un blanc pour abstention . Edison proposait que, lorsque le signal du vote serait donné, chaque membre presserait le bouton approprié. Le nombre de votants et le total des votes serait affiché automatiquement. Edison assurait fièrement aux deux présidents que son appareil éliminerait les erreurs d'appel et réduirait considérablement le temps de vote. Il fut stupéfait d'être interrompu brusquement par les deux présidents. Un tel système, dirent-ils, était tout à fait indésirable ; au lieu d'améliorer le fonctionnement de la Chambre des Députés et du Sénat, il jetterait le trouble dans les méthodes de travail du Congrès. Ce qui était une amélioration aux yeux d'Edison ne l'était pas du tout du point de vue du Congrès, tout au contraire. En effet, même si l'appel des députés et des sénateurs prenait un temps assez long, il faisait intégralement partie du temps de délibération. Le moyen proposé par Edison, en raccourcissant le temps de vote, était incompatible avec les objectifs du Congrès.

Chapitre 2

Causes communes et causes spéciales d'amélioration Le système stable

Il est vraiment insupportable, celui qui prêche à ceux qui ont des oreilles mais n'entendent pas.

Chaucer, le conte de Mélibée

But de ce chapitre. Le principal problème du management et du leadership est, selon l'expression de mon collègue Lloyd S. Nelson, une inaptitude fondamentale à interpréter l'information en termes de variations. Celui qui a bien assimilé les notions contenues dans ce chapitre comprendra à quel point il est futile de prendre comme base des augmentations et des promotions l'évaluation annuelle des performances humaines. Il comprendra que le principe selon lequel le management doit faire pression sur les employés dont les performances sont inférieures à la moyenne est faux, inefficace et coûteux pour la société.

Il comprendra aussi que le type d'action destiné à éliminer les causes spéciales de variations est totalement différent du type d'action destiné à réduire les variations qui proviennent du système lui-même. Il comprendra ce que sont l'aptitude statistique d'un processus, l'aptitude statistique d'un système de mesure et le contrôle statistique des appareils de mesure. Il comprendra enfin pourquoi le prix de revient diminue quand la qualité augmente.

Il est essentiel, dans l'industrie et dans la recherche, de faire clairement la distinction entre un système stable et un système instable, de savoir placer des points sur un graphique et conclure rationnellement si le système est stable. Les points peuvent représenter une grande diversité de chiffres journaliers, hebdomadaires ou mensuels, par exemple : des chiffres de ventes ; des indices de qualité de produits entrants ou sortants ; le nombre de réclamations des clients ; le montant du crédit-client ; le volume des stocks ; le taux d'accidents, d'absentéisme ou de jours de congé, etc.

Mais ce livre n'est pas un recueil de techniques. Le lecteur qui veut poursuivre des études sur les techniques dont il est question devra travailler sous la conduite d'un professeur compétent et s'inspirer de quelques livres dont il trouvera une liste à la fin du chapitre.

Causes Spéciales ; Causes Communes ; Amélioration du Système.

Un graphique de tendance. La consommation d'essence d'un véhicule est relevée chaque fois que l'on remplit le réservoir. Les résultats varient d'un point à l'autre et s'écartent parfois de la moyenne, tantôt au dessus et tantôt en dessous. Mais nous constatons une augmentation subite de la consommation au dessus de la moyenne pendant neuf périodes successives. Quelle en est la cause ? Tant que deux ou trois points seulement sont au dessus ou en dessous de la moyenne, il n'y a pas lieu de s'inquiéter ; mais neuf points successifs indiquent l'existence d'une cause spéciale de variation. Ce concept est l'une des grandes contributions du Dr. Shewhart au progrès du monde moderne.

La moyenne (11,3 litres aux 100 km) avait été calculée auparavant pendant une période de temps chaud. L'explication de la cause spéciale pouvait être un brusque refroidissement, mais aussi un voyage dans une région de montagne, un carburant différent, un conducteur différent ou le fait que le véhicule était utilisé différemment. Ce pouvait être aussi une combinaison de plusieurs de ces possibilités. En fait, elles furent écartées pour diverses raisons et la seule hypothèse retenue fut celle des bougies d'allumage. Les bougies furent remplacées et la consommation d'essence retrouva son niveau habituel.

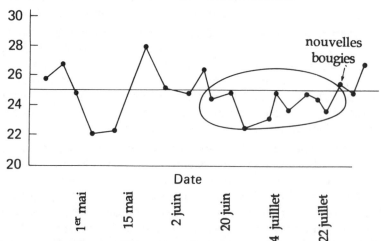

Fig. 3 : Partie d'un graphique de tendance indiquant la consommation d'essence d'un véhicule, relevée à chaque remplissage. La série de neuf points au dessus de la moyenne traduisait un changement. La cause fut attribuée à l'usure des bougies.

Ce retour à la consommation habituelle prouve t-il que le problème était dû aux bougies ? Pas nécessairement. Nous arrivons simplement à une certaine idée sur l'évolution de la consommation d'essence, et si la même succession d'événements se produit avec un autre véhicule, nous mettrons les bougies sur la liste des causes possibles.

De nombreuses sociétés qui possèdent des automobiles et des camions (plusieurs millions aux Etats-Unis) gardent soigneusement le relevé des kilomètres parcourus et des litres d'essence consommés. Elle pourraient faire un bon usage de ces données. Un simple graphique de tendance pourrait être tenu par le conducteur de chaque véhicule. Ce graphique indiquerait les problèmes, donnerait satisfaction au conducteur et lui ouvrirait de nouvelles perspectives.

Nous voyons donc qu'un graphique de tendance détecte l'existence d'une cause de variation qui réside en dehors du système, mais il ne découvre pas cette cause. D'autre part, ce n'est pas un indicateur instantané ; pour indiquer l'existence d'une cause spéciale, il faut habituellement une série de sept ou huit points au dessus ou en dessous de la moyenne.

Première leçon de statistique appliquée. Les cours de statistiques commencent souvent par l'étude et la comparaison des diverses distributions. Mais les manuels de classe n'attirent pas l'attention des étudiants sur le fait que, dans l'application des statistiques à l'amélioration d'un processus, les calculs de moyenne et d'écart-type, le test de Khi-2, le test de Student, etc. ne servent à rien tant que les données ne sont pas produites sous contrôle statistique. Par conséquent, la première étape dans l'examen des données consiste à s'interroger sur la question de savoir si le système qui a produit ces données est dans un état de contrôle statistique. Pour examiner les données, le plus facile est de les placer sur un graphique dans l'ordre de leur production.

Regardons par exemple une distribution qui semblait présenter toutes les qualités souhaitables, mais qui a conduit à des décisions erronées (Fig. 4).

Cinquante ressorts d'un certains type, utilisés dans une caméra, ont été soumis à une mesure d'allongement sous une traction de 20 grammes. La distribution est bien symétrique et les deux valeurs extrêmes sont entre les limites spécifiées. Par conséquent, nous pourrions conclure que le processus est satisfaisant.

En fait, les résultats enregistrés suivant l'ordre de production des ressorts font apparaître une tendance à la baisse. Ceci nous indique une anomalie dans le processus de fabrication ou dans le dispositif de mesure ; il en résulte que l'utilisation, à des fins théoriques, de la distribution de la figure 4 ne peut conduire qu'à des absurdités. Par exemple, aucune prévision ne peut être faite à partir de l'écart-type.

Cette distribution ne peut rien nous apprendre sur le processus parce que le processus n'est pas stable.

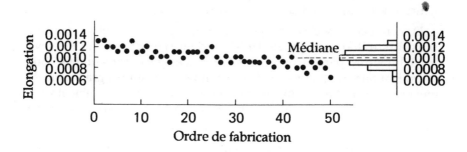

Fig. 4 : Graphique de tendance pour 50 ressorts qui ont été essayés dans l'ordre de leur fabrication. La distribution des résultats d'essai est symétrique, mais lorsqu'on inscrit ces données sur le graphique, on voit que la distribution n'a aucun intérêt. En particulier, la distribution ne nous indique pas quelles seraient les spécifications qui pourraient être respectées. La raison est qu'il n'y a pas ici un processus identifiable.

Nous savons donc maintenant qu'il est très important d'observer les données que l'on veut analyser. Il faut porter des points sur un graphique dans l'ordre de la production ou dans un autre ordre logique ; un simple diagramme de dispersion est utile pour de nombreux problèmes.

Une distribution (représentée par un histogramme) ne donne aucune information sur l'aptitude statistique d'un processus ; ce n'est qu'une représentation simplifiée de ses performances. Si quelqu'un utilise la distribution précédente pour chercher l'aptitude statistique du processus, il tombera inévitablement dans un piège parce que le processus en question n'est pas stable. La notion d'aptitude statistique ne s'applique qu'à un processus stable. La stabilité d'un processus s'observe sur un graphique de tendance, son aptitude se calcule ensuite avec la distribution, sa stabilité se maintient enfin par l'utilisation d'un graphique de contrôle.

Les caractéristiques importantes. Pour déterminer les valeurs importantes, celles qu'il faut étudier au moyen de graphiques de contrôle ou de toute autre méthode, il faut à la fois une bonne connaissance technique du sujet (physique, chimie, psychologie, etc..) et une bonne connaissance de la théorie statistique.

Causes spéciales et causes communes. Une erreur d'interprétation des résultats que l'on commet très souvent consiste à supposer que chaque accident ou chaque défaut est imputable à un événement particulier bien connu, généralement parce qu'il est d'actualité. Il peut arriver par exemple qu'un défaut soit imputable à une erreur flagrante d'un employé ; mais la plupart du temps, les désordres que l'on trouve dans une activité de production ou de service proviennent du système. Nous dirons, par définition, que les défauts qui proviennent du système proviennent de causes communes, et que les défauts qui proviennent d'événements passagers proviennent de causes spéciales.

Une confusion coûteuse. La confusion entre les causes communes et les causes spéciales conduit à une frustration générale, à une plus grande variabilité et à des coûts plus élevés. C'est exactement le contraire du but recherché. J'estime, d'après mon expérience, que la plupart des problèmes et la plupart des possibilités d'améliorations se répartissent comme suit :

94 % appartiennent au système (le management en est responsable) ; 6 % ont des causes spéciales.

"Bill", demandai-je au directeur d'une société de transport routier, " quelle est la proportion des problèmes matériels dont vos conducteurs sont responsables ?" Sa réponse : " la totalité" me donne la certitude qu'il perdra de l'argent tant qu'il n'aura pas compris que les principales causes de défauts résident dans le système, et que c'est à lui de s'en occuper.

Quand une série de voitures neuves est rappelée par un constructeur pour une vérification, le problème est généralement interprété par l'homme de la rue comme le résultat d'une négligence du personnel de production. Cette idée est entièrement fausse, car le problème provient toujours du management. Il réside peut-être dans la mauvaise conception d'une pièce détachée, dans le fait que la direction n'a pas tenu compte des mauvais résultats d'essais, ou dans la précipitation avec laquelle la firme a sorti un nouveau modèle pour damer le pion à ses concurrents. Aucun défaut propre au système ne peut être compensé par un plus grand effort des ouvriers, même s'ils font preuve d'une habileté exceptionnelle.

Si les ouvriers réalisaient que le management s'efforce vraiment de travailler pour améliorer le système, donner à l'atelier des responsabilités adaptées à ses possibilités d'action et supprimer les obstacles que le système a placés sur sa route, ils auraient aussitôt un moral extraordinaire.

Dans une situation où il y a des hauts et des bas, le management fait souvent de graves erreurs. C'est que les cadres supérieurs ne savent pas établir la distinction entre les causes communes et les causes spéciales. Par exemple, au siège d'une société de chemins de fer, quelques personnes aux revenus confortables s'inquiètent de la performance de leur agent à Minneapolis. Il n'a vendu la semaine dernière, à un certain affréteur, que trois plateaux (l'équivalent de trois wagons pleins). L'année précédente, la même semaine, il avait vendu au même affréteur quatre plateaux. Que s'était-il passé ?

Ces cadres supérieurs étaient prêts à envoyer un télex pour demander une explication à leur agent, mais ils ont changé d'avis lorsque nous avons attiré leur attention sur la nature de la variation. Dans tout le pays, les agents des chemins de fer perdent du temps à expliquer des petites variations des ventes comme celle-ci. Ils feraient bien plus de ventes s'ils passaient leur temps à téléphoner aux affréteurs au lieu d'essayer de donner au siège de la société des raisons idiotes pour expliquer de petites variations. En réalité, quand les ventes sont constantes de semaine en semaine, c'est simplement parce que l'agent falsifie son rapport pour faire disparaître les variations hebdomadaires et éviter d'établir de nouvelles normes.

Le directeur d'une compagnie de bus de Pretoria avait promis en novembre 1983 une prime de 600 rand (3 000 francs) à chaque conducteur s'il n'avait aucun accident jusqu'au nouvel an. La direction supposait, évidemment, que les conducteurs sont responsables des accidents et qu'ils peuvent les éviter. On voit certainement des conducteurs qui provoquent des accidents, mais on voit aussi tous les jours des conducteurs qui en évitent. La direction oubliait que presque tous les accidents sont indépendants de l'action du conducteur. Qu'arrive t-il si un conducteur n'a aucun accident jusqu'à la veille du nouvel an et se fait accrocher ce jour là par une voiture ? Il perdra sa prime par la faute de quelqu'un d'autre.

"Nous nous fions à notre expérience". Telle fut la réponse du directeur de la qualité d'une grande entreprise, alors que je lui demandais par quelle méthode il faisait la distinction entre les problèmes dont les causes sont communes et ceux dont les causes sont spéciales. La réponse est un aveu. Elle garantit que la société va continuer à enregistrer la même quantité de problèmes que par le passé. Pourquoi cela changerait-il ?

L'expérience sans théorie n'apprend rien. En revanche, une théorie, même rudimentaire, conduisant à une hypothèse et à une méthode d'observation est déjà indispensable à celui qui veut mettre son expérience noir sur blanc. Une intuition, bonne ou mauvaise, est parfois l'amorce d'une théorie qui conduit à d'utiles observations.

Deux sortes d'erreurs. Nous pouvons donc identifier deux sortes d'erreurs coûteuses, provenant de la confusion entre les causes communes et les causes spéciales de variation.

n° 1 : Attribuer un défaut à une cause spéciale alors que la cause appartient au système (cause commune).

n° 2 : Attribuer un défaut au système (cause commune) alors que la cause est spéciale.

Par exemple, celui qui fait un réglage inutile sur une machine fait une erreur de type n° 1. Celui qui n'agit pas sur le processus après l'apparition d'un défaut dont la cause est spéciale fait une erreur de type n° 2.

Les contremaîtres font souvent faire des réglages intempestifs par leurs employés quand ils attirent leur attention sur un défaut sans vérifier d'abord s'ils en sont responsables, alors que c'est probablement le système qui est responsable ; ce livre est plein d'exemples d'erreurs de ce genre.

Il est facile d'arriver à ne jamais faire l'erreur n° 1, ou l'erreur n° 2. Mais, quand on évite un type d'erreur, le risque de commettre l'autre est plus grand. Il ne faut pas espérer éviter tout le temps les deux types d'erreurs.

La méthode d'élimination d'une cause spéciale est totalement différente de la méthode d'amélioration d'un processus. Dès que l'existence d'une cause spéciale est prouvée, il faut mener l'enquête le plus vite possible avant que les pistes ne soient brouillées.

Nécessité des règles. Vers 1925 Shewhart avait reconnu que le bon management ne se faisait pas sans quelques erreurs de type n° 1 et n° 2. Il avait compris qu'il était nécessaire d'avoir des règles facilement applicables pour obtenir le minimum de perte économique provenant de ces deux erreurs. A cet effet, il inventa les limites de contrôle à 3 sigma. Ces règles fournissent, pour un nombre infini de situations présentes et futures, une ligne de conduite logique et efficace.

Un graphique de contrôle envoie des signaux statistiques qui détectent l'existence d'une cause spéciale (propre à un ouvrier ou à un événement inhabituel) ou qui, au contraire, indiquent que la variation observée est due à des causes communes, c'est à dire au système.

Comme le lecteur l'a peut-être déjà observé, il y a plusieurs sortes de graphiques de contrôle. Nous utilisons pour chacune d'elles les méthodes classiques de calcul des limites de contrôle.

Remarques sur les règles ci-dessus. Le Dr. George Gallup faisait remarquer un jour dans un discours (à la suite d'un fiasco) qu'il avait fait ses prévisions *avant* l'élection. D'autres individus, plus malins, avaient fait les leurs *après* l'élection tout en se payant le luxe d'expliquer comment les choses s'étaient passées.

Les règles doivent être faites à l'avance en vue d'une utilisation future. En réalité, une règle s'élabore alors que nous ne disposons pas d'informations complètes sur l'avenir (en fait, nous avons peu d'information sur le passé car nous étudions mal les processus). Plus l'information est grande au départ, plus les règles sont utiles.

Ces remarques s'appliquent aux limites de contrôle qui sont utilisées sur les graphiques de Shewhart. En pratique, ces limites servent bien le but recherché dans cette méthode.

Il ne faut pas se fier à son propre jugement pour distinguer les causes communes et les causes spéciales. Le jugement est toujours pris en défaut, nous le verrons avec quelques exemples à la fin de ce chapitre. Un simple coup d'œil sur un tableau de chiffres est souvent trompeur, et je reconnais que, parfois, je m'y laisse prendre moi aussi.

Seule une personne qui connaît parfaitement les opérations peut découvrir et éliminer une cause spéciale de variation détectée par un graphique de contrôle.

Certaines causes spéciales ne peuvent être éliminées que par la direction de l'établissement. Par exemple, les ouvriers ont besoin parfois d'une intervention technique pour remettre une machine en bon état. Cette action est du ressort de la direction de l'usine. Un autre exemple de responsabilité du management pour une cause spéciale est celui des relations avec les fournisseurs. Les ouvriers sont parfois obligés d'utiliser des matériaux défectueux. C'est le directeur de l'usine qui doit agir auprès des fournisseurs pour améliorer la qualité des matériaux et cesser de jongler avec plusieurs fournisseurs.

Profils. Un profil caractéristique de points peut aussi indiquer l'existence d'une cause spéciale. Nous avons déjà observé un profil sur un graphique de tendance au début de ce chapitre. En règle générale, un profil composée d'au moins sept points consécutifs sur une pente ascendante ou descendante est un signal d'alerte, ainsi qu'un profil d'au moins sept points consécutifs au-dessus ou en dessous de la moyenne.

Mais la recherche de profils est parfois excessive. Il faut établir à l'avance des règles qui indiquent une cause spéciale. Sinon, graphique en main, on peut toujours imaginer un profil qui prouve ce que l'on veut prouver.

Le contrôle statistique. Un processus sur lequel les mesures appropriées indiquent l'absence de causes spéciales de variation est, selon Shewhart, un processus stable, un processus en état de contrôle statistique. Nous pouvons prévoir son comportement dans un avenir proche. Mais il peut arriver, bien sûr, à tout instant, qu'une secousse imprévue le déstabilise. Un système qui est en état de contrôle statistique a une identité définie et une aptitude définie.

Dans un état de contrôle statistique, toutes les causes spéciales sont éliminées à mesure qu'elles sont détectées. Les variations qui subsistent sont attribuées au hasard, c'est à dire aux causes communes. En conséquence, il ne faut absolument pas réagir aux oscillations observées sur un processus stable ; toute intervention aurait pour effet d'augmenter l'amplitude des variations. L'étape suivante consiste à améliorer le processus par un effort continuel. Ce n'est qu'après avoir établi un état de contrôle statistique que l'on peut s'engager vers l'amélioration du processus avec quelques chances de succès (ainsi que Joseph M. Juran l'a affirmé il y a longtemps déjà).

Seul le management peut éliminer les causes communes de variation, dont certaines sont énumérées dans la suite du livre. Un vendeur ne peut pas améliorer la qualité du produit pour augmenter ses ventes. Un ouvrier ne peut pas se procurer lui-même de meilleurs matériaux et de meilleurs outils pour améliorer la qualité du produit. Les moyens de production, la formation professionnelle, l'encadrement, les procédures, sont du ressort de la direction générale.

Il est essentiel que le directeur général et tous ses collaborateurs connaissent parfaitement le contrôle statistique. Un système stable existe rarement à l'état naturel. C'est le résultat d'un effort, c'est le résultat de l'élimination des causes spéciales de variation, une par une, à partir des signaux statistiques, en ne laissant subsister que les variations aléatoires du système stable.

En pratique, malheureusement, la plupart des graphiques de contrôle sont mal utilisés. Il est à craindre qu'ils fassent plus de mal que de bien. Pour qu'un graphique de contrôle soit utilisé avec succès, il est indispensable d'avoir une connaissance, même légère, de la théorie du contrôle statistique.

D'autre part, quand les graphiques de contrôle sont utilisés correctement, les actions sont trop tardives, elles sont trop loin de la source des variations pour être efficaces.

Enfin, certains Américains qui utilisent des graphiques de contrôle supposent que le contrôle statistique est le but de tous leurs efforts. J'ai vu, par exemple, mettre un phénomène de contamination sous contrôle statistique alors que le problème était d'éliminer toute contamination.

Un chemin qui mène tout droit à la frustration. Un jour, une société inaugure un programme d'amélioration de la qualité dans l'allégresse générale, avec des exhortations, des réunions de sensibilisation, des affiches et des engagements solennels. La qualité devient une religion. Les résultats d'inspection finale font apparaître une amélioration spectaculaire qui se poursuit pendant plusieurs mois. Tout le monde s'attend à ce que les résultats continuent à suivre le trait pointillé (fig. 5).

Mais voici que le progrès, au lieu de continuer sa marche, se bloque. Avec un peu de chance, les résultats se stabilisent, mais souvent ils repartent dans le mauvais sens. Tout le monde se décourage et les dirigeants sont bien ennuyés. Ils prient, supplient, adjurent, conjurent et implorent les responsables de la production. Ensuite viennent les tracasseries, les sarcasmes, les menaces, et toujours, l'horrible vérité : s'il n'y a pas une grande amélioration, et vite, nous perdrons tous nos clients.

Que s'est-il passé ? L'amélioration rapide et encourageante constatée au début provenait de quelques actions très faciles, de causes spéciales détectées et éliminées par le simple bon sens. Mais après l'épuisement naturel des progrès évidents à réaliser, les résultats se sont immobilisés à un niveau inacceptable.

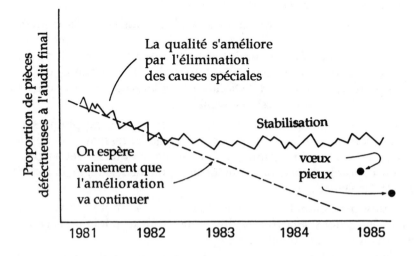

Fig. 5 : Chemin typique de frustration. La qualité s'améliore considérablement au début. Ensuite, le niveau se stabilise. La responsabilité de l'amélioration de la qualité se déplace de plus en plus vers la direction générale, jusqu'à lui incomber totalement. Malheureusement, cette responsabilité n'est pas assumée et la qualité reste à un niveau inacceptable.

Il est intéressant de remarquer que lorsqu'un programme d'amélioration, animé par la direction générale, agit selon les 14 points du chapitre suivant et s'attaque à l'élimination des maladies mortelles, la courbe des résultats est semblable au cours des premiers mois à celle observée plus haut. La différence, c'est qu'avec un programme solide, l'amélioration de la qualité et de la productivité ne se stabilise jamais ; elle se poursuit tant que la direction générale anime le programme.

Il faut généralement deux ans pour que le personnel d'une société découvre que le programme, commencé avec des exhortations, des affiches, des engagements solennels et des réunions de sensibilisation, est tombé à l'eau. Alors tout le monde se réveille : nous avons été bernés.

Trop d'incendies ? Le président d'une société reçut un jour de sa compagnie d'assurances une lettre annonçant que son contrat serait résilié si la fréquence des incendies dans les immeubles de la société n'était pas considérablement réduite. Un graphique montrait que le système était stable avec une moyenne de 1,2 incendies par mois et une limite supérieure de 5 incendies par mois (figure 6). On pouvait se demander si les incendies ne faisaient pas partie des produits de la société. De toutes les façons, la production d'incendies était stable. Certains mois il n'y en avait pas, d'autres il y en avait deux ; la limite supérieure était de cinq incendies par mois. Le président de la société, naturellement mal à l'aise, envoya une lettre à chacun de ses 10 500 employés pour leur demander d'allumer moins d'incendies.

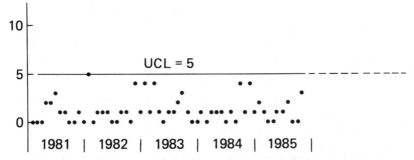

Fig. 6 : Relevé du nombre d'incendies par mois dans une grande entreprise industrielle.

Si la compagnie d'assurances constate que ce système d'incendie est stable, le graphique de la figure 6 peut lui permettre de calculer la prime d'assurance de telle sorte qu'elle fera un certain bénéfice. Ce système va continuer jusqu'à ce que la direction générale prenne des mesures pour réduire la fréquence des incendies. La compagnie d'assurances peut lui donner de bons conseils dans ce domaine.

Pour le calcul de la limite supérieure, j'ai utilisé la méthode de l'étendue mobile:

Total de toutes les étendues : 77 pour 57 étendues.
$\overline{R} = 77/57 = 1,35$ $\overline{R}/d_2 = 1,35/1,128 = 1,20$
Moyenne: $m = 67/58 = 1,16$ $m + 3\,\overline{R}/d_2 = 4,75$ *arrondi à :* 5

Il est très important d'étudier certains phénomènes tels que l'absentéisme, les accidents, les délais de livraison, etc... Si l'un de ces phénomènes présente tous les caractères d'un processus stable, seule une action du management peut l'améliorer. Sinon, il faut d'abord éliminer les causes spéciales par des actions ponctuelles.

Problèmes dans une filature. Une broche s'arrête dans une filature. L'incident provient soit de la broche, soit du fil. Le chef d'atelier cherche régulièrement les causes de défaut et oriente les efforts du mécanicien vers les broches les plus souvent en panne la semaine précédente. Il commet une erreur très fréquente qui fait que les efforts du mécanicien ne servent à rien malgré tout son savoir-faire.

Le calcul des limites supérieures et inférieures d'un graphique de contrôle permettant de détecter les broches anormales est :

$$\overline{r} \pm 3\sqrt{\overline{r}}$$

r est le nombre moyen d'arrêts de chaque broche pendant un mois. Dans cette formule, nous supposons que tous les arrêts sont indépendants ; qu'un arrêt n'entraîne pas un autre arrêt et ne diminue pas la probabilité des autres arrêts.

Quand une broche dépasse la limite supérieure, il faut s'interroger sur la cause, il est peut-être urgent de faire un réglage. Quand une broche est en dessous de la limite de contrôle, c'est probablement une broche exceptionnelle, on peut l'étudier pour améliorer les autres broches. Les broches qui restent entre les limites sont des broches toutes simples, qui doivent être révisées dans le cadre du programme de maintenance.

Le lecteur trouvera-t-il la même erreur dans les règles de maintenance ci-dessous, qui sont prescrites dans l'aviation ?

1. Les niveaux d'alerte sont calculés suivant les méthodes applicables dans l'industrie.
2. La méthode nécessite le calcul de la moyenne du taux d'incident à l'atterrissage sur les 12 derniers vols.
3. L'écart-type est un paramètre statistique qui permet d'estimer la variabilité.
4. Les niveaux d'alerte sont calculés à partir des taux d'incidents à l'atterrissage des quatre trimestres précédents.

Dans un premier temps, avant de faire des calculs, il est bon d'inscrire les données sur un graphique, par exemple sur un graphique de tendance à la semaine. Même un outil simple comme une distribution des temps de bon fonctionnement pourrait révéler des profils intéressants et donner d'utiles renseignements sur les défaillances des composants.

Expérience de l'entonnoir. Si n'importe qui se met à régler un processus stable pour essayer de corriger un résultat indésirable ou de reproduire un résultat exceptionnellement bon, le résultat global sera plus mauvais que si le processus avait été laissé en l'état.

Un exemple typique est celui d'une action corrective déclenchée à la vue d'un produit défectueux ou d'une lettre de réclamation. Le résultat des efforts en vue d'améliorer le résultat final risque de doubler la variance du résultat et même de faire exploser le système. L'amélioration du système nécessite un changement fondamental, pas un bricolage.

L'expérience de l'entonnoir a pour but de montrer les effets désastreux des réglages intempestifs. Le matériel nécessaire à l'expérience se trouve chez n'importe quel français moyen : (1) un entonnoir ; (2) une bille qui passe à travers l'entonnoir ; (3) une table couverte d'une feuille de carton blanc ; (4) un support pour l'entonnoir. Les opérations à effectuer sont les suivantes :

1. Marquer sur la table un point qui sera la cible ;
2. Faire tomber la bille à travers l'entonnoir ;
3. Marquer sur la table le point où la bille s'est arrêtée ;
4. Faire tomber à nouveau la bille à travers l'entonnoir ;
5. Marquer à nouveau sur la table le point où la bille s'est arrêtée ;
6. Recommencer le cycle 50 fois.

Avant la quatrième étape, c'est à dire chaque fois que vous vous préparez à faire tomber la bille, vous devez décider d'une règle pour le réglage de l'entonnoir. La raison humaine peut imaginer quatre règles :

Règle 1. Garder l'entonnoir fixe. Aucun réglage pendant toute l'expérience.

Règle 2. A chaque coup (identifié par le chiffre k=1, 2, 3...), la bille s'immobilisera en un point de coordonnées z_k mesurées à partir de la cible. En d'autres termes, z_k est l'erreur du coup k. Déplacer l'entonnoir de la distance $-z_k$ à partir de sa dernière position. Mémoire 1.

Règle 3. Placer l'entonnoir à la verticale du point $-z_k$ mesuré à partir de la cible. Pas de mémoire.

Règle 4. Placer l'entonnoir à la verticale du point z_k, le dernier point où s'est immobilisée la bille. Pas de mémoire.

N.B. En utilisant les règles 2 et 3, l'opérateur fait vraiment de son mieux. Il essaye de compenser l'erreur observée par un réglage de la machine.

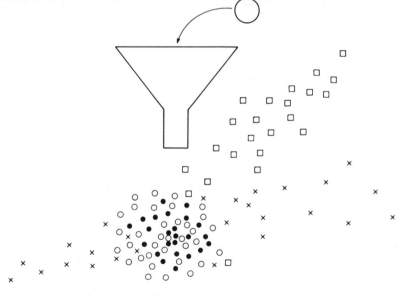

Fig. 7 : Relevé des points d'impact de la bille dans l'expérience de l'entonnoir. Nous avons suivi les quatre règles décrites dans le texte. • : règle 1, o : règle 2, x : règle 3, □ : règle 4. Pour simplifier la figure, nous n'avons représenté que les points les plus éloignés.

Résultats. Les solutions mathématiques ont été présentées en 1950 dans un livre de l'auteur (Some theory of sampling). Une première solution avait été apportée par Lord Raleigh en 1899.

Règle 1. C'est de loin le meilleur choix. Cette règle produit une distribution de points qui est stable. Les variances sont minimales.

Règle 2. Cette règle produit une distribution de points qui est stable, mais les variances sont le double de celles de la distribution précédente.

Règle 3. Le système va exploser. La bille partira de plus en plus loin, tantôt dans un sens, tantôt dans l'autre.

Règle 4. Le système va également exploser. La bille partira de plus en plus loin dans une même direction.

Le résultat de la règle 4 est un cheminement aléatoire. La succession des points ressemble à la démarche d'un ivrogne qui cherche à rentrer chez lui, tombe à chaque pas et a perdu le sens de l'orientation. Il n'a aucun souvenir de la direction qu'il avait prise avant de tomber. Ses efforts ne feront que l'éloigner du but. C'est ce qu'obtient un ouvrier qui essaye de réaliser chaque pièce de sorte qu'elle soit identique à la précédente. Par exemple, dans une teinturerie, c'est ce qu'obtient le coloriste qui copie un échantillon du dernier lot au lieu de prendre toujours le même échantillon de référence.

Un autre exemple saisissant de l'application de la règle 4 est celui d'un apprenti qui apprend son travail dans l'atelier suivant les indications d'un ouvrier. Quelques jours plus tard, il devient ouvrier et forme à son tour un apprenti. La méthode se détériore de façon illimitée.

Nous avons déjà vu des applications des règles 2 et 3 dans ce chapitre, d'autres applications seront présentées par la suite. Un bon exercice pour le lecteur consiste à faire une liste des exemples de pertes dues à l'application des règles 2, 3 et 4 dans sa propre organisation, et d'essayer d'en estimer le montant.

Cette expérience peut constituer un excellent point de départ pour un cours de statistiques.

Remarque. Les servomécanismes, mécaniques ou électroniques, qui sont utilisés dans l'industrie pour maintenir les caractéristiques des produits à l'intérieur d'une fourchette spécifiée provoquent souvent de mauvais réglages et augmentent ainsi les coûts. Ils ne servent pas toujours à améliorer le processus.

Contrôle statistique des appareils de mesure. Une mesure enregistrée est le produit final d'une longue série d'opérations qui commence aux matières premières. Des opérations de mesure en certains points viennent s'y ajouter. Comme nous le soulignons dans ce livre à plusieurs reprises, l'état de contrôle statistique du processus de mesure est vital, sinon les résultats de mesure n'ont pas de sens.

Cet instrument donnera t-il la semaine prochaine les mêmes résultats qu'aujourd'hui sur les mêmes articles ? Que se passera t-il si nous changeons les opérateurs ? Ce sujet est traité au chapitre 9 à propos du leadership et apparait une nouvelle fois au chapitre 11 à propos des coûts de l'inspection.

Il est important qu'un appareil de mesure soit toujours placé dans les meilleures conditions pour fonctionner correctement. Mon ami le Dr. Lloyd S. Nelson m'a donné l'exemple suivant : un fluide est transporté vers un laboratoire pour une mesure de viscosité. Or il vieillit pendant le transport. Si l'appareil de mesure est placé près de l'endroit où l'échantillon de fluide est prélevé, les résultats seront différents et rendront mieux compte des propriétés du produit mesuré.

Des appareils de mesure qui donnent des signaux faux. Un appareil qui n'est pas sous contrôle peut donner un signal faux, détecter une cause spéciale qui n'existe pas ou bien ne pas détecter une cause spéciale qui existe. Un instrument sous contrôle dont la précision n'est pas adaptée à la mesure peut aussi donner des signaux faux. Nous voyons donc l'importance de la précision des appareils de mesure et de leur contrôle statistique.

Les limites de contrôle ne sont pas des limites spécifiées. Lorsque nous avons atteint un véritable état de contrôle statistique, les limites de contrôle nous apprennent à connaître le processus jour après jour. A travers le graphique de contrôle, le processus nous parle.

Quand un système est en contrôle statistique, les distributions des valeurs mesurées sont stables et prévisibles. C'est seulement après en être arrivé là, que l'on peut commencer à étudier la méthode "juste à temps".

De plus, ainsi que le dit fort justement Mr. William E. Conway, les ingénieurs deviennent plus créatifs , plus efficaces pour l'innovation et l'amélioration des processus dès qu'ils voient clair dans le contrôle de la qualité. Ils sentent que les améliorations dépendent d'eux. Sans méthodes statistiques, l'essai d'amélioration d'un processus est fait au petit bonheur. Le résultat est généralement plus mauvais qu'avant.

Question au cours d'un séminaire. Veuillez m'expliquer la différence entre la conformité aux spécifications et le contrôle statistique des processus. Mon directeur pense que la conformité aux spécifications suffit.

Réponse. Il n'y a aucun moyen de savoir si les spécifications sont respectées tant que l'on n'a pas mis le processus sous contrôle statistique. Tant que les causes spéciales n'ont pas été identifiées et éliminées (au moins celles qui apparaissent), il est impossible de prédire ce qui va se passer dans l'heure qui suit. La seule alternative, qui consiste à dépendre de l'inspection, est risquée et coûteuse. Vous aurez peut-être de bons produits le matin et de mauvais produits le soir.

Mais où sont les chiffres des pertes causées par les idées fausses de votre direction ? Les limites spécifiées ne sont pas des seuils de décision. Vous avez des pertes considérables quand un processus est constamment remis en cause pour atteindre les spécifications. Si curieux que cela puisse paraître, un processus sous contrôle peut avoir 10 pour cent ou même 100 pour cent de produits défectueux.

Les limites de contrôle ne fixent pas de probabilités. Les calculs qui montrent où il faut placer les limites de contrôle sur un graphique sont du domaine du calcul des probabilités. Mais ce serait une erreur de fixer un chiffre pour la probabilité d'erreur dans la détection et la non-détection d'une cause spéciale. C'est parce qu'aucun processus, excepté dans les démonstrations artificielles avec des nombres aléatoires, n'est vraiment parfaitement stable.

Bien entendu, les livres de contrôle statistique de la qualité ainsi que de nombreux manuels de formation aux techniques des graphiques de contrôle font apparaitre la courbe de la distribution normale et les proportions qui s'y rapportent. Mais ces figures sont trompeuses et font dérailler les études sur le terrain par les graphiques de contrôle. Les règles de détection des causes spéciales et les règles de décision qui en résultent ne sont pas des tests d'hypothèse. Elles ne vérifient pas que le système est dans un état stable.

A propos des spécifications. Les limites indiquées dans la spécification d'un produit (minimum et maximum) sont pour l'ouvrier un mauvais guide, coûteux et inefficace. Ainsi, lorsqu'un diamètre est spécifié entre 1,001 et 1,002 cm, l'ouvrier sait qu'une pièce de 1,0012 cm est conforme à la spécification, mais cette information ne peut pas l'aider à augmenter sa production en faisant moins de défauts s'il ne dispose pas de méthodes statistiques.

Par conséquent, pour atteindre le résultat le plus économique, les activités d'un ouvrier doivent comprendre le contrôle statistique de son propre travail.

De plus, l'ouvrier doit optimiser la distribution des caractéristiques de son produit et constamment réduire leur variation. Dans ces conditions, le produit sera toujours conforme aux spécifications, le prix de revient diminuera et la qualité augmentera. Les ouvriers qui n'obtiennent pas de bons résultats alors qu'ils sont en contrôle statistique doivent être mis sur un autre travail.

Liste de causes communes de variation et d'erreur : la responsabilité du management

(Le lecteur pourra trouver d'autres exemples dans sa propre entreprise).

1. Mauvaise conception du produit ou du service.
2. Maintien des barrières qui privent l'ouvrier du droit de faire du bon travail et d'en être fier.
3. Mauvaise formation et mauvais encadrement (souvent synonyme de mauvaises relations entre contremaîtres et ouvriers).
4. Inaptitude à mesurer les effets des causes communes et à les réduire.
5. Inaptitude à donner aux ouvriers des informations sous une forme statistique pour leur indiquer comment ils peuvent améliorer leur performance et l'uniformité du produit.
6. Pièces détachées et matériaux inadaptés au but recherché.
7. Procédures inadaptées aux exigences.
8. Machines en mauvais état.
9. Machines non conformes aux exigences.
10. Mauvais règlages (fautes de l'équipe de règlage).
11. Mauvais éclairage.
12. Vibrations.
13. Humidité incompatible avec le processus.
14. Mélange de produits de plusieurs lignes de production, chacune ayant une faible variabilité, mais à des niveaux différents.
15. Conditions de travail inconfortables : bruit, désordre, saleté, mauvaise manutention des produits, température trop haute ou trop basse, mauvaise aération, mauvaise nourriture à la cantine, etc...
16. Après avoir donné priorité à la quantité, la direction donne priorité à la qualité, mais sans savoir comment l'obtenir.
17. Inaptitude du management à résoudre le problème causé par une source d'approvisionnement défectueuse.

Deux utilisations des graphiques de contrôle

1. Comme jugement. Le processus était-il précédemment en état de contrôle statistique ? Pour le savoir, nous examinons le graphique de contrôle tracé sur une période déterminée. Si la réponse est positive, nous connaissons la distribution de la caractéristique considérée en construisant un histogramme avec des valeurs individuelles.

2. Comme opération (en cours). Un graphique de contrôle peut également être utilisé pour atteindre et maintenir le contrôle statistique pendant la production. Dans ce cas, le processus a déjà été mis en état de contrôle statistique (pratiquement avec un faible risque de trouver une cause spéciale). Nous étendons vers l'avenir les limites de contrôle et nous portons les points sur le graphique, par exemple toutes les demi-heures ou toutes les heures. L'ouvrier ne doit pas prêter attention aux oscillations des points, sauf si plusieurs points indiquent une tendance (c'est ce qui se passe quand un outil est usé) ou si un point se place en dehors des limites de contrôle.

L'élimination d'une cause spéciale de variation pour retrouver un état de contrôle statistique est une action importante, mais ce n'est pas une amélioration du processus. Cette action ne fait que remettre le système dans l'état où il aurait toujours dû rester. Comme le dit le Dr. Juran, le problème important de l'amélioration commence lorsque le contrôle statistique est une chose acquise.

L'amélioration continuelle du système par les ingénieurs peut alors commencer. Une amélioration peut être simple, consistant par exemple à faire un réglage qui diminuera le risque de produits défectueux et déplacera la moyenne du graphique de contrôle. Dans certains cas, l'amélioration est difficile et complexe, consistant par exemple à restreindre l'usage de certains matériaux ou à réduire la variation d'une caractéristique.

Quelques conseils sur le graphique de contrôle comme opération en cours. Pour remplir un graphique, un ouvrier n'a besoin de connaître qu'un peu d'arithmétique. Mais il ne peut pas décider par lui-même qu'il utilisera un graphique dans son travail, et encore moins lancer un mouvement pour l'utilisation des graphiques dans l'atelier.

C'est la direction de l'établissement qui a la responsabilité d'apprendre aux opérateurs à utiliser des graphiques dans leur travail chaque fois que la méthode a des chances d'être efficace. Mais un ouvrier ne peut pas se servir efficacement d'un graphique de contrôle quand il subit des contraintes qui le privent de la fierté de son travail.

Un ouvrier, lorsqu'il voit un point en dehors des limites, peut presque toujours identifier immédiatement la cause spéciale et l'éliminer. Normalement le graphique est examiné seulement par l'ouvrier et le contremaître, à moins que l'ouvrier préfère le rendre public.

Il est généralement utile pour un groupe d'afficher dans l'atelier le graphique de la proportion de produits défectueux afin de faire apparaitre une cause spéciale peu de temps après son apparition.

En revanche, il ne faut pas laisser proliférer des graphiques de contrôle sans en définir le but. Dans une usine que j'ai visitée près de Nagoya, il y avait 241 graphiques, mais ils étaient passés en revue tous les deux mois ; certains étaient supprimés quand ils avaient atteint leur but ; d'autres étaient ajoutés ou remis en service quand il le fallait.

Aptitude statistique du processus. Quand un processus a été mis en état de contrôle statistique, il a une aptitude statistique bien définie. Dans ce cas, les graphiques de la moyenne et de l'étendue montrent que des performances satisfaisantes sont maintenues en permanence. Nous pouvons prévoir quelles sont alors les spécifications que le processus pourra respecter.

Il existe un moyen bien simple de préparer ces spécifications. Il consiste à mesurer, sur le graphique de la moyenne, la dispersion des points de part et d'autre de la moyenne. Un exemple est donné sur la figure 8.

La dispersion entre les résultats individuels est égale à $6\overline{R}/d_2$. Le symbole d_2 est un nombre qui dépend de la taille de l'échantillon *(n)*. Ce nombre se trouve dans tous les livres sur le contrôle statistique de la qualité. Il est calculé à partir de la distribution de l'étendue. En première approximation, pour des valeurs inférieures à 10, d_2 est très voisin de $\sqrt{n}$. Il est donc vrai que le graphique de l'étendue, en état de contrôle statistique, nous indique l'aptitude du processus.

Une erreur fréquente dans l'utilisation des graphiques de la moyenne et de l'étendue, ainsi que dans le calcul de l'aptitude du processus, vient du fait que l'on ne comprend pas que l'étendue est sujette à une variation aléatoire. Les deux points représentant la moyenne et l'étendue sur la même verticale du graphique proviennent des mêmes observations.

Pour beaucoup de praticiens, qui font un grave contresens, le calcul de l'aptitude statistique du processus (souvent nommée "capabilité") consiste à prendre un certain nombre de pièces, à les mesurer avec un instrument de précision, à calculer l'écart-type et à prendre 6 écarts-type comme aptitude. C'est complètement faux. La première étape consiste à examiner les données avec un graphique de tendance ou des graphiques de moyenne et d'étendue pour déterminer si le processus de fabrication, ainsi que le système de mesure, est en état de contrôle statistique. Dans ce cas, l'aptitude statistique du processus sera facile à calculer sur les graphiques de moyenne et d'étendue. Sinon, il n'existe aucune aptitude statistique.

Avantages de la stabilité (état de contrôle statistique). Un processus qui est stable, ou en état de contrôle statistique, présente un certain nombres d'avantages sur un processus qui est instable :

1. Le processus a une identité ; sa performance est prévisible. Comme nous l'avons vu au paragraphe précédent, il a une aptitude statistique mesurable et communicable. Toutes les caractéristiques de la production, en particulier le nombre de défauts, s'il y en a, restent sensiblement constantes heure après heure, jour après jour.

2. Les coûts sont prévisibles.

3. La régularité des résultats est une conséquence importante du contrôle statistique. Le système Kanban de contrôle des flux se met en place naturellement lorsque le système entier est dans un état de contrôle statistique.

4. On atteint la productivité maximum et le prix de revient minimum.

5. Les relations avec un fournisseur de matières premières qui sont en état de contrôle statistique sont très simplifiées. Les coûts diminuent à mesure que la qualité augmente.

6. Les effets des changements apportés au système (responsabilité du management) peuvent être mesurés plus rapidement et d'une façon plus sûre. Sans contrôle statistique, il est difficile de mesurer l'effet d'un changement sur le système. On n'identifie que les effets catastrophiques.

7. Quand la source d'approvisionnement est stable, les règles d'inspection entrante par tout ou rien (que nous étudierons au chapitre 11) s'appliquent avec un coût total minimum.

Exemple d'utilisation d'un graphique de contrôle comme jugement. Le directeur général d'une grande société de vente par correspondance est venu me trouver un jour pour me parler d'un problème de prix de revient. Il m'apportait aussi un relevé du nombre de commandes client mis à jour chaque demi-heure. Je préparai des graphiques de contrôle de la moyenne et de l'étendue avec des échantillons de 4 chiffres. Chaque point représentait donc une période de 2 heures (figure 8). Il trouva que les limites de contrôle étaient trop larges ; il aurait préféré moins de variation. Il supposait que j'avais tracé ces limites en suivant mon inspiration. J'ai dû alors lui expliquer que les limites de contrôle présentaient le processus tel qu'il était réellement, non pas tel qu'il le souhaitait, et que toute diminution ultérieure de la variation ne dépendait que de lui. Pour cela, il fallait qu'il cherche toutes les causes communes possibles et qu'il les élimine. Toute réussite dans cette tentative améliorerait sa productivité et lui donnerait des limites de contrôle plus étroites.

La cause de cette grande variation était simple. Les commandes étaient enregistrées avec un retard variable, ce qui produisait des à-coups dans la production. Le management supprima la cause du retard, la production augmenta et les erreurs diminuèrent. Tout le monde, y compris les clients, fut plus heureux.

La réduction des réclamations des clients pour les retards et les erreurs a entraîné une grande économie. Quatre personnes étaient payées uniquement pour essayer d'apaiser les clients par téléphone. Maintenant, il n'y a plus qu'une personne à mi-temps. Les clients sont automatiquement plus satisfaits. En même temps, la production a augmenté sans changement du matériel. Les employés ne travaillent pas plus, ils travaillent mieux.

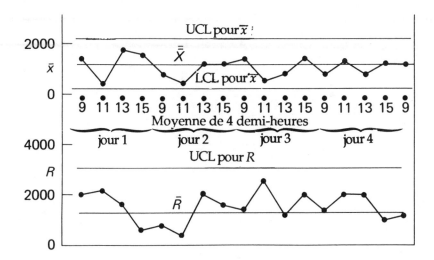

Fig. 8 : On enregistre le nombre de commandes remplies toutes les demi-heures. Chaque point du graphique représente quatre demi-heures consécutives. $\bar{x}$ est le nombre moyen de commandes remplies en quatre demi-heures consécutives, R est l'étendue entre ces quatre nombres. Le calcul des limites de contrôle est fait suivant les formules habituelles :

$$\overline{\overline{x}} = 1\ 200,\ R = 1\ 372$$

pour $\bar{x}$:
$$\left.\begin{array}{l} UCL \\ LCL \end{array}\right\} = \overline{\overline{x}} \pm A_2 R$$
$$= 1\ 200 \pm 0,729 \times 1\ 372$$
$$= \left\{\begin{array}{l} 2\ 200 \\ 200 \end{array}\right.$$

pour R:
$$UCL = D_4 R = 2,282 \times 1\ 372 = 3\ 131$$
$$LCL = D_3 R = 0$$

où les valeurs numériques des constantes $A_2 = 0,729$, $D_3 = 0$ et $D_4 = 2,282$ proviennent de tables que l'on trouve dans les ouvrages sur le contrôle statistique de la qualité.

Réduction des stocks par l'amélioration de la qualité. La figure 9 montre les stocks et les en-cours d'une usine, mois par mois. L'échelle verticale est en millions de dollars. Au début du programme d'amélioration de la qualité, il y avait 30 millions de dollars de stocks ; 7 mois plus tard, 15 millions. La différence, avec un taux d'intérêt normal, représente une économie de 6 000 dollars par jour, en comptant les samedis et les dimanches.

Cette diminution spectaculaire provient d'une meilleure qualité des matières premières, qui provient elle même d'une meilleure coopération avec les fournisseurs et d'une diminution du nombre de fournisseurs. Il n'y a plus de complications pour utiliser des matériaux défectueux ; le nombre des pièces en attente de réparation a nettement baissé.

Le contrôle statistique de la qualité a entrainé naturellement le "juste à temps", qui est en somme le contrôle statistique de la vitesse de production.

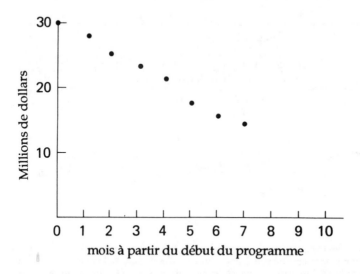

Fig. 9 : Montant des stocks en cours de production, mois par mois, pendant sept mois à partir du début d'un programme d'amélioration de la qualité. Ce résultat est dû à une meilleure qualité à l'entrée et à une diminution du nombre de retouches. (Ce graphique m'a été communiqué par mon ami Ernest D. Schaefer de General Motors en 1982.)

Les chiffres les plus importants ne sont pas sur le graphique. Le graphique de la fig. 9 est important, mais des chiffres encore plus importants que ceux du graphique sont inconnus ou impossibles à connaître. Par exemple, les ouvriers voient maintenant une amélioration sur toute la chaine. Ils perdent moins de temps ; ils n'essayent plus de cacher des défauts. La productivité augmente. La place qui était utilisée auparavant pour entreposer des pièces en attente de réparation est disponible pour un développement futur. Il faut mentionner aussi un chiffre inconnu, mais très important. C'est la satisfaction des clients qui obtiennent une meilleure qualité. Nul doute qu'ils amenent de nouveaux clients. Les gains de productivité et la position compétitive que procure l'amélioration de la qualité sont difficiles à chiffrer en dollars.

Application aux ventes. Une société reçoit un rapport du service commercial. Chaque vendeur couvre un territoire dans la région de Philadelphie. Quels sont les problèmes ? L'approche statistique peut les faire avancer. Il est possible que certains vendeurs soient en dehors des limites.

Evidemment, la société voudrait bien avoir une plus grande part du gâteau pour tous ses produits. C'est possible à condition que la direction agisse suivant certaines méthodes qui sortent du cadre de cet ouvrage. Mais nous pouvons mentionner ici trois possibilités : (1) améliorer l'efficacité de l'usine pour pouvoir abaisser les prix ; (2) améliorer la rapidité et la régularité des livraisons ; (3) améliorer la qualité et la fiabilité des produits et des services.

Les vendeurs n° 1 et n° 2 ont des problèmes. Le n° 1 est en dehors des limites de contrôle de son groupe pour les produits A et B. Le vendeur n° 2 est faible seulement pour le produit B. Mais il ne serait pas sérieux de passer directement à la conclusion qu'il faut remplacer ces deux vendeurs ! Pour commencer, la direction doit étudier les territoires des vendeurs et leurs concurrents. La fidélité des clients à une marque concurrente est parfois une cause de faiblesse des ventes.

Il est possible que le directeur trouve tout de suite un bon moyen d'aider les vendeurs. Ses efforts seraient alors récompensés par une augmentation immédiate du bénéfice. Ensuite, il faut que le directeur discute avec les vendeurs et leur chef de région pour essayer de trouver les causes du problème. Parmi les conclusions possibles, naturellement, il ne faut pas exclure celle de remplacer les vendeurs qui font un faible chiffre.

La société avait fixé comme objectif à chaque vendeur de faire un chiffre d'affaires de 7 200 dollars par jour. Etait-il pensable qu'un vendeur annonce un jour à sa direction un chiffre d'affaires supérieur à 7 200 dollars ?

Expérience avec des billes rouges -
illustration des défauts d'un système.

Au cours de mes conférences, j'utilise souvent une expérience très simple pour montrer combien il est facile de faire porter aux ouvriers la responsabilité de fautes dont le système seul est la cause.

Matériel
– Des billes de bois rouges et blanches, dans une boîte.

Total :	3 750
Blanches :	3 000
Rouges :	750

– Une palette pour prélever 50 billes.

Une petite annonce est faite au tableau pour recruter des volontaires dans la salle : "Recherchons 10 employés sérieux et travailleurs - Formation niveau élémentaire." Dix volontaires arrivent. Six d'entre eux vont être mis en apprentissage pour la production. Deux autres sont embauchés comme inspecteurs, un autre est nommé chef inspecteur et le dixième est l'employé aux écritures. (Effectif très excédentaire). Leurs noms sont portés au tableau des effectifs (Fig. 10).

Relevé du nombre d'article défectueux par opérateur et par jour :
(taille de l'échantillon : 50)

Nom	Jour				Total
	1	2	3	4	
Neil	3	13	8	9	33
Tace	6	9	8	10	33
Tim	13	12	7	10	
Mike	11	8	10	15	44
Tony	9	13	8	11	41
Richard	12	11	7	15	45
Total	54	66	48	70	238
Moyenne	9,0	10,0	9,3	9,92	9,92

Inspecteurs : Ben et Joe ; Palette n° 2
Chef inspecteur : Robert ; Secrétaire : Wendy.

$$\overline{x} = \frac{238}{6 \times 4} = 9,92$$

$$\overline{p} = \frac{238}{6 \times 4 \times 50} = 0,198$$

$$\left.\begin{array}{c} UCL \\ LCL \end{array}\right\} = x \pm 3 \sqrt{\overline{x}(1 - \overline{p})}$$

$$= 9,9 \pm 3 \sqrt{9,9 \times 0,802}$$

$$= \begin{cases} 18 \\ 1 \end{cases}$$

Billes de bois 5 mm
Total :   3 750
Rouges :   750
Blanches :   3 000
Palette n° 2

Interprétation du graphique

Le processus est en état de contrôle statistique, et rien ne prouve que les performances sont différentes d'un opérateur à l'autre et d'un jour à l'autre.

Les opérateurs ont mis dans leur travail tout ce qu'ils pouvaient donner.

Le seul moyen pour éliminer les articles défectueux du produit consiste à éliminer les billes rouges de la matière première utilisée (responsabilité du management).

Les limites de contrôle sont prolongées afin de prévoir les limites de variation à attendre dans un proche avenir.

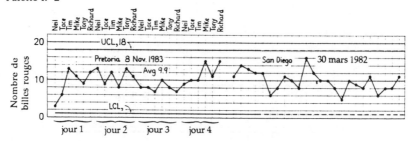

Fig. 10 : Données obtenues par l'expérience. Utilisation des données par un graphique de contrôle. Interprétation du graphique. Comparaison avec une expérience faite à San Diego le 30 mars 1982.

Le contremaître explique que notre client n'acceptera que des billes blanches ; pas de rouges. Ici, dit-il, nous faisons tout de travers. Nous avons une norme de production : 50 articles par jour, bons ou mauvais, pour chaque ouvrier. Nous avons deux inspecteurs, mais un seul suffirait. Objectif : pas plus d'une bille rouge par jour pour chaque ouvrier.

Il y aura un apprentissage de trois jours (comprimé en 10 minutes) pendant lequel le contremaître explique le travail. Un ouvrier de bonne volonté mélange d'abord les matières premières (le mélange de billes rouges et blanches). Pour mélanger les matières premières, il faut d'abord verser le contenu du premier vase dans le second, d'une hauteur de 10 cm ; ensuite verser de la même manière le contenu du second vase dans le premier. Puis, prendre la palette et prélever d'un geste sûr un lot de 50 billes, production de la journée. L'ouvrier apporte son ouvrage d'abord à l'inspecteur n° 1, ensuite à l'inspecteur n° 2. Les deux inspecteurs notent sur une feuille de papier, en silence, le nombre de billes rouges qu'ils ont comptées sur la palette. Le chef inspecteur compare les chiffres des deux inspecteurs. S'il est satisfait, il annonce à haute voix le résultat. L'employé aux écritures note le résultat au tableau (Fig. 10).

Le contremaître explique au public que l'emploi de ces six ouvriers de bonne volonté dépend entièrement de leur performance. Ils garderont leur place si la performance est satisfaisante. Il explique aussi que l'indépendance des deux inspecteurs est ici la seule chose que nous faisons bien. En effet, une inspection par consensus nous enlèverait la possibilité de comparer les inspecteurs, donc de savoir si l'inspection est faite correctement.

Tout le personnel est d'accord ; chacun a compris ce qu'il faut faire. Tout est prêt pour commencer la production.

Le contremaître est frappé d'horreur en voyant le nombre de billes rouges produites le premier jour. Il supplie les ouvriers d'examiner chaque bille rouge, et d'essayer de ne plus en produire le lendemain. Le lendemain matin, il leur dit combien il est étonné de ce que personne n'ait pu faire aussi bien que Neil - seulement 3 billes rouges. "Si Neil peut le faire, tout le monde peut le faire".

Evidemment, le soir du premier jour, Neil est l'homme du jour ; il est bien placé pour une promotion. En revanche, il est évident que Tim est la cause de tous nos problèmes. Nous l'aimons tous, mais nous serons certainement obligés de le remplacer.

Le soir du second jour, le contremaître exprime sa déception. Même Neil a chuté - 3 billes rouges le premier jour, 13 le second. "Que s'est-il passé ?" demande t-il. C'est incroyable qu'il y ait de telles variations entre les lots. Il soutient qu'il ne doit pas y avoir de variations. Les procédures sont fixées ; ce sont les mêmes pour tous les lots. Pourquoi un lot serait-il différent d'un autre ? Il est horrifié aussi par la médiocrité du rendement. Aucun ouvrier n'a atteint son objectif qui était, rappelons-le, de n'avoir pas plus d'une bille rouge par jour.

Le soir du troisième jour, le management menace d'arrêter la production s'il n'y a pas une amélioration substantielle le quatrième jour. Les ouvriers tiennent leur quota de production de 50 articles par jour, mais le rendement est trop faible. C'est maintenant leur emploi qui est en jeu.

Le quatrième jour n'est pas meilleur. Le contremaître dit aux ouvriers qu'ils ont certainement fait de leur mieux, mais que ce n'était tout de même pas assez bon. La direction a décidé de fermer l'usine. Il est désolé, et il leur dit d'aller chercher leur paye avant de partir.

On demande à chaque participant de tracer le graphique du nombre de billes rouges lot par lot (Fig. 10).

Interprétation du graphique. Le graphique du nombre de billes rouges est donné Fig. 10. Nous pouvons conclure, en termes de management, que le processus est stable ; nous considérons qu'il est en état de contrôle statistique. Cette conclusion est fondée sur (a) la connaissance de l'objectif, les instructions données par le contremaître aux ouvriers de bonne volonté et aux inspecteurs ; (b) la confiance faite aux ouvriers ; (c) le tableau des résultats et le graphique correspondant. Si le processus est stable, il est futile d'essayer de découvrir pourquoi Neil n'a fait que 3 billes rouges le premier jour, pourquoi il en a fait 13 le second jour, pourquoi Richard en a fait 15 le quatrième jour, etc. Toutes les variations portées sur le tableau proviennent du système. Elles ne proviennent absolument pas des opérateurs.

Ce que nous avons appris avec cette expérience

1. La cause du faible rendement était la proportion de billes rouges dans les matières premières. Il faut sortir les billes rouges du système. Les ouvriers de bonne volonté sont totalement impuissants pour améliorer la qualité. Ils continueront de faire des billes rouges aussi longtemps qu'il y aura des billes rouges dans les matières premières.

    L'expérience est simple au point de paraître stupide, mais elle montre bien ce dont il s'agit. Quand quelqu'un y a pris part, il trouve des billes rouges (sources de défauts) dans toute son organisation.

2. Les variations entre les lots et les variations entre les ouvriers provenaient du système lui-même, absolument pas des ouvriers.

3. La performance réalisée par un individu un certain jour ne sert absolument à rien pour prévoir la performance qu'il réalisera un autre jour.

4. Nous percevons aussi qu'un échantillonnage par des moyens mécaniques peut donner des résultats très différents de ceux d'un échantillonnage par des nombres aléatoires (voir plus bas).

Prévision des variations. Si nous admettons qu'un processus en état de contrôle statistique est assez bon pour que l'on puisse s'en servir, nous pouvons étendre les limites de contrôle dans l'avenir. Nous avons alors une prévision des limites de contrôle de la production. Nous n'avons pas en main des nouveaux résultats pour quatre jours, mais nous avons des données à mettre sur le graphique ; nous aurons les mêmes billes, la même palette, le même contremaître, des ouvriers différents.

Répétons ici une leçon importante sur le contrôle statistique : un processus qui est en état de contrôle statistique, stable, fournit une base rationnelle pour prévoir les résultats de demain.

Quelles sont les données de l'expérience ? Dans la science et l'industrie, chaque expérience est utilisée pour prédire les résultats des expériences futures. Les données d'une expérience comportent donc, ainsi que Shewhart l'a fait remarquer, des informations qui peuvent aider à faire des prévisions dans ce sens. La question est de savoir quelles sont les données de l'expérience qui doivent être enregistrées.

Malheureusement, les expériences futures (essais, production) vont être affectées par des conditions d'environnement (température, matières premières, personnes) différentes de celles de l'expérience présente. C'est seulement avec une bonne connaissance du sujet et en s'appuyant sur une série d'expériences faites dans des conditions très différentes que nous pourrons dire, tout en courant le risque de nous tromper, si les conditions futures d'environnement seront suffisamment proches de celles d'aujourd'hui pour nous permettre d'utiliser les résultats déjà obtenus.

Nous remarquerons incidemment que le risque d'erreur sur une prévision ne peut pas s'exprimer en termes de probabilité, contrairement à ce que nous lisons et ce que nous entendons. L'évidence empirique n'est jamais complète.

Nous avons enregistré ici la date, l'heure, les noms des ouvriers de bonne volonté, le nom du chef inspecteur, une description des billes, l'identification de la palette. Y a t-il d'autres informations importantes ?

Etant donné que les six ouvriers forment un système statistique (aucun n'est en dehors des limites), nous pourrons peut-être par la suite, dans une autre expérience, ne pas relever leurs noms. Mais l'identification de la palette, par contre, est importante. Le nom du contremaître doit être noté aussi, car le zèle avec lequel il fait appliquer la règle de bien mélanger les matières premières (les billes) est important.

Moyenne cumulée. Question : Etant donné que 20 pour cent des billes contenues dans la boite sont rouges, à votre avis quelle sera la moyenne cumulée si nous continuons à produire des lots pendant plusieurs jours avec le même processus ?

La réponse donnée spontanément par toute la salle est : 10 billes rouges, parce que 10 est 20 % de 50. C'est faux.

Une telle affirmation n'est pas fondée. En fait, après un grand nombre d'expériences, la moyenne cumulée pour la palette n° 2 est de 9,4 billes rouges. Pour la palette n° 1, que j'ai utilisée pendant 30 ans, la moyenne cumulée est de 11,3 billes rouges. (Une palette, je le rappelle, est un instrument en bois avec lequel je prends un échantillon de 50 billes).

La palette est une information importante sur le processus. Le lecteur s'en serait-il douté avant de voir ces chiffres ?

La même question peut être posée de manière différente : donnez moi des raisons pour que la prévision de la moyenne cumulée ne soit pas 10.

Réponses : (1) La texture du pigment rouge est différente de celle du pigment blanc. Cela se voit et cela se sent au toucher. De toute évidence, cela influe sur la façon dont les billes restent sur la palette. (2) Les dimensions des billes sont peut-être différentes ; leurs poids sont peut-être différents ; les billes rouges sont peut-être faites en trempant des billes blanches dans un pigment rouge, ou l'inverse.

Les participants disent souvent que la moyenne cumulée est différente de 10 parce que l'expérience est biaisée. Non, la raison est tout autre : c'est la différence entre deux méthodes de sélection ; (1) l'échantillonnage mécanique, utilisé ici ; (2) l'échantillonnage par des nombres aléatoires (voir plus bas).

Exercice 1. Montrez que l'étendue des limites de contrôle pour les billes blanches est la même que l'étendue des limites de contrôle pour les billes rouges, que nous avons déjà calculée. Montrez ensuite que nous avons déjà construit le graphique de contrôle des billes blanches. Il suffit d'inverser l'échelle verticale de celui des billes rouges. Remplacer 0 par 50, 10 par 40, et ainsi de suite. Les limites de contrôle resteront en place ; la limite supérieure étant 49 et la limite inférieure 33.

Exercice 2. Avant l'expérience, il y avait une chance sur deux que Richard fasse en quatre jours plus de défauts que Tim. Après, il n'y avait plus aucun doute. Supposons que l'expérience continue encore quatre jours. Supposons que les différences entre les opérateurs continuent à montrer un bon contrôle statistique. Montrer qu'il y a une chance sur deux que Richard fasse à nouveau plus de défauts que Tim.

Echantillonnage par des nombres aléatoires. Si nous formons des lots en utilisant des nombres aléatoires, la limite de la moyenne cumulée sera 10.

La raison est simple. Les nombres aléatoires ne font aucune distinction entre la couleur, la forme et toute autre caractéristique des billes, des palettes ou des employés. Le calcul des probabilités, les théories de l'échantillonnage et des distributions sont des théories statistiques enseignées dans les livres. Elles s'appliquent à l'utilisation de nombres aléatoires, mais pas à des expériences vécues. Lorsqu'un contrôle statistique est établi, il existe une distribution et son évolution est prévisible.

L'échantillonnage mécanique change la moyenne du processus. En réalité, la moyenne cumulée d'une proportion d'articles défectueux calculée après une inspection, même si les échantillons ont été prélevés par des inspecteurs consciencieux, n'est pas toujours une bonne approximation de la moyenne du processus. Pour obtenir un échantillon représentatif, l'inspecteur peut très bien faire l'effort de prendre des articles en plusieurs endroits du lot, il n'aura malgré tout aucune certitude que sa sélection est voisine d'une sélection par des nombres aléatoires. La seule méthode infaillible consiste à utiliser réellement des nombres aléatoires, mais il faut bien reconnaitre qu'elle est souvent impraticable. Alors le seul moyen qui reste, pour éliminer la distorsion qui provient de l'échantillonnage mécanique, est l'inspection à 100 % d'une sélection de lots choisis au hasard. A la limite, c'est l'inspection de tous les lots.

Autres remarques sur le contrôle statistique

L'état de contrôle statistique n'implique pas l'absence d'articles défectueux. Le contrôle statistique est un état dont la variation est aléatoire. Il est stable au sens que ses limites de variation sont prévisibles. Un processus en état de contrôle statistique peut cependant produire des articles défectueux. En fait, il peut même produire une grande proportion d'articles défectueux. Nous l'avons vu dans l'expérience avec les billes rouges et blanches.

Le contrôle statistique d'un processus n'est pas une fin en soi. Quand le contrôle statistique est établi, un travail sérieux peut commencer pour améliorer la qualité et faire des économies en production.

Les interventions destinées à modifier le système (éliminer les billes rouges) sont parfois simples, mais aussi parfois longues et coûteuses. Habituellement, le déplacement de la moyenne est facile, mais il peut nécessiter une longue expérimentation (ainsi que le montre l'exemple de Nashua au chapitre 1). Il est généralement plus difficile de réduire la dispersion que de déplacer la moyenne. Tous les problèmes sont différents les uns des autres ; il ne faut pas espérer trouver une règle générale pour les résoudre. C'est un travail d'ingénieur.

L'étude d'un mélange peut ne donner aucune chance d'amélioration.
Considérons trois chaines de production qui déversent leurs produits
dans un même collecteur. Je pense à trois rivières alimentant le même
fleuve. Le mélange est le produit final (fig. 11). Si les trois chaines de
production sont en état de contrôle statistique, le mélange dans le
collecteur sera aussi en état de contrôle statistique, même si les
moyennes des trois productions sont différentes.

En fait, si les articles des trois chaines de production sont bien mélangés, la variance du mélange sera la variance totale entre tous les
articles. Les étudiants en statistique reconnaîtront la formule :

$$\sigma^2 = \sigma_b^2 + \sigma_w^2$$

où σ^2 est la variance entre les articles dans le mélange, σ_b^2 la variance
entre les moyennes des trois chaines de production, et σ_w^2 la moyenne
de la variance entre les articles dans les trois chaines de production.

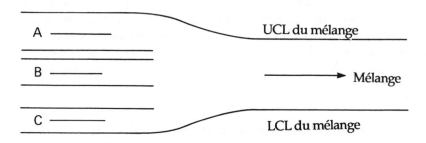

Fig. 11 : Le produit vient de trois sources, toutes les trois en état de contrôle statistique.
Le mélange des trois sources est en état de contrôle statistique, mais avec une dispersion
plus grande.

En fait, il est utile d'étudier chaque source, même si le mélange ne
fait pas problème. Il faut commencer par mettre chaque source en état
de contrôle statistique. En outre, il faut essayer de mettre les trois
sources au même niveau. Il faut ensuite réduire la variance de chaque
source en commençant par celle qui a la plus grande dispersion.

Même lorsque le travail d'un groupe de personnes est en état de
contrôle statistique, des graphiques de contrôle individuels permettent
souvent de découvrir que quelques personnes ont besoin d'une meilleure
formation ou d'un changement d'activité.

Neuf fraiseuses font des passes de finition sur des essieux d'automobiles. Le mélange des articles des neuf machines contient en moyenne 3
pour cent d'articles défectueux. Les données des machines prises individuellement montrent que les n° 2 et 3 , mal règlées, produisent l'ensemble des défauts. Après un réglage convenable de ces deux machines,

le pourcentage de défauts tombe à zéro. Nous voyons que le processus n'aurait pas pu être amélioré si l'on n'avait pas saisi des données à la sortie de chaque machine.

Quelques exemples de contresens coûteux

Exemple 1. Limite d'action placée au jugé. Comme nous le savons maintenant, les limites de contrôle sur un graphique de contrôle nous disent ce que nous pouvons attendre du processus, et non pas ce que nous voudrions qu'il donne. Supposons qu'un ouvrier trace une ligne horizontale sur un graphique donnant jour après jour le taux d'articles défectueux. Par exemple, il trace une ligne à 4 pour cent, ce qui lui semble un objectif raisonnable.

Il me montre un point au dessus de la ligne. "Ici, il y a un point hors contrôle". Je demande : "Où sont vos calculs de la limite de contrôle ?". Réponse : "Nous ne faisons pas de calculs. Nous plaçons simplement la ligne au niveau qui nous parait le meilleur".

Il y a quelques très mauvais livres qui incitent le lecteur à placer les limites de contrôle d'après des spécifications ou d'autres exigences. Toutes ces erreurs au sujet des limites de contrôle augmentent les coûts et n'améliorent pas la qualité.

Quand une ligne est placée de la sorte pour tenir lieu de limite de contrôle, les réglages sont tantôt insuffisants, tantôt excessifs, et les problèmes demeurent. Finalement, le personnel se débarrasse des graphiques , avec pour seul commentaire : "le contrôle de la qualité ne marche pas ici".

Rien d'étonnant. Ils ne l'ont jamais essayé.

Les limites spécifiées ne doivent jamais figurer sur un graphique de contrôle.

Un traité de contrôle statistique paru récemment fait la même erreur en disant que les spécifications du client sont une base de calcul pour les limites de contrôle. De tels conseils sont dévastateurs. Ils risquent d'égarer pour toujours le débutant.

Encore une fois, l'enseignement aux débutants doit être fait par un maître, pas par un individu de capacités médiocres.

Exemple 2. La même erreur. Limite d'action liée à une notation. Il est plus facile que l'on croit de tomber dans le piège qui consiste à placer une limite d'action selon son propre jugement. Je cite ici une lettre que m'a adressée le vice-président d'une société, qui était bien content du résultat de ses efforts. Il était loin de se douter que ses méthodes le privaient de la qualité et de la productivité qu'il aurait pu obtenir en donnant à son personnel et à son matériel une meilleure chance de révéler leurs aptitudes. Le fournisseur du matériel sera peut-être content lui aussi d'apprendre que ses équipements pourraient faire encore mieux qu'il ne le prétend si on leur en donnait la possibilité. Voici la lettre :

Au dernier trimestre 1980, nous nous sommes réorganisés et nous avons pris un consultant pour donner à notre personnel une formation sur les principes d'encadrement. Nous avons fusionné de nombreuses tâches, aussi bien chez les ouvriers que chez les autres employés. Toutes les normes de production ont été éliminées et remplacées par des normes établies d'après la vitesse maximum spécifiée par le constructeur de nos équipements. Lorsque les 100 % ne sont pas atteints, le chef d'atelier doit identifier les raisons de cette mauvaise performance. Le service technique et le service d'entretien entreprennent des actions correctives lorsque les problèmes ont été identifiés.

C'est la mauvaise voie. Ses experts, en utilisant la notice du fournisseur de matériel pour déterminer une limite d'action, confondaient les causes communes et les causes spéciales, ce qui garantissait des problèmes incessants. Une meilleure méthode consiste à mettre ses machines en état de contrôle statistique dans les conditions réelles. Sa performance sera peut-être 90 %, ou peut-être 110 % de la valeur annoncée par le fournisseur. L'étape suivante sera l'amélioration constante du processus.

Exemple 3. Tellement évident, tellement vain. Le vice-président d'une énorme entreprise me dit qu'il avait des plans d'inspection sévères au stade final. A ma question sur la manière d'utiliser les données, il me répondit : "les données sont dans l'ordinateur. L'ordinateur donne la liste et la description de tous les défauts que l'on a trouvés. Nos ingénieurs ne s'arrêtent jamais jusqu'à ce qu'ils aient trouvé la cause de chaque défaut."

Alors pourquoi donc le pourcentage de défauts des tubes restait-il relativement stable, entre 4,5 et 5,5 % depuis deux ans ? Les ingénieurs confondaient les causes communes et les causes spéciales. Pour eux, chaque défaut avait une cause spéciale qu'il fallait chercher, découvrir, éliminer. Ils essayaient de trouver les causes des hauts et des bas d'un système stable, mais ils ne faisaient qu'aggraver les choses.

Pour le client, les efforts du constructeur étaient sympathiques. Le client voyait que le constructeur était consciencieux, et qu'il faisait tous ses efforts pour réduire le nombre de tubes défectueux. C'était bien le cas, mais les efforts du constructeur étaient mal orientés et, bien entendu, inefficaces. Comment l'un ou l'autre aurait-il pu savoir ?

Apparemment, il y a des exceptions lorsque des articles défectueux apparaissent régulièrement. On peut alors penser que des points du graphique de contrôle forment une figure indiquant l'absence de contrôle.

La même remarque est valable quand il y a une seule cause possible de défaut, une cause importante mais sporadique. Dans ce cas, l'étude des articles défectueux peut indiquer la cause du défaut.

Exemple 4. J'ai vu dans une usine de pneumatiques les articles défectueux de la journée alignés devant des ingénieurs qui les étudiaient. Même conclusion que dans l'exemple précédent : la continuation des problèmes est garantie.

Exemple 5. Mauvais usage d'une distribution. Encore l'ordinateur sans maître. Des lingots de cuivre, chauffés à blanc, étincelants, sont extrudés. Une machine coupe les lingots, le poids désiré est 326 kg. Chaque lingot est pesé automatiquement et les données vont dans l'ordinateur.

L'étape suivante est une déposition électrolytique de cuivre, le lingot formant anode. Un lingot trop léger occupe inutilement une place dans la cuve d'électrolyse pendant un certain temps alors que les autres lingots, plus lourds, sont encore en fonctionnement.

Le travail de l'ouvrier, quand il voit qu'un lingot est trop léger, consiste à règler la coupe pour augmenter le poids du lingot suivant. Quand il voit qu'un lingot est trop lourd, il règle la coupe pour diminuer le poids du lingot suivant. Le dispositif de pesée automatique imprime tous les soirs un graphique représentant la distribution des poids des lingots. L'opérateur a sous les yeux chaque matin la distribution de la veille. C'est un bon exemple d'ordinateur sans maître (Fig. 12).

Question : Quel est le but de l'histogramme ?
Réponse : C'est notre système de contrôle qualité. Il montre à l'opérateur ce qu'il fait pour qu'il puisse s'améliorer.
Question : Depuis quand avez-vous le problème des poids non uniformes ?
Réponse : Depuis que la production a commencé.

En fait, l'ouvrier, en règlant la machine dans un sens ou dans l'autre à chaque barre, travaillait contre lui-même, en augmentant la variance des poids. Il suivait la Règle 2 ou peut-être la Règle 3 . Il aggravait les choses alors qu'il essayait seulement de faire de son mieux. Comment pouvait-il savoir ? La distribution de la figure 12, totalement inutile, est une source de frustration.

Qu'est-ce qui est faux dans la distribution de la Fig. 12 ? Cette distribution ne fait aucune distinction entre (a) les causes qui proviennent du système et (b) les causes que l'ouvrier pourrait corriger. Donc elle n'aide pas du tout l'ouvrier ; elle ne fait que le frustrer. Un graphique de contrôle ferait la distinction nécessaire, donc aiderait l'ouvrier.

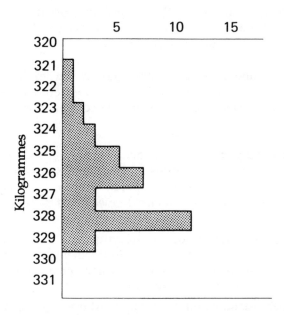

Fig. 12 : Histogramme de la production de la veille, tracé à partir d'une pesée et d'un enregistrement automatiques de toutes les barres. Cet histogramme montre à l'opérateur ce qu'il a réalisé la veille, mais ne l'aide pas à obtenir une distribution plus étroite autour de la moyenne voulue. L'appareil de contrôle a imprimé aussi la moyenne de la distribution, son écart-type, ses coefficients de symétrie et d'aplatissement. Aucun de ces chiffres ne présentait le moindre intérêt pour l'opérateur.

L'ingénieur responsable de ce secteur m'a expliqué qu'il n'a pas besoin de contrôle statistique de la qualité parce qu'il a une inspection à 100 % et qu'on enregistre le poids de chaque lingot. L'ouvrier n'a qu'à régler la machine après que chaque lingot a été pesé. L'ingénieur savait tout sur ce travail, sauf ce qui était important. Comment pouvait-il savoir ?

Un autre problème intéressant, un problème de statistique, est celui de la recherche du poids au dessus duquel il faudrait couper une partie du lingot. C'est un calcul classique d'optimisation, mais nous ne le traiterons pas ici. il nécessite de connaître la distribution des poids, le coût de la retouche d'un lingot et le coût de la poursuite du traitement électrolytique dans une cuve pour terminer un lingot trop lourd.

J'ai vu dans un laboratoire un graphique à secteurs (un camembert) qui montre à tout le monde le nombre d'erreurs de chaque type qui ont été faites la semaine précédente ; les mêmes fautes pour les mêmes raisons. La direction supposait que le personnel pouvait réparer toutes les erreurs, et par conséquent faire un travail parfait, à condition de savoir qu'il faisait des erreurs et d'avoir une volonté suffisante de faire mieux.

Exemple 6. Des pertes dues à l'indice de performance. Dans une société de transport routier, des ingénieurs avaient mis au point des soi-disant normes afin de mesurer les performances des responsables de leurs 70 terminaux. Tout responsable qui était au dessous de 100 % était en faute. Celui qui était au dessus de 100 % faisait bien son travail.

Ils faisaient la même erreur que le directeur qui examine seulement les produits défectueux afin d'améliorer les produits futurs. Ce dont le management a besoin dans ses investigations, c'est de la distribution des indices. La distribution forme t-elle un système, ou bien y a t-il des cas isolés ? Une étude de corrélation sur les performances liées à cette activité pourrait conduire aux causes de ce qui est considéré comme très bon ou très mauvais. Par exemple, un rapport trop élevé entre le fret à l'arrivée et le au fret au départ peut expliquer pourquoi certains terminaux ont une marge trop faible. C'est ainsi que la Floride fait rentrer beaucoup plus de fret qu'elle n'en fait sortir. Les trains et les camions qui repartent vers le nord sont presque vides. Le responsable du terminal ne peut rien contre cet état de choses.

La direction générale ne faisait que perpétuer ses problèmes.

Exemple 7. Une mauvaise procédure en amont de la production. Cet exemple répète une leçon que nous connaissons déjà, mais cela ne nous fera pas de mal de la recommencer.

Des résultats de mesure sur 10, 30, 40, ou 100 pièces sont examinés afin de savoir si le processus est correct. L'étape suivante (fausse) consiste à examiner les pièces défectueuses pour essayer de trouver les causes de défauts.

C'est un exemple de la défaillance de l'analyse de défaillance. Une meilleure procédure consiste à utiliser des méthodes statistiques pour un problème statistique, de la manière suivante :

1. Utiliser les mesures pour tracer un graphique de tendance ou d'autres graphiques (des graphiques de moyenne et d'étendue si l'on a suffisamment de données). Les données sont relevées dans l'ordre de la production afin de savoir si le processus est en état de contrôle statistique.

2. Si le graphique indique que le contrôle statistique est suffisant, nous pouvons en conclure que les pièces défectueuses sont produites par le même système que les bonnes. Il n'y a donc qu'un changement du système qui puisse réduire le nombre de pièces défectueuses dans l'avenir. Ce changement sera peut-être la nouvelle conception d'une pièce détachée, ou une modification de la méthode de fabrication. L'une des premières étapes sera de vérifier le système de mesure pour voir s'il répond suffisamment aux normes et surtout s'il est en état de contrôle statistique.

Avec moins de 15 ou 20 pièces, il est difficile de conclure sur la stabilité et l'aptitude du processus. Mais on arrive parfois à une conclusion certaine avec un plus petit nombre de pièces. Par exemple, on peut conclure avec seulement 6 ou 7 pièces que le processus est incapable de tenir les spécifications, ou que le système de mesure est hors d'usage.

6 ou 7 pièces, présentant toutes une tendance vers le haut ou vers le bas, indiquent définitivement qu'il y a quelque chose d'anormal dans le processus ou le système de mesure.

Vous devez obtenir une information sur la variation. Si vous vous arrêtez à 5 ou 6 mesures, vous vous privez de la possibilité d'apprendre quelque chose sur la variation.

3. Si le graphique montre qu'il n'y a pas de contrôle statistique, il faut chercher les causes spéciales. Il est prudent, encore une fois, de vérifier le système de mesure. Chercher d'abord les erreurs dans les données.

D'autres applications

Utilisation de graphiques pour mesurer des erreurs combinées du système. La Fig. 13 montre la proportion de pièces défectueuses produites au cours d'un mois par 20 ouvriers qui réalisaient exactement la même opération. Ce graphique montre clairement que :

1. Le travail des 20 ouvriers constitue un processus stable, définissable, avec une aptitude statistique.

2. L'aptitude statistique du processus est de 2 % de pièces défectueuses.

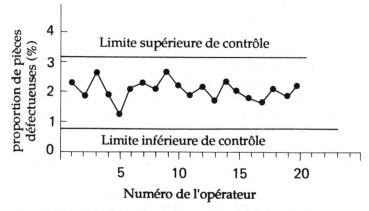

Fig. 13 : Proportion de pièces défectueuses réalisée par chacun des 20 opérateurs. Les points sont dans l'ordre de leur position. (Ils ont tous produit sensiblement le même nombre de pièces.)

Calcul des limites de contrôle :

$n = 1\,225$ (production moyenne par personne et par mois)

$$\left.\begin{array}{l} \text{UCL} \\ \text{LCL} \end{array}\right\} = 0{,}02 \pm 3 \sqrt{\overline{pq}/n} \quad (\text{où } \overline{q} = 1 - \overline{p})$$

$$= 0{,}02 \pm 3 \sqrt{0{,}02 \times 0{,}98/1225}$$

$$= 0{,}02 \pm 0{,}012$$

$$= \left\{ \begin{array}{l} 0{,}032 \\ 0{,}008 \end{array} \right.$$

Les ouvriers ont mis dans leur travail le meilleur d'eux-mêmes. Une amélioration ne peut venir que du management, c'est à dire du chef d'atelier, du directeur de l'usine, des ingénieurs. La mission du management est claire maintenant : trouver, réduire et supprimer dans la mesure du possible des causes communes et des causes dues à l'environnement. Sinon, il faut accepter comme un fait inévitable d'avoir toujours 2 % de pièces défectueuses.

Un exemple de ce que l'on gagne à étudier et changer le système

Du Daily News, 29 mai 1980.

Révolution dans le management

Londres (AP) - Les célèbres bus rouges de Londres ont enregistré une grande amélioration de productivité au cours des six derniers mois et les responsables disent que la principale raison est une "révolution dans le management".

La société des transports londoniens, une société nationalisée, attribue l'amélioration au fait que le contrôle central a été supprimé. L'ensemble des 5 500 bus circulant sur 300 itinéraires a été divisé en huit districts ; chacun d'eux est responsable des finances, des réparations et des réclamations.

La distance parcourue en service a augmenté de 10 %. Le temps d'attente aux arrêts de bus a radicalement baissé et le nombre de bus hors service est passé de 500 à 150. Maintenant, il y a dans chaque bus une pancarte avec le nom du responsable auquel les usagers peuvent adresser leurs réclamations.

Les gens font partie du système ; ils ont besoin d'aide. En dépit du fait que le management est responsable du système, mon expérience m'a appris que peu de personnes dans l'industrie ont conscience de ce qui constitue un système. Quand je parle d'un système, la plupart des gens pensent aux machines et au traitement des données. Seule une minorité sait que le recrutement, la formation, l'encadrement et l'assistance aux ouvriers font partie du système. Qui d'autre que les dirigeants peuvent être responsables de ces activités ?

Un homme est venu me voir de Londres. Il avait des problèmes, en particulier avec son service de facturation. Sa trésorerie était faible pour deux raisons. (1) Sa société était en retard pour envoyer les factures du mois, surtout aux gros clients. Son service de facturation avait fait tant d'erreurs par le passé, spécialement sur les factures des gros clients, qu'il ne voulait pas envoyer une facture sans de nombreuses vérifications. (2) Les clients, spécialement les gros clients, refusaient de payer leurs factures pendant deux ou trois mois, tant que les erreurs des factures précédentes n'avaient pas été réparées.

Il me déclara que la cause de ces problèmes était le manque de soin des employés de son service facturation. Il y avait beaucoup d'erreurs entre l'expédition des marchandises et la facture.

1. Erreur d'article à l'expédition. Il faut payer deux fois le transport. Le client s'impatiente.
2. Erreur d'adresse à l'expédition. Il faut payer deux fois le transport. Le client s'impatiente.
3. Erreurs de facturation, par exemple une remise sur grande quantité n'a pas été faite.

Ces erreurs faisaient naître une multitude de débits et de crédits qui comportaient aussi des erreurs. Les frais de transport augmentaient. Il ne me dit pas qu'il était en procès - il est grave que pour la saison des fêtes un grand magasin soit victime d'une erreur d'expédition - mais il avait toutes sortes d'autre problèmes. Pour terminer, il proclama que son personnel était le plus mauvais que l'on puisse trouver dans toute la région de Londres.

Il pouvait emprunter de l'argent à la banque. Il représentait un bon risque malgré ses problèmes. Mais payer des intérêts (à l'époque 18 %) sur ce que les gens vous doivent n'est pas le bon moyen d'aller de l'avant.

Il me dit que tous ses problèmes disparaîtraient quand son nouveau système informatique serait en service, dans deux ans. Mais en attendant, il venait me consulter pour savoir ce qu'il fallait faire.

Je l'assurai qu'il rencontrerait à nouveau tout un ensemble de problèmes quand son nouveau système informatique serait en service ; à moins de prendre les mesures suivantes :

1. Simplifier le système de tarification pour son produit. Il est trop compliqué. Par exemple, il pouvait éliminer les remises sur grande quantité pendant une période déterminée (six mois).
2. Donner au personnel une meilleure formation et entretenir cette formation. Que connaissez-vous de la fréquence de certaines erreurs importantes ? Où ces erreurs surviennent-elles ? Quelle en est la cause ? Quels sont les ouvriers qui ne font pas partie du

système ? Il n'avait aucune réponse à ces questions. Pourtant c'était lui, le chef.

Il n'avait jamais réalisé que ses employés faisaient partie du système, qu'il était responsable de ses employés et qu'il devait pouvoir répondre à toutes ces questions. Dans son esprit, le système n'était rien d'autre que le matériel, l'emplacement des magasins, la finance, etc... Il me quitta ayant compris le problème et me promit d'embaucher un statisticien à Londres pour le seconder.

Cinq mois plus tard, il retourna me voir, enchanté. Le défaut le plus important avait chuté de 39 % à 6 %, le défaut suivant avait chuté de 27 % à 4 %. Il était sur la voie d'autres améliorations.

Textes choisis

Le lecteur sérieux doit prendre le temps d'approfondir sa connaissance du concept de variation. Ces livres l'y aideront, mais rien ne remplace un bon professeur.

American National Standard Institute, *Guides for Quality Control.*

Nancy R. Mann, *The keys to Excellence : The Story of the Deming Philosophy,* Prestwick books, Los Angeles, 1985.

Walter A. Shewhart, *Economic Control of Quality of Manufactured Product,* Van Nostrand, 1931, réédition Ceepress, the George Washington University, 1986.

Walter A. Shewhart, *Statistical Method from the viewpoint of Quality Control,* Graduate School, Department of Agriculture, Washington, 1939, réédition Dover, 1986.

Western Electric Company, Bonnie B. Small, Chairman of the Writing Committee, *Statistical Control Handbook,* Indianapolis, 1956.

Ces livres ne sont pas traduits en français. Deux ouvrages sont recommandés aux lecteurs français :

Kaoru Ishikawa, *La gestion de la qualité, outils et applications pratiques,* Dunod 1985.

Kaoru Ishikawa, *Le TQC, ou la qualité à la japonaise,* AFNOR, diffusion Eyrolles, 1985.

Il existe un grand nombre d'autres ouvrages, soi-disant sur le contrôle de la qualité. Chacun d'eux comporte de bons passages et presque tous leurs auteurs sont de mes amis ou collègues. Cependant la plupart de ces livres renferment des pièges grossiers, tels que des limites de refus, des limites de contrôle modifiées, des zones hachurées sous la courbe normale, des échantillonnages d'acceptation. L'un de ces livres établit des limites de contrôle à partir d'une courbe OC (non étudiée ici). Un autre trace des limites de contrôle pour satisfaire à des spécifications. Certains livres prétendent que l'utilisation d'un graphique de contrôle est un test d'hypothèse. Mais le processus est en état de contrôle statistique ou il ne l'est pas. De telles erreurs font dérailler celui qui étudie seul.

L'étudiant doit aussi éviter dans ces livres les passages qui traitent des intervalles de confiance et des tests de signification, car ce genre de calcul n'a aucune application dans l'analyse des problèmes pour la science et l'industrie.

Chapitre 3

Principes de transformation du management occidental

Que les hommes sans patience sont à plaindre !

Iago à Rodrigo, Shakespeare,
Othello, acte 2, sc. 3

Préambule

But de ce chapitre. Pour enrayer le déclin de l'industrie occidentale et lui donner une nouvelle vigueur, il faut modifier son style de management. Ce chapitre est destiné, avec le chapitre suivant, à expliquer ce que sont les éléments de la transformation à mettre en place. Avant d'agir, il faut d'abord prendre vraiment conscience de la crise ; ensuite l'action sera le travail des dirigeants.

Ces deux chapitres donnent aussi des critères permettant à chaque membre d'une entreprise de mesurer la performance de ses dirigeants. Chacun aura désormais une base pour répondre à la question : "Que vaut notre management ?" Les syndicats pourront aussi poser cette question et juger le management avec les mêmes critères.

La transformation ne peut être accomplie que par l'homme. Les moyens matériels (ordinateurs, robots, nouvelles machines) ne changeront rien. Ce n'est pas à coup d'argent qu'une société parviendra à la qualité. Pour la connaissance, il n'y a pas de produit de substitution.

Les meilleurs efforts ne suffisent pas. Participant à une réunion du comité de direction d'une société, j'ai posé la question : "Comment faites-vous pour améliorer la qualité et la productivité ?" La réponse fut : "en demandant à chacun de faire de son mieux". C'est une idée fausse. Les meilleurs efforts sont nécessaires, mais ils peuvent causer des ravages s'ils sont orientés ici et là sans principes directeurs. Si chacun fait de son mieux sans savoir ce qu'il doit faire, c'est le chaos.

Besoin d'une continuité dans l'effort. Supposons que chacun sait ce qu'il doit faire et que chacun fait réellement de son mieux. Vous risquez cependant de gaspiller votre connaissance et vos efforts. Pour que le résultat soit optimum, il faut une continuité dans l'effort, un travail d'équipe bien dirigé, une bonne connaissance des choses. Il n'existe aucune autre solution.

Il existe maintenant une théorie du management. Cette théorie est fondée sur l'amélioration de la qualité, de la productivité et de la position compétitive. Personne ne peut nier la nécessité d'un nouvel apprentissage du management. On en a maintenant le moyen. Et c'est aussi pour les étudiants des grandes écoles le moyen de porter un jugement sur la valeur des cours qui leur sont offerts. Ils peuvent savoir si leur école les aide à faire face aux problèmes actuels ou bien si elle ne fait que prolonger l'obsolescence du système.

L'expérience seule, sans théorie, n'enseigne rien aux dirigeants sur la manière d'améliorer la qualité et la position compétitive de leur organisation. Si l'expérience suffit à constituer un enseignement, on peut se demander pourquoi nous sommes dans une telle impasse. Les expériences sont faites pour répondre à une question, mais une question ne peut provenir que de la théorie. Il n'est pas utile d'avoir une théorie très élaborée, mais une théorie simple est autre chose qu'une intuition car une intuition peut être mauvaise. Un dirigeant qui réfléchit sérieusement aux questions suivantes comprend le besoin d'un plan directeur.

1. Où espérez-vous en être dans cinq ans ?
2. Comment allez-vous atteindre cet objectif ? Avec quelle méthode ?

Un dirigeant doit connaître la théorie du management et s'engager constamment dans cette voie. Un espoir qui n'est pas accompagnée d'une méthode ne restera qu'un espoir. Les 14 points proposés dans ce chapitre, ainsi que l'élimination des maladies mortelles et des obstacles présentés au chapitre suivant, apportent enfin une méthode.

Principes généraux de Lloyd S. Nelson. (Le Dr. Nelson est le directeur des méthodes statistiques de la Société Nashua.)

1. Le problème central du management, si l'on considère le planning, les achats, les fabrications, la fonction technique, la fonction commerciale, la comptabilité et les finances, est de mieux comprendre ce que signifie la variation et d'extraire les informations contenues dans la variation.
2. Si vous êtes capable, l'année prochaine, d'améliorer la productivité, les ventes, la qualité, ou toute autre chose, de 5 % par exemple, sans aucun plan d'amélioration, alors pourquoi donc ne l'avez-vous pas fait l'année dernière ?

3. Dans n'importe quelle organisation, les chiffres les plus importants dont le management a besoin sont inconnus ou inconnaissables.

4. Dans un état de contrôle statistique, une action déclenchée par l'apparition d'un défaut sera vouée à l'échec et augmentera le désordre. En revanche, il est nécessaire d'améliorer le processus en réduisant sa variation, en changeant de niveau, ou par ces deux moyens à la fois. Toute étude faite en amont du produit aura un puissant effet de levier sur son amélioration.

Le lecteur découvrira presque à chaque page une application des principes du Dr. Nelson.

Les profits à court-terme ne sont pas de bons indicateurs. Les profits à court-terme ne signifient pas que le management est compétent. N'importe qui peut payer des dividendes à ses actionnaires en réduisant la maintenance de ses machines, en supprimant ses activités de recherche, en mettant la main sur d'autres sociétés.

Les dividendes et les profits fictifs, suprême consécration des dirigeants américains, ne font pas le bonheur des citoyens et n'améliorent absolument pas la position compétitive de leurs entreprises. Les profits fictifs ne donnent pas de quoi vivre, alors que la qualité et la productivité améliorent l'ensemble du niveau de vie dans le monde entier.

Les personnes dont l'existence dépend des dividendes ne devraient pas seulement s'inquiéter du montant des dividendes aujourd'hui, mais aussi de ce montant dans trois ans, cinq ans, dix ans. Le management a l'obligation de protéger l'investissement.

Le soutien de la direction générale ne suffit pas. Il ne suffit pas que la direction générale se prononce définitivement en faveur de la qualité. Il est nécessaire qu'elle sache ce dont il s'agit, qu'elle sache ce qu'elle doit faire. Cette obligation ne peut pas être déléguée. Le soutien ne suffit pas ; il faut une action.

" ... et si vous ne pouvez pas venir, n'envoyez personne à votre place."

Ces mots furent écrits par William E. Conway (qui était alors PDG de la Nashua Corporation) en réponse à un dirigeant qui souhaitait pouvoir visiter sa société. En d'autres termes, Mr. Conway lui disait que s'il n'avait pas le temps de venir, il ne pouvait rien faire pour lui.

Un programme de qualité totale lancé avec de grandes cérémonies, des discours de ministres, des drapeaux, de la musique, des badges et des applaudissements nourris, est à la fois une illusion et un piège.

Fausse route. Selon une idée reçue, vous pouvez améliorer la qualité et la productivité d'une entreprise si vous êtes plus exigeant et si vous installez de nouvelles machines. Un livre inédit vous explique comment : "motiver votre personnel pour augmenter le rendement". Bien sûr, si vous fouettez les chevaux, ils iront plus vite... mais pendant combien de temps ?

Une commission du Sénat des Etats-Unis a envoyé une lettre à de nombreuses sociétés pour insister sur l'importance de la qualité et de la productivité, et pour leur annoncer un concours. Les candidats devaient être jugés sur :

les machines
les automates
une bonne information
la participation aux résultats
la formation
l'enrichissement des tâches
les cercles de QC
le traitement de texte
les programmes de suggestions
le zéro défaut
le management par objectifs

La réalité dépasse la fiction. De la part d'une commission du Sénat, nous aurions pu espérer quelque chose de mieux. Mais les sénateurs ont certainement fait tout ce qu'ils pouvaient.

J'ai vu un nouveau film dont le but est de semer la panique dans l'esprit des ouvriers, de leur montrer ce qui arrivera si des produits de mauvaise qualité quittent l'usine et vont chez le client. Comme je l'ai déjà expliqué au chapitre 1, l'ouvrier sait depuis longtemps ce qui va arriver, mais il n'a aucun moyen d'action. Il est forcé de faire de la mauvaise qualité à cause du système dans lequel il travaille.

Le MBWA (*management by walking around,* management en se promenant, une expression que m'a apprise Lloyd S. Nelson) est rarement efficace. En effet quand un directeur se promène, il a peu d'idées sur ce qu'il va demander, et quand il s'arrête il prend trop peu de temps pour écouter et obtenir une bonne réponse.

Résumé des 14 points pour le management

Origine des 14 points. Les 14 points sont la base de la transformation de l'industrie américaine. Il ne suffit pas de faire des efforts pour résoudre des problèmes, grands ou petits ; il faut adopter les 14 points. L'action qui en découle est un signal montrant que le management veut rester présent sur le marché, protéger les investissements, protéger l'emploi. Telle est l'idée directrice des cours que j'ai donné aux directeurs généraux japonais pendant plusieurs années de suite, à partir de 1950. (voir annexe.)

Les 14 points s'appliquent partout, dans les petites organisations comme dans les grandes, dans les industries de service comme dans les industries manufacturières. Ils s'appliquent aussi à une division au sein d'une société.

1. Garder fermement le cap de la mission d'amélioration des produits et des services ; il s'agit de devenir compétitif, de rester présent sur le marché et d'assurer des emplois.

2. Adopter la nouvelle philosophie. Nous sommes entrés dans une nouvelle ère économique. Le management occidental doit s'éveiller à ce grand défi, apprendre ses responsabilités et conduire le changement d'une main sûre.

3. Faire en sorte que la qualité des produits ne dépende pas des inspections. Construire la qualité le plus tôt possible au cours de la mise au point des produits pour ne plus avoir besoin de les inspecter massivement.

4. Mettre un terme à la pratique des achats au plus bas prix. Réduire au contraire le prix de revient total en travaillant avec un seul fournisseur pour chaque article. Etablir des relations de confiance et de loyauté à long terme.

5. Améliorer constamment tous les processus de planification, de production et de service. Améliorer la qualité et la productivité pour réduire indéfiniment les prix de revient.

6. Etablir une éducation permanente sur le lieu de travail.

7. Développer le leadership. L'encadrement a pour but de donner au personnel toute l'aide nécessaire pour que les hommes et les machines fassent un meilleur travail. L'encadrement des cadres a besoin d'être remis à neuf, aussi bien que celui des ouvriers.

8. Faire disparaitre la crainte, en sorte que chacun puisse travailler efficacement pour la société.

9. Renverser les barrières entre services. Les membres des services techniques, des services commerciaux et des services de production doivent travailler en équipe, pour prévoir les problèmes qui peuvent apparaître au cours de la réalisation et de l'utilisation des produits.

10. Eliminer les exhortations et les slogans destinés aux ouvriers. Supprimer les objectifs tels que Zéro Défaut, etc. Ces exhortations ne font que créer des relations conflictuelles, car les causes fondamentales de la mauvaise qualité et de la faible productivité appartiennent au système. Elles échappent complètement au pouvoir des ouvriers.

11a. Eliminer les quota de production dans les ateliers. Leur substituer le leadership.

11b. Eliminer la direction participative par objectifs ainsi que toute forme de direction par les chiffres. Leur substituer le leadership.

12a. Supprimer les obstacles qui privent les ouvriers de leur droit à la fierté du travail. Les chefs d'atelier doivent devenir responsables d'une qualité clairement mesurée.

12b. Supprimer les obstacles qui privent les ingénieurs et les cadres de leur droit à la fierté du travail. Cette action implique, *inter alia*, l'abolition de l'avancement au mérite et de la direction participative par objectifs.

13. Instituer un programme énergique d'éducation permettant à chacun de s'améliorer.

14. Mettre tout le personnel de l'entreprise au travail pour accomplir la transformation. La transformation est l'affaire de tous.

Détail des 14 points

1. Garder fermement le cap de la mission d'amélioration des produits et des services. Il y a deux types de problèmes : (i) les problèmes d'aujourd'hui ; (ii) les problèmes de demain, pour une société qui espère rester présente sur le marché. Les problèmes d'aujourd'hui comprennent le maintien de la qualité des produits, la régulation de la production en fonction du niveau de vente, les budgets, la gestion du personnel, les marges d'exploitation, le commerce, les relations extérieures, les prévisions, etc. Il est facile de faire bonne figure et de devenir apparemment de plus en plus efficace (par exemple avec l'acquisition de nouvelles machines de bureau), tout en restant ligoté dans le réseau inextricable des problèmes du présent.

Les problèmes du futur nécessitent d'abord et surtout de garder fermement le cap de la mission. L'amélioration de la position compétitive maintiendra la société en bonne santé et permettra de créer des emplois. Le conseil d'administration cherche t-il à obtenir rapidement des profits fictifs ou à maintenir le cap de la mission ? Le prochain dividende trimestriel est moins important que l'existence même de la société dans dix ou vingt ans. Voici quelques obligations qu'il faut accepter pour maintenir le cap de la mission :

a. Innover. Allouer des ressources à des projets à long terme concernant :

– De nouveaux produits et de nouveaux services qui aideront les gens à vivre mieux, et qui trouveront un marché.

– De nouveaux matériaux pour de nouveaux usages.

– De nouvelles méthodes de production ; de nouvelles machines.

– De nouvelles aptitudes professionnelles.

– La formation continue des ouvriers, techniciens, ingénieurs et cadres.

– Les coûts de production.

– Les coûts des services.

– Les performances du produit chez l'utilisateur.

– La satisfaction de l'utilisateur.

Pour innover, il faut croire fermement en l'avenir. L'innovation, base de l'avenir, ne peut réussir que si la direction générale s'est définitivement prononcée en faveur de la qualité et de la productivité. Tant que cette politique n'a pas été portée au rang des institutions, les cadres et tous les employés de l'entreprise resteront sceptiques sur l'efficacité de leurs efforts.

b. Mettre des ressources au service de la recherche et de l'éducation.

c. Améliorer constamment la conception des produits et des services. Cette obligation ne cesse jamais. Le consommateur est la partie la plus importante de la chaine de production.

> *C'est une erreur de croire qu'une organisation est compétitive simplement parce qu'elle a une production et des services efficaces. Il est possible et même assez facile pour une telle organisation de péricliter. Si elle offre de mauvais produits, la compétence de ses employés et l'efficacité de ses méthodes n'empêcheront pas l'organisation de faire faillite.*

Les clients, les fournisseurs et les employés ont besoin d'entendre la direction générale déclarer fermement sa volonté de garder le cap de la mission, son intention de rester présente sur le marché en offrant des produits et des services qui aideront les hommes à vivre mieux, et qui trouveront un marché.

La direction générale doit s'engager par écrit à ce que personne ne perde son emploi pour avoir contribué à la qualité et à la productivité.

2. Adopter la nouvelle philosophie. Nous sommes entrés dans une nouvelle ère économique, créée par le Japon. Le style de management américain souffre de maladies mortelles. Les directives gouvernementales et les lois antitrust sont des obstacles à la position compétitive de l'industrie américaine. Il faut les réviser pour améliorer le bien-être du peuple américain. Nous ne pouvons plus supporter les taux d'erreurs que l'on admet maintenant, les défauts des produits, les matériaux inadaptés, les employés qui ne savent pas ce qu'il faut faire et qui n'osent pas le demander. Nous ne pouvons plus supporter des marchandises détériorées, des méthodes de formation archaïques, un commandement inadapté et inefficace, un management déraciné, des dirigeants qui sautent d'une société à une autre, des trains et des autobus en retard ou même supprimés parce qu'un conducteur ne s'est pas présenté. La corruption et le vandalisme augmentent le coût de la vie et, de l'avis des psychologues, conduisent à du mauvais travail et des frustrations.

Entre 1950 et 1968, le style de management américain galopait sans inquiétude en tête du peloton. Les produits américains dominaient le marché ; l'achat d'un produit américain était considéré dans le monde entier comme un privilège. Mais à partir de 1968, il ne fut plus possible d'ignorer les forces de la concurrence. A cette époque, ce qui s'était passé au Japon aurait bien pu se passer en Amérique, mais ce ne fut pas le cas. Aujourd'hui, le doute subsiste encore dans les esprits : "Et pourtant, nous n'avons certainement pas fait tout de travers." A mon avis, il est possible de voir les choses autrement.

Le coût de la vie varie inversement avec la quantité de produits et de services que l'on peut obtenir pour une certaine somme. Les retards et les erreurs qui augmentent le coût des produits et des services augmentent donc le coût de la vie. Il est facile de comprendre, en particulier, qu'un retard est coûteux parce que celui qui le subit est obligé de réviser ses plans. L'économie qui résulte de l'exactitude est évidente ; voici par exemple un horaire proposé au Japon :

17h25 départ de Taku City
19h23 arrivée à Hakata et changement de train.
19h24 départ de Hakata [pour Osaka, à 210 km/h].

Une minute seulement pour changer de train ? En réalité, il n'y a pas même besoin d'une minute. Il vous restera vraisemblablement 30 secondes. Vous n'aurez pas besoin de changer vos plans.

Le directeur d'une brasserie avec qui je parlais un jour me dit qu'il n'avait aucun problèmes avec les bouteilles parce que le fournisseur lui remplaçait tous les lots défectueux. Il n'avait pas pensé au coût d'un arrêt de la chaine et au coût du remplacement des bouteilles. Il n'avait pas pensé que c'était son client qui payait la note.

Après un contrôle sévère au poste de garde d'une grande usine d'un groupe chimique américain, quelqu'un a observé que le nom et la date inscrits sur son laissez-passer étaient faux. A part celà, tout était en ordre.

3. Faire en sorte que la qualité des produits ne dépende pas des inspections. L'inspection de routine à 100 pour cent destinée à améliorer la qualité équivaut à planifier les défauts, à reconnaître que le processus n'a pas les caractéristiques demandées.

Une inspection destinée à améliorer la qualité est tardive, inefficace et coûteuse. Quand un produit quitte l'usine du fournisseur, il est trop tard pour améliorer la qualité d'une manière ou d'une autre. La qualité ne provient pas de l'inspection mais de l'amélioration du processus de production. L'inspection, la mise au rebut, le déclassement et la retouche ne sont pas des actions d'amélioration du processus.

Les retouches augmentent les coûts ; personne n'aime faire des retouches. Quand un grand volume d'articles est mis de côté pour des retouches, il est trop souvent utilisé avec ses défauts parce que les utilisateurs ne peuvent plus attendre ; ils préfèrent travailler avec de mauvaises pièces que ne pas travailler du tout.

Il faut néamoins remarquer que dans certaines circonstances les erreurs et les défauts, bien qu'étant intolérables, sont inévitables. C'est le cas, à mon avis, de la réalisation des circuits intégrés complexes. Le seul moyen est de trier les bons des mauvais. Un autre exemple est celui des écritures et des calculs dans une banque et dans une compagnie d'assurances. Il est important de faire les inspections sur les points qui réduiront autant que possible le coût total.

a. L'inspection n'améliore pas la qualité, ne garantit pas la qualité. L'inspection est trop tardive. La qualité, bonne ou mauvaise, est déjà contenue dans le produit.

b. L'inspection de routine est, à de rares exceptions près, coûteuse et inefficace. Elle ne fait pas clairement la séparation entre les pièces bonnes et les pièces mauvaises.

c. Les inspecteurs ne sont pas d'accord entre eux tant que leur travail n'a pas été mis en état de contrôle statistique. Ils ne sont même pas d'accord avec eux-mêmes. Les instruments de mesure, quel que soit leur prix, nécessitent beaucoup d'attention et doivent être maintenus en bon état. L'inspection de routine perd à la longue tout son sens à cause de l'ennui et de la fatigue qu'elle engendre. Quand vous montrez à quelqu'un de la production le nombre des défauts dont il est responsable, il prétend habituellement que les appareils de mesure sont faux. L'inspection systématique et l'enregistrement des résultats nécessitent une attention constante.

d. Au contraire, l'inspection de petits échantillons afin de tenir des graphiques de contrôle et de conserver un processus en état de contrôle statistique est un travail de professionnel. Les inspecteurs, les fournisseurs et les clients ont le temps de comparer leurs instruments de mesure et d'apprendre à parler le même langage.

Mais si vous avez des problèmes avec la qualité, votre réaction sera probablement de mettre en place quatre inspecteurs de plus. C'est le meilleur moyen d'avoir encore plus de problèmes.

Premier exemple. Une pièce détachée dont le comportement est critique est vérifiée par cinq inspecteurs et quitte l'atelier avec cinq signatures. C'est la règle. Que vais-je faire ? Si je suis le premier inspecteur, j'inspecte l'article et je signe le bordereau. Mais dans le cas contraire, je suppose que le premier inspecteur a vérifié la pièce ; alors je signe sans vérifier.

Deuxième exemple. Dans une administration locale, il y a un service qui prépare des cartes grises de véhicules. Le chef de service sait qu'il y a des erreurs concernant le nom du propriétaire, le type du véhicule, le numéro et quelques autres données. Ces erreurs ne sont pas nombreuses mais elles coûtent cher. Ce responsable estime qu'une erreur sur sept seulement revient à son service pour être corrigée, et cependant les corrections coûtent un million de dollars par an à l'Etat.

Or, il a appris qu'il pouvait se procurer pour 10 000 dollars un logiciel qui indique automatiquement une anomalie en cours de frappe. Les corrections peuvent se faire aussitôt. Il pense que cet investissement éliminera les erreurs et versera un dividende de un million de dollars par an dès sa mise en service.

A mon avis, une meilleure voie consiste à améliorer d'abord la clarté et la facilité d'emploi des imprimés ; il faudrait aussi faire une formation des dactylos pour les aider à comprendre la nature et les conséquences des erreurs. C'est seulement quand les dactylos n'auront plus vraiment besoin de ce logiciel qu'il faudra l'acheter et l'améliorer constamment. Ce sera un bon investissement et les employés pourront être fiers de la qualité du résultat.

Troisième exemple. Question : qui est responsable de la qualité des pièces détachées et des matériaux à l'entrée ? Réponse : notre service qualité. Sa mission consiste d'une part à inspecter les pièces détachées et les matériaux à l'entrée, d'autre part à s'assurer qu'aucun article défectueux ne quitte l'usine.

Fausse route. Au chapitre 4, le lecteur aura plus de détails sur les ravages causés par l'accoutumance à l'inspection.

Remarque. Pour que le coût total soit minimum, certains articles doivent être inspectés à 100 pour cent. Ce type d'inspection est également nécessaire lorsque le rendement est faible, par exemple dans la fabrication des circuits intégrés.

4. Mettre un terme à la pratique des achats au plus bas prix. Nous ne pouvons plus permettre que la qualité et les services soient dominés par la seule concurrence des prix. Etant donné, par exemple, l'exigence actuelle de régularité et de fiabilité des usines d'automobiles, c'est impossible. Le prix n'a aucun sens pour celui qui ne mesure pas la qualité de ce qu'il achète. Si la qualité n'est pas mesurée convenablement, les affaires dérivent vers les offres au plus bas prix. Le résultat inévitable est une qualité médiocre et un coût élevé. Aux Etats-Unis, l'industrie et les administrations, civiles et militaires, sont régulièrement escroquées par des règles qui favorisent les offres les moins chères.

Celui qui achète des outils ou des équipements cherche à atteindre le minimum de coût horaire total. Mais ceci suppose une vision à long terme, au lieu de chercher seulement ce qui est aujourd'hui le meilleur marché. Les chiffres nécessaires concernant chaque équipement : le coût initial, la maintenance et la durée de vie, existent quelque part. Même s'ils sont dispersés, ils peuvent être rassemblés. Réunir ces données pour une utilisation systématique doit être un projet prioritaire.

Jusqu'à présent, la mission d'un acheteur est d'être aux aguets pour trouver un fournisseur qui offre le prix le plus bas. Alors les autres fournisseurs doivent s'aligner sur ce prix. L'acheteur n'est pas en faute ; c'est sa mission depuis vingt ans. Personne ne peut lui reprocher de faire ainsi son travail. Seule la direction générale est coupable parce qu'elle conserve des termes de référence démodés.

La politique qui consiste à toujours essayer de faire baisser les prix de ce que l'on achète, sans se soucier de la qualité et du service, risque de mettre les bons fournisseurs en faillite. En revanche, celui qui a pour règle de toujours passer ses commandes au fournisseur le moins cher mérite bien d'être berné.

Un exemple de pillage institutionnel est donné par les services municipaux de transport des marchandises aux Etats-Unis. Ils sont contraints par l'Administration fédérale de traiter avec les fournisseurs dont les devis sont les plus faibles.

Des expériences négatives dans le transport des marchandises ont retardé d'une génération le développement de cette activité aux Etats-Unis. Ceci tient au fait que les équipements achetés au plus bas prix ont des performances imprévisibles.

Le gouvernement américain pratique d'ailleurs la même politique de prix pour certains contrats de recherche et de développement de caractère scientifique, démographique ou social.

On peut voir des publicités qui proposent l'enseignement des graphiques de contrôle pour un prix dérisoire. Celui qui achète de la formation professionnelle à un tâcheron médiocre mérite bien d'être berné.

Voici l'exemple véridique d'un appel d'offre au moins-disant lancé par une administration pour une prestation de service :

> Pour la fourniture et l'évaluation d'un cours sur l'organisation du contrôle de la qualité destiné à des cadres... La commande sera passée en fonction du prix.

Les directeurs des achats ont une nouvelle mission. Les économistes enseignent partout que la loi du marché donne à chacun la place qui lui convient. C'était peut-être vrai à l'époque où le boulanger avait ses clients, le crémier aussi, le tailleur aussi... En ce temps là, il était assez facile de faire un achat intelligent. Aujourd'hui c'est différent. L'étiquette du prix est toujours aussi facile à lire mais pour comprendre la qualité il faut une certaine formation. Le service achat doit modifier son critère de choix ; le plus faible coût initial doit être remplacé par le plus faible coût total. C'est pourquoi il est nécessaire de donner une nouvelle formation aux acheteurs. Il faut aussi leur apprendre que les spécifications des matériaux achetés ne sont qu'une indication imparfaite des performances ; elles ne disent pas quels problèmes vous rencontrerez en production.

Les matériaux et les composants, considérés isolément, peuvent être excellents mais ne pas donner de bons résultats en production. C'est pourquoi, dans le cas d'un assemblage complexe, il faut suivre un échantillon de chaque matériau tout au long de la production et jusque chez le client. Dans un grand immeuble de Boston, le verre des fenêtres était parfait, l'acier des montants aussi. Ils étaient conformes aux spécifications. Pourtant, ces deux matériaux s'accordaient assez mal puisque les vitres se détachaient des montants et tombaient au pied de l'immeuble.

Au cours d'un séminaire, un homme responsable des achats me déclara qu'il n'avait pas de problèmes avec les approvisionnements car il n'achetait que des matériaux parfaits. Le lendemain, dans l'une de ses usines, un chef d'atelier me montra deux pièces détachées d'un certain article, d'une belle finition ; elles étaient conformes aux spécifications, toutes les deux, mais elles étaient bien différentes car l'une pouvait se monter sans problème alors que l'autre ne pouvait se monter qu'au prix d'une importante modification. L'un des fournisseurs avait compris de quelle manière les pièces seraient utilisée, l'autre non. Ils étaient cependant tous les deux en règle avec les spécifications.

Un directeur d'usine, dans l'une des meilleures grandes entreprises américaines, se lamentait en me disant qu'il passait le plus clair de son temps à défendre les bons fournisseurs. Le problème se présente généra-lement ainsi : Pendant des années, un fournisseur ne lui a pas envoyé une seule pièce défectueuse et ses prix sont corrects. La direction centrale des achats lui propose alors de passer des commandes à un nouveau fournisseur, que l'on ne connait pas, mais dont les prix sont plus faibles. Ces pièces sont des composants de répéteurs téléphoniques. Or, pour remplacer un appareil en panne, la société d'exploitation dépense des milliers de dollars à démolir la chaussée. Alors ce directeur d'usine passe des heures à discuter avec la direction centrale, dans l'intérêt de sa propre société, pour défendre un fournisseur qui connaît son métier.

Avantages d'une source unique et de relations à long terme. Des relations à long terme entre l'acheteur et le fournisseur sont nécessaires à une bonne économie. Comment un fournisseur peut-il innover et améliorer ses processus pour faire des économies en production s'il ne peut prévoir qu'une activité à court-terme avec son client ?

En pratique, la source unique présente d'autres avantages. Même si deux fournisseurs donnent d'excellents matériaux, il y aura des diffé-rences. Dans un atelier, chacun sait que le passage d'un matériau d'un fournisseur à un matériau d'un autre fournisseur provoque des pertes de temps. Dans certains cas vous perdrez un quart d'heure. Ailleurs, dans un atelier d'emboutissage, vous perdrez un jour, parfois plusieurs semaines. Il en est ainsi, même si les deux fournisseurs sont bons. "Ils sont bons tous les deux, mais avec des différences" disait un ouvrier. "Nous avions deux fournisseurs de pièces détachées qui étaient excellents. Mais sur les deux, il n'y en avait qu'un dont les pièces convenaient à nos besoins" disait l'autre.

Il ne faut pas sous-estimer non plus la simplification de la comptabilité et du travail administratif qu'entraine la diminution des sources d'approvisionnement et des points d'expédition.

Il est souhaitable que les bonnes entreprises, à l'avenir, proposent à chaque fournisseur, s'il est sérieux et s'il tient le cap de sa mission, de rivaliser d'efforts pour devenir fournisseur unique. Chaque fournisseur ferait de même avec ses propres fournisseurs.

Matières premières et services. L'achat de matières premières et de services devrait aussi tendre vers l'adoption d'un fournisseur unique. Une même matière première peut être obtenue à différents prix à partir de différentes sources. Mais le volume des stocks et l'aptitude du vendeur à respecter ses délais de livraison sont importants pour le client. Il est important également que le vendeur dispose de camions propres et en bon état. Lorsqu'il s'agit de produits dont la manutention est difficile, un bon commerçant envoie quelqu'un pour aider le client à ranger la marchandise. Ainsi, le choix d'un fournisseur de matière première doit être fait avec certaines précautions, de même que le choix d'un transporteur.

Un directeur des achats me dit un jour que son option de prendre un transporteur unique le délivrait du fardeau consistant à chercher constamment le transporteur le moins cher, en courant le risque d'un service mal fait. Il utilisait d'une façon plus avantageuse le temps qu'il avait gagné ainsi.

Mais comme il s'y attendait, certains de ses clients protestèrent en disant qu'ils connaissaient des transporteurs moins chers. En fait, il est presque toujours possible d'acheter quelque chose ou de faire faire quelque chose à meilleur marché. Chacun de nous aurait pu acheter pour sa voiture des pneus moins chers que ceux dont elle est équipée. Qu'est-ce nous aurions eu alors pour notre argent ? Une qualité inférieure. Il faut tenir compte aussi du temps que l'on perd chaque fois à marchander pour faire baisser les prix. A long terme, il est avantageux de travailler avec un fournisseur unique, pourvu qu'il ait constamment la volonté de s'améliorer.

Comment distinguer un bon fournisseur ? Presque toutes les sociétés américaines ont un manuel qui indique la façon de porter une appréciation sur un fournisseur (par exemple sur le modèle Military Standard 9858A). Des équipes d'examinateurs non qualifiés visitent les établissements des fournisseurs pour leur attribuer une note.

Il vaudrait mieux mettre un terme à ces manuels et à ces équipes et demander aux fournisseurs de faire tous leurs efforts pour devenir fournisseur unique, le choix étant fait suivant des informations qui veulent dire quelque chose, au lieu de dépendre du prix de vente. Demandez à vos fournisseurs de montrer comment leur direction générale s'implique activement dans l'application des 14 points, notamment le point 5, l'amélioration constante des processus.

Nécessité d'une entraide et d'une confiance mutuelle entre l'acheteur et le fournisseur. Une société n'achète pas seulement des matériaux ; elle achète aussi une connaissance et un service, ce qui est beaucoup plus important. Il faut vérifier la connaissance et le service du fournisseur bien avant la production des matériaux. Un client qui attend la livraison pour découvrir la valeur de ce qu'il achète n'a pratiquement aucun recours.

Dans certaines industries, la plupart des composants évoluent rapidement. Dans les télécommunications par exemple, un composant, bon ou mauvais, risque d'être remplacé par un autre six mois plus tard. Le gros problème est alors celui de la conception des sous-ensembles. Les changements techniques coûtent très cher ; ils sont impossibles dans certains cas.

Cependant, certaines pièces restent les mêmes pendant un temps assez long. Il est alors possible de les améliorer constamment et de réduire leur prix, à condition que l'acheteur et le fournisseur travaillent ensemble.

Mais la qualité, je le répète, est quelque chose qui fait partie de ces pièces détachées bien avant qu'elles ne passent le seuil du fournisseur.

> *Traditionnel : Les ingénieurs définissent chaque pièce détachée dans un sous-ensemble. C'est le service des achats qui prépare les contrats pour les pièces détachées. Certains contrats sont passés à des filiales, d'autres à des fournisseurs indépendants. Des difficultés en fabrication ont entraîné de nombreux changements techniques. Les changements techniques augmentent les coûts, mais c'est une façon de vivre.*

> *Aujourd'hui. Des équipes composées d'experts venant de chez le fournisseur que vous avez choisi pour les matériaux (pièces détachées ou composants), ainsi que de vos ingénieurs du bureau d'étude, de la production, du commercial, travaillent sur le projet. Il en résulte une meilleure qualité et des coûts de plus en plus faibles.*

Les lignes qui suivent montrent qu'au Japon le fait d'avoir pour source d'approvisionnement une entreprise stable et consciente de ses responsabilités est plus important que le prix d'achat.

Les firmes américaines ont finalement constaté que les grandes marges engendrées par le système de distribution à plusieurs niveaux qui existe au Japon éliminent souvent tous les avantages de leurs prix à l'importation.

Les japonais répondent qu'il faut plutôt envisager ces problèmes comme une extension des relations client-fournisseur à long terme qui sont d'usage au Japon. Les acheteurs demandent aux fournisseurs d'être une source régulière de marchandises, de comprendre leurs besoins, d'y répondre rapidement et d'offrir de bons services après-vente. Les relations dépendent étroitement de ces facteurs, à l'exclusion de toute autre considération économique telle qu'un faible niveau de prix dans la qualité demandée. C'est pourquoi le fait de travailler dans ce système est souvent frustrant, bien que la fidélité des rapports entre le client et le fournisseur n'ait pas pour but l'élimination de la concurrence étrangère." (Japan Economic Institute, Japan's Import Barriers : Analysis of Divergent Bilateral Views, Washington, 1982.)

Les dirigeants japonais ont appris en 1950 que la meilleure solution pour améliorer les matériaux entrants est de faire de chaque fournisseur un partenaire et de travailler avec lui dans un système de relations à long terme fondées sur la confiance et la loyauté. Ce système est résumé sur le diagramme de la figure 1 qui était constamment inscrit au tableau pendant mes cours.

Les sociétés américaines, quand elles essayent de discuter avec des firmes japonaises, ont du mal à comprendre que le prix a peu d'importance. Ce qui est plus important que le prix, c'est la manière japonaise de faire des affaires en améliorant constamment la qualité, ce qui ne peut s'obtenir que dans un système de relations à long terme fondées sur la confiance et la loyauté. Ce système est totalement étranger à la manière américaine de faire des affaires. Un fournisseur a le devoir, envers lui-même et envers son client, d'exiger d'être l'unique fournisseur. L'unique fournisseur a besoin de toute l'attention de son client.

Cost plus. Dans les achats de produits et de services au plus bas prix, Il y a un piège dont personne ne parle. Pour jouer le jeu du *cost plus* dans l'industrie, un fournisseur propose un contrat si bas qu'il est presque sûr d'enlever l'affaire. Il l'obtient. Le client découvre alors qu'un changement technique s'impose absolument. Bien que le fournisseur soit très compréhensif, il fait remarquer que les termes du contrat ne sont plus les mêmes. A son grand regret, le changement technique doit doubler le coût de l'opération. Pour le client, il est trop tard pour prendre d'autres dispositions. La production a commencé et doit être poursuivie sans interrruption. Le fournisseur a gagné.

Extraits d'un rapport sur l'emboutissage dans l'industrie automobile japonaise. décembre 1981

A. Les installations

1. Usine et équipements. ... Les presses d'emboutissage, très rapprochées dans l'atelier, sont d'une conception traditionnelle. Elles sont desservies par des systèmes de manutention et de transport assez complexes. Peu de dispositifs particuliers, excepté une méthode de changement rapide des matrices.

2. Une extraordinaire tenue. L'extrême propreté de l'usine dans ses moindres recoins est une chose saisissante. Des allées dégagées, des machines très propres, un sol de ciment peint sans une seule tache, des employés portant un uniforme, blanc ou pastel, impeccables ; c'est la règle. Dans les ateliers, on ne voyait pas la moindre trainée d'huile, pas d'outils abandonnés dans un coin, pas de débris épars. Les japonais pensent réellement qu'une ambiance de propreté aide à la qualité.

B. Les opérations de production

1. Des stocks réduits au minimum. Le système de production popularisé aujourd'hui sous le nom de "juste à temps" est une règle générale. Les éléments de carrosserie et les ensembles sont expédiés directement sur la chaine d'assemblage plusieurs fois par jour. Des véhicules transporteurs se déplacent en permanence dans l'usine et déposent des conteneurs de pièces détachées tout au long de la chaine, en des points précis, sans que les pièces soient comptées et inspectées. Les pièces sont assemblées dès qu'elles arrivent.

L'absence presque complète de stock entraine une économie de place de 30 pour cent par rapport à des usines américaines comparables. La même philosophie de stock minimum est suivie chez leurs sous-traitants. Leurs stocks représentent moins d'une semaine de production.

2. Changement rapide d'outils. Les outils de presse sont changés en moyenne trois fois, et jusqu'à cinq fois par équipe, même pour les plus grosses presses. L'enthousiasme du personnel pour le changement des matrices atteint des proportions inimaginables. Une rapidité extraordinaire est atteinte grâce à une parfaite standardisation des moules, des coussinets et des supports, à l'emploi de supports mobiles et à des moyens spéciaux de manutention.

Pendant les changements de matrices, les presses sont rarement inproductives moins de 12 à 15 minutes, même les plus grandes. Par exemple, une chaine de 5 presses, comprenant des presses de 500 tonnes, a été modifiée sous nos yeux en 3 minutes exactement pour produire des pièces complètement différentes.

3. Utilisation des équipements à un taux élevé. Un taux d'utilisation élevé, estimé entre 90 et 95 pour cent, est de règle. Au cours d'une observation portant sur environ 1 000 presses, nous n'avons trouvé que peu de presses inactives, peu de presses en cours de réparation. C'était de toute évidence le résultat d'une maintenance préventive efficace.

4. Pas de graissage superflu. Les pièces ne reçoivent pas plus de lubrifiant que la quantité nécessaire à une bonne production. Les graissages ponctuels sont fréquents et des matériaux pré-lubrifiés (huile ou cire) sont souvent utilisés. Les lubrifiants ne sont donc pas gaspillés ; il n'est pas constamment nécessaire de nettoyer les pièces ; il n'y a pas de taches sur le sol ou sur les vêtements.

5. Santé et sécurité. Les règles de protection des yeux sont strictement appliquées et les casques de sécurité sont fréquents. Des vêtements de protection particuliers, notamment des tabliers épais, sont portés dans les ateliers de fonderie et d'emboutissage. En général, la sécurité des machines comporte relativement peu de barrières de sécurité, mais des capteurs sont présents partout.

6. Horaires de travail. Les ateliers travaillent normalement en deux équipes de 8 heures. Les équipes sont séparées par des périodes de 4 heures consacrées à la maintenance préventive, au nettoyage et à la réparation des outils. Quand la production augmente, les équipes sont de 10 heures et la période intermédiaire de 2 heures.

7. Production et contrôle de la qualité. Le matériel d'emboutissage fonctionne à une vitesse normale ; mais comme les temps improductifs sont particulièrement faibles, le résultat par heure de travail est bien meilleur qu'aux Etats-Unis. L'attention portée à la mécanisation et aux petits dispositifs de transport contribue à améliorer la productivité.

Le contrôle de la qualité est une obsession. Les ouvriers ont à la fois la responsabilité de la qualité et celle de la production. Les taux de rebut et de réparation sont habituellement de l'ordre de 1 pour cent, parfois plus faibles.

C. Le personnel d'atelier

1. Formation. En général, les employés d'une usine sont mieux formés, plus expérimentés et plus mobiles que leurs homologues américains. Les ouvriers font habituellement des réparations et des travaux de maintenance, ils notent des résultats de production et mesurent la qualité des pièces.

Il est évident que les sociétés considèrent les ouvriers comme leur plus précieux capital et leur donnent de nombreux moyens de se perfectionner, beaucoup plus qu'aux Etats-Unis.

2. Motivation des employés. Les ouvriers participent régulièrement à des décisions opérationnelles, concernant notamment le planning, la fixation des objectifs et le suivi des performances. On les encourage à donner des idées et ils ont une assez grande responsabilité dans les résultats.

Le concept bien connu des "cercles de qualité" mettant en action des petits groupes de 5 à 15 employés est largement appliqué. Une politique de communication efficace fait que l'esprit d'équipe est encore meilleur, et que la loyauté et la motivation sont encore plus grandes. Dans les usines, les affiches sont très nombreuses.

Les syndicats sont en règle générale des syndicats de la société ; ce ne sont pas des syndicats nationaux. Il est clair que les intérêts du syndicat sont liés à ceux de la société. En conséquence, les habitudes de travail sont moins restrictives et plus favorables à l'accroissement de la productivité.

D. Relations avec les clients

1. Faire ou acheter ? Les responsables qui nous ont accueillis disent qu'un constructeur automobile japonais fait 20 à 30 pour cent de ses pièces de carosserie et en achète 70 à 80 pour cent à des sous-traitants. Aux états-Unis, la proportion est l'inverse.

Les constructeurs japonais pensent qu'il est plus facile de maîtriser la qualité, les délais, les stocks et d'autres dépenses lorsqu'un produit est acheté que lorsqu'il est fait dans leur usine.

2. Relations actives. Les constructeurs et leurs fournisseurs ont des relations très actives sur le plan technique. Ils ont pour principe que le fournisseur est sous le contrôle du client. Dans certains cas, le constructeur insiste pour qu'un sous-traitant de pièces de carosserie lui assure l'exclusivité. La production tend ainsi à se concentrer sur un petit nombre de fournisseurs à long terme. Dans ce système de sous-traitance captive, les entreprises sélectionnées sont dites "associées".

Ce réseau de relations entre client et fournisseur donne certainement au fournisseur des gratifications importantes en cas de réussite. En revanche, la sanction est très dure en cas d'échec. Les contrats de production sont généralement à long terme (couramment sur six ans), et imposent souvent des méthodes pour la conception et les essais des produits. Ils comprennent toujours des objectifs que le fournisseur doit respecter impérativement ; (1) une qualité exceptionnelle ; (2) un approvisionnement juste à temps ; (3) des quantités exactes ; (4) une productivité en amélioration constante entrainant des réductions de coût à long terme. Les prix de l'acier sont généralement fixés pour une année complète.

E. Implications

Nous avons observé très souvent que les relations entre les fournisseurs d'acier, les sous-traitants de pièces, les syndicats et les constructeurs sont positives et renforcent la productivité . Aux Etats-Unis au contraire, les relations sont souvent conflictuelles et nuisent à la productivité. Une obligation morale d'excellence est présente dans tout le tissu industriel japonais.

Cette obligation morale est commune à tous les acteurs, du directeur général jusqu'à l'ouvrier dans la plus petite usine ; tous les efforts ont un même but. Ainsi, le gaspillage est réduit sous toutes ses formes ; (1) humain, physique et financier ; (2) de temps. Ils tirent le meilleur parti de leur principale ressource - les hommes - et ils sont particulièrement efficaces pour les former, les motiver, les encadrer.

5. Constamment améliorer le système de production et de service. Un thème qui apparait plusieurs fois dans ce livre est que la qualité doit être intégrée dans les activités de conception. Quand les plans sont établis, il est déjà trop tard. Chaque produit est un cas particulier ; en le définissant, il faut chercher à atteindre le succès optimum. Le travail d'équipe au cours de la conception est fondamental. Il faut améliorer continuellement les méthodes d'essai et toujours mieux comprendre les besoins du client, comprendre comment il traite et maltraite le produit.

La qualité commence avec la définition d'un projet par la direction générale. Le projet sera traduit par les ingénieurs et cadres sous forme de plans, de spécifications, d'instructions pour la production et les essais. L'objectif est de fournir au client la qualité qu'il demande ; la direction générale est responsable de tout.

Ensuite, il faut continuellement réduire le gaspillage et continuellement améliorer la qualité dans toutes les activités d'approvisionnement, de transport, d'étude, de maintenance, de distribution, de vente, de service, de comptabilité, d'encadrement et de gestion du personnel. Si l'amélioration est continuelle, les dispersions des caractéristiques des produits et des services deviennent si faibles que les spécifications disparaissent à l'horizon.

En Amérique, nous sommes obsédés par les spécifications ; nous cherchons à nous conformer aux spécifications. Les japonais, au contraire, sont obsédés par l'uniformité ; ils cherchent à obtenir une variation toujours plus faible autour de la valeur nominale. Cette constatation est en accord avec la théorie développée par G. Taguchi il y a quelques années, théorie qui conduit à abaisser les coûts en améliorant la qualité.

Ce n'est pas l'allocation d'énormes sommes d'argent qui assurera la qualité, mais la connaissance. Il n'y a pas de produit de substitution pour la connaissance.

Dans une société, si la direction générale a la volonté de changer, elle doit assimiler parfaitement les 14 points et éliminer les obstacles. Il serait bon que chacun se demande chaque jour ce qu'il a fait pour améliorer sa connaissance des choses. Les produits de l'atelier sont-ils en continuelle amélioration ? Les méthodes utilisées pour comprendre les nouveaux besoins des clients sont-elles en continuelle amélioration ? Les méthodes de recrutement et de formation sont-elles en continuelle amélioration ?

> *Le chef d'atelier. Nous ne faisons que des séries de 25 pièces. Comment pouvons-nous faire du contrôle de la qualité ?*
>
> *Dr. Nelson. Votre manière de penser est fausse. Vous ne pensez qu'à mesurer le gaspillage et la productivité à la sortie. Il est préférable de travailler sur vos processus, sur vos machines et sur les composants qui font partie de vos produits. Il faut aussi travailler sur les méthodes d'essai des composants et du produit fini. C'est très important ; ces essais sont-ils en état de contrôle statistique ? S'ils ne le sont pas, vous risquez de faire de graves erreurs.*

L'amélioration des processus implique une meilleure répartition de l'effort humain. Pour cela, il faut choisir son personnel, le former, donner à chacun la place qui lui convient et les moyens de se perfectionner pour mieux utiliser ses propres ressources. Il faut éliminer tout ce qui empêche les ingénieurs, cadres, techniciens, contremaîtres, employés, ouvriers, d'être fiers de leur travail.

Il ne faut pas confondre le fait d'éteindre des incendies avec l'amélioration d'un processus. Le fait de découvrir et d'éliminer une cause spéciale de variation, détectée par un point hors des limites de contrôle, replace simplement le processus dans la situation où il aurait dû rester.

L'amélioration d'un processus peut nécessiter l'étude d'enregistrements, afin de connaître par exemple les effets de certaines variations de température, de pression, de vitesse, etc. Les ingénieurs mécaniciens et chimistes peuvent provoquer des variations pour en observer les effets.

La cause d'un défaut qui apparait périodiquement ou semble associé à un événement récurrent est généralement facile à identifier. Il faut, pour cela, repérer l'apparition périodique de toute caractéristique, quelle qu'elle soit.

Le grand avantage du système Kanban (juste à temps) est d'imposer une discipline à la production. Les processus doivent être en état de contrôle statistique.

6. Etablir un système de formation. Il faut revoir entièrement la conception de la formation. Tous les cadres ont besoin d'une formation qui leur apprenne à mieux connaître leur société, ses fournisseurs et ses clients. Un point crucial est de savoir apprécier les variations des processus.

Les cadres doivent pouvoir discerner les problèmes qui privent les ouvriers de la possibilité d'être satisfaits de leur travail.

Le management japonais a, de par sa nature, un avantage important sur le management américain. Un cadre japonais commence toujours sa carrière par un très long apprentissage (4 à 12 ans) dans les ateliers et les bureaux de sa société. Il connait ainsi les problèmes d'approvisionnements, de production, de distribution, de vente, de comptabilité.

Les gens apprennent de différentes manières. Certains (les sujets dyslexiques) ont des difficultés avec les instructions écrites. D'autres (les sujets dysphasiques) ont des dificultés avec les instructions orales. Il y a ceux qui apprennent bien à l'aide de dessins et ceux qui apprennent bien par imitation.

Combien de militaires ont-ils été renvoyés de l'armée sous prétexte d'indiscipline parce qu'ils n'étaient pas capables de comprendre un ordre qui leur était donné verbalement ?

L'ouvrier. Ils ne vous donnent pas d'instructions. Tout ce qu'ils font, c'est de vous placer devant une machine et de vous dire de travailler.

– Personne ne vous apprend rien ?

– Mes collègues m'aident un peu, mais ils ont leur travail à faire.

– Avez-vous un contremaître ?

– Il ne sait rien.

– N'est-ce pas son travail que de vous aider à apprendre le vôtre ?

– Quand vous avez besoin d'aide, vous n'allez pas trouver quelqu'un qui a l'air plus idiot que vous, non ? Il porte une cravate mais il ne sait rien.

– Mais la cravate sert au moins à quelque chose ?

— Non.

Un grand problème de la formation et du leadership aux Etats-Unis vient de ce que les références suivant lesquelles un travail est jugé acceptable ou non sont élastiques. Les références dépendent trop souvent de la situation ; elles varient au jour le jour selon les difficultés que le contremaître rencontre avec ses quota de production.

La principale cause de perte dans l'économie américaine est que les aptitudes des employés ne sont pas utilisées. Il suffit d'écouter l'enregistrement d'une réunion avec des ouvriers pour découvrir toutes leurs frustrations et toutes les contributions qu'ils voudraient apporter. Il est impressionnant de constater combien la plupart des ouvriers ont des idées claires.

Le temps et l'argent dépensés en formation seront inefficaces tant que l'on n'aura pas éliminé les facteurs d'inhibition d'un bon travail. La formation professionnelle doit toujours comporter une description des besoins du client.

Au sujet des points 6 et 13, il faut noter aussi que les sommes dépensées pour la formation et l'éducation du personnel ne se voient pas dans les actifs du bilan ; elles n'augmentent pas la valeur palpable de la société. Les sommes dépensées pour les investissement matériels apparaissent au contraire dans les actifs et augmentent la valeur de la manière la plus visible.

Remarque. Les points 6 et 13 sont très différents. Le point 6 est relatif à l'établissement d'un système de formation pour les cadres et tous les nouveaux employés. Le point 13 est relatif à la formation continue et à l'amélioration des connaissances des employés sur leur lieu de travail.

7. Adopter et instituer le leadership. Le management ne consiste pas à commander et contrôler, mais à guider et entrainer. Ce type d'action est à peu près intraduisible en français, c'est pourquoi nous utiliserons le terme anglais : *leadership.* Le management doit travailler sur les sources d'amélioration, sur les projets concernant la qualité des produits et des services, et sur la mise en œuvre de ces projets. Pour transformer le style de management occidental, il est nécessaire que les managers deviennent des leaders. Quand le leadership sera en place, il faudra supprimer toutes les fixations sur les résultats (Direction Participative par Objectifs, normes de production, spécifications à tenir, zéro défaut, évaluation des performances).

Voici quelques suggestions :

a. Eliminer tout ce qui empêche les ouvriers d'être fiers de leur travail (point 12).

b. Les leaders doivent connaître le travail qu'ils dirigent. Il faut qu'ils puissent informer la direction des conditions de travail qui doivent être modifiées (défauts dans les matériaux, machines en mauvais état, instructions incomplètes ou obscures, etc.) La direction doit agir selon les modifications proposées. Dans la plupart des organisations, cette idée n'est qu'un rêve car la plupart des contremaîtres ne connaissent rien au travail qui se fait dans leur atelier ...

c. Une fausse interprétation du leadership est illustrée par cet exemple que m'a communiqué mon ami David S. Chambers. Un chef d'équipe avait l'habitude d'examiner avec ses ouvriers les produits défectueux réalisés pendant la journée. Il passait une demi-heure chaque soir avec ses sept ouvriers et discutait patiemment. Les ouvriers pensaient, comme tout le monde, que c'était un bon chef d'équipe, mais la qualité ne s'améliorait pas. En fait, le système était stable. Alors où était donc l'erreur ? Ce n'était pas l'un ou l'autre des ouvriers, mais le système, qui produisait les défauts. Or les ouvriers traitaient chaque défaut comme une cause spéciale ; ils ne cherchaient pas à améliorer le système. Ils appliquaient les règles 2 ou 3 de l'expérience de l'entonnoir et ils détérioraient ainsi la situation. Mais comment auraient-ils pu le savoir ? ils faisaient seulement de leur mieux. Les exemples de ce type d'erreur sont très nombreux. Nous donnerons toutes les explications nécessaires au chapitre 7.

d. Un directeur d'usine rassemblait tous les matins ses 30 chefs d'équipe pour dénombrer avec une minutie d'apothicaire toutes les pièces qui avaient été refusées la veille. Il faisait la même erreur ; il traitait la moindre faute, la moindre rayure, comme une cause spéciale qu'il fallait détecter et éliminer. En fait, le système était stable, et le directeur n'aurait pas pu mieux faire s'il avait voulu aggraver la situation. Comment aurait-il pu le savoir ?

e. Il y a des années, un contremaître choisissait ses ouvriers, les formait, les aidait, travaillait avec eux. Il connaissait le métier. Aujourd'hui, 95 pour cent des contremaîtres n'ont jamais fait le travail qu'ils supervisent. Ils n'ont aucun pouvoir dans la sélection de leurs ouvriers. Ils ne peuvent ni les former ni les aider car le métier est aussi neuf pour le contremaître que pour ses ouvriers. Il lui reste la faculté de compter des points, et c'est pourquoi son travail tourne autour de chiffres, de quota. Tant de pièces produites aujourd'hui, tant de pièces ce mois-ci... A la fin du mois, toute pièce compte, alors on expédie n'importe quoi. Quelques contremaîtres essayent d'apprendre quelque chose sur leur métier, et cet effort détend quelque peu les relations conflictuelles entre la maîtrise et les ouvriers. Mais la plupart n'obtiennent pas la confiance des ouvriers parce qu'ils ne s'intéressent qu'aux chiffres et sont incapables de les aider dans leur travail.

f. Je crois que, dans un grand nombre de sociétés, la supervision en atelier est un poste de début pour des garçons et des filles diplômés qui doivent s'instruire sur la société, six mois par ci, six mois par là. Ils ont des aptitudes et certains esayent d'apprendre le métier. Mais comment peut-on apprendre en six mois ? Il est facile d'imaginer ce que pense un ouvrier qui a constaté que lorsqu'il parle d'un problème au contremaître, celui ci se contente de sourire. Il ne comprend rien au problème et il n'y peut rien.

g. Dans un atelier, l'activité de la maîtrise se réduit souvent à compter des pièces et à calculer des pourcentages. Exemples d'erreurs :

1. Un ouvrier dont la production est au desous de la moyenne fait des pertes.

2. Un ouvrier dont le taux de pièces défectueuses est au dessus de la moyenne fait des pertes.

3. Tout le monde doit être au dessus de la moyenne.

Certains chefs oublient un important théorème de mathématiques. Si 20 personnes sont embauchées pour faire un travail, il y en aura 2 dans les 10 pour cent plus faibles. On ne peut pas faire fi des lois de la nature. Le problème important n'est pas celui des 10 pour cent plus faibles, mais celui de savoir qui est statistiquement hors contrôle et qui, par conséquent, a besoin d'aide.

8. Faire disparaitre la crainte. Personne ne peut donner le meilleur de ses performances s'il ne se sent pas en sécurité. Il ne faut pas avoir peur d'exprimer ses idées, il ne faut pas avoir peur de poser des questions. La crainte peut revêtir plusieurs formes. Elles ont pour commun dénominateur une performance dégradée et des chiffres falsifiés.

La résistance à la connaissance est un phénomène très répandu. Le progrès de l'industrie occidentale nécessite une grande acquisition de connaissance, et cependant les gens ont peur de la connaissance. Dans ce phénomène, la vanité joue certainement un grand rôle. Lorsqu'une nouvelle connaissance est mise en pratique dans une société, elle met à nu certaines faiblesses de ses membres. Pour convaincre quelqu'un d'adhérer à une nouvelle connaissance, la meilleure approche est évidemment de lui présenter des perspectives de développement professionnel.

Certaines personnes doutent de pouvoir apprendre quelque chose de nouveau à leur âge. Quelle serait ma place s'il y avait un changement ?

L'acquisition d'une nouvelle connaissance nécessite de l'argent. Est-ce que nous récupérerons notre argent ? et quand ?

Une nouvelle activité industrielle destinée à l'exportation ou au marché intérieur est l'aboutissement d'un processus qui commence par une recherche fondamentale, suivie du développement de nouveaux produits. Pour la rendre efficace, il faut injecter dans la recherche fondamentale beaucoup de connaissance. Or, aux Etats-Unis, 83 pour cent des crédits de la recherche fondamentale viennent de fonds publics et le reste de fonds privés. Il est intéressant de noter qu'au Japon ce rapport est l'inverse.

La crainte se traduit par quelques phrases que l'on entend habituellement :

– J'ai peur de perdre mon travail parce que ma société sera en difficulté.

– Je crains que Dave (mon supérieur) ne démissionne pour aller ailleurs. Dans ce cas, qu'est-ce que je vais devenir ?

– Je pourrais mieux faire mon travail si je savais ce qui se passe après.

– Je ne veux pas présenter mon idée. On me regarderait comme une forte tête.

– J'ai bien peur d'avoir une mauvaise évaluation et de ne pas être augmenté.

– Si j'avais agi dans l'intérêt de la société en réparant des défauts, j'aurais ralenti la production. J'aurais été mal noté et j'aurais perdu mon emploi.

– J'ai peur de ne pas être toujours à même de répondre quand mon chef me demande quelque chose.

– J'hésite à donner le meilleur de moi-même à un partenaire ou à une équipe, car quelqu'un peut profiter de ce que je donne pour être mieux noté que moi.

– J'ai peur de reconnaître une erreur.

– Mon chef est un adepte de la crainte. Comment pourrait-il commander si ses employés ne le craignaient pas ? Le management est fondé sur la punition.

— Le système au sein duquel je travaille ne me permet pas de mettre en valeur mes capacités.

– Je voudrais bien comprendre l'intérêt de certaines procédures de ma société, mais je n'ose pas demander d'explications.

– Nous n'avons pas confiance dans nos chefs. Quand nous leurs demandons pourquoi il faut faire ceci ou cela, leurs réponses n'ont aucun sens. La direction a ses propres raisons mais ne nous les dit pas.

– Je ne ferai peut-être pas mon quota aujourdhui (un ouvrier).

– Je n'ai pas le temps de faire sérieusement mon travail. Cette affaire n'est pas terminée et je dois en commencer une autre (un ingénieur).

Toujours la crainte. Une autre perte économique, conséquence de la crainte, provient de ce que les employés sont obligés de se plier à certaines règles ou à certains quotas de production, quels que soient les coûts. Dans ces conditions, ils sont incapables de bien servir les intérêts de leur société.

Un exemple de cette situation est présenté au chapitre 9. Un jour, un contremaître n'arrêta pas la production alors qu'il aurait fallu le faire pour effectuer des réparations. Il savait quel était l'intérêt de sa société, mais il ne pouvait rien faire d'autre que de laisser marcher ses machines pour atteindre son quota de la journée, au risque de tout casser. Comme on pouvait s'y attendre, un palier s'est bloqué. Non seulement il n'a pas fait son quota, mais toute la chaine a été arrêtée pendant quatre jours pour des réparations.

Depuis des mois, le service de production d'une petite société vivotait misérablement sans pouvoir fournir la quantité d'appareils que le marché demandait. Le directeur général nomma un groupe de travail pour chercher ce qui n'allait pas. Celui-ci découvrit que les contrôleurs étaient dominés par la crainte. Ils s'étaient mis en tête que si le client trouvait un article défectueux, le contrôleur qui avait inspecté cet article serait renvoyé. Le résultat était que les contrôleurs refusaient presque toute la production. Il y avait eu méprise sur les conséquences d'un mauvais contrôle, mais cette histoire montre bien comment une simple rumeur peut changer toute une organisation.

Les ouvriers ne souhaitent pas qu'une erreur qui se perpétue depuis longtemps soit mise en évidence. Ils la dissimulent, ils ont peur que le chef la découvre.

Chez les employés salariés, la crainte est due en grande partie à l'évaluation annuelle des performances (voir chapitre suivant).

Une mauvaise méthode de management. Un directeur regarde un rapport où sont classées les réclamations des clients. Son regard tombe évidemment sur le chiffre le plus gros ; alors il prend son téléphone pour tomber à bras raccourcis sur le pauvre diable responsable du secteur. Ceci est une autre forme de management par la crainte, et de management par les chiffres. La première étape du management doit être de découvrir par un calcul, non par un jugement, si la catégorie considérée est hors contrôle au sein du système. Cette catégorie nécessite alors une attention et une aide particulières. Le directeur doit travailler lui-même sur le système pour réduire toutes les réclamations.

9. Renverser les barrières entre les services. Dans les services de recherche et de développement, dans les services des achats, dans les services commerciaux et dans les services de contrôle, le personnel doit apprendre à traiter les problèmes des matériaux et des spécifications. Sinon, il y aura des pertes économiques en production ; des retouches seront faites parce que les matériaux ne sont pas adaptés à un certain usage. Chacun est le fournisseur de quelqu'un ; le bureau d'étude, le service des achats, le laboratoire d'essais. Leur client c'est notamment le directeur d'usine qui essaye de faire, avec les matériaux qu'on lui a donnés, les produits qui ont été spécifiés. Pourquoi ne pas prendre directement contact avec le client ? Pourquoi ne pas passer plus de temps dans l'usine pour examiner les problèmes ?

Un nouveau président est arrivé. Il a parlé avec le directeur commercial, l'ingénieur en chef, le directeur de production, etc. Chacun fait un travail superbe, depuis des années. Personne n'a aucun problème. Il n'empêche que cette société s'enlise dans des sables mouvants. Pourquoi ? La réponse est simple : chaque service a sous-optimisé sa propre mission et ne participe pas à un travail d'équipe.

La mission de ce nouveau président consistera à coordonner les talents de ces hommes pour le bien de la société.

Les clients apprennent aux réparateurs du service après-vente toutes sortes de choses sur les produits. Malheureusement, peu de sociétés ont une procédure qui permet d'exploiter ces informations. Par exemple dans une entreprise, à la suite d'appels téléphoniques de clients peu aimables, le service après-vente fermait une conduite transportant un matériau abrasif vers un déversoir et inversait une tarière placée au delà de celui-ci. Le problème était que la tarière provoquait une accumulation de matériau abrasif à l'extrémité de la conduite. Le service fabrication faisait son travail en rétablissant le fonctionnement normal alors que le service après-vente, chaque fois qu'un client téléphonait, faisait la correction selon les règles. La direction de la société n'a jamais eu conscience de ce manque de coordination entre la fabrication et l'après-vente, et de ce qu'il coûtait.

Les gens du bureau de dessin avaient travaillé avec les cadres commerciaux et les ingénieurs sur la nouvelle collection. Les vendeurs avaient montré des échantillons aux grossistes et pris des commandes. Les perspectives étaient extrêmement brillantes jusqu'à l'arrivée des mauvaises nouvelles. L'usine ne pouvait pas réaliser la collection dans des conditions économiques normales. Il fallait changer des détails dans les dessins et dans les spécifications ; ces changements entraineraient des retards. De plus, il fallait que les vendeurs expliquent la situation aux grossistes qui avaient signé un contrat. En conséquence, la société a perdu du temps et des ventes. Un travail d'équipe dès le début avec les gens de la production aurait évité ces pertes.

Les dirigeants compliquent souvent le travail du bureau d'étude en lançant des modifications de dernière minute sur les produits et sur les méthodes, alors que les plans sont terminés et que la production est prête. Ils ne laissent aux ingénieurs que quelques semaines pour faire le travail d'une année.

Il est de tradition de reprocher aux ingénieurs les changements techniques.

Moi-même, j'ai critiqué leur peu d'empressement à aller dans les ateliers pour comprendre les difficultés de la production des pièces qu'ils ont étudiées. En réalité, ils me disent qu'ils sont obligés de faire des impasses pour tenir les délais. Ils n'ont jamais le temps de terminer une étude. La production effrénée les prive de la possibilité d'étudier dans l'usine les problèmes qui les concernent. Ils sont notés sur des chiffres.

Le coût de la garantie est imputable dans une large mesure aux études insuffisantes, à la production effrénée, aux essais incomplets et mal interprétés. Mais les reproches s'adressent toujours aux gens de la production, la question étant de savoir s'ils ont respecté la spécification.

Le travail d'équipe est absolument nécessaire dans toute l'entreprise. Dans un travail d'équipe, chacun compense par sa propre force les faiblesses des autres et aiguise son intelligence avec celle des autres. Malheureusement, le travail d'équipe est toujours mis en déroute par l'évaluation annuelle du mérite. Dans ce cas en effet, le travail d'équipe est une activité dangereuse. Celui qui aide les autres dans leur travail sera moins bien noté que s'il travaillait seul.

Tout le monde connait les avantages d'un stock minimum - tout le monde sauf les gens de la production et du commerce. Le directeur d'usine préfère avoir sous la main un stock important, pour ne jamais être à court de pièces. Le vendeur et le réparateur préfèrent avoir sous la main un stock important, avec des pièces de toutes les formes et de toutes les couleurs ; le client n'aime pas attendre. Le management a pour mission d'aider tous ceux qui sont concernés par les stocks à travailler ensemble pour réduire les stocks et en même temps améliorer le service du client.

L'aide apportée dans une entreprise par le département crédit-client est un bon exemple de coopération. Ce département est peut-être la source d'information la plus efficace sur les problèmes des clients : erreurs de livraison, retards, produits détériorés, produits défectueux. Généralement, le client mécontent envoie son chèque avec une déduction et une explication. Le département crédit-client peut donc vous aider à éteindre l'incendie en transmettant rapidement l'information aux personnes concernées dans les autres départements.

Comme chacun sait, l'étude des réclamations donne une image déformée de la qualité. Mais l'information peut contribuer à l'amélioration des produits et des services. Il faut d'abord observer si la séquence des nombres de réclamations est stable.

10. Eliminer les exhortations et les slogans. Les objectifs chiffrés, les slogans, les exhortations, les affiches qui incitent les ouvriers à augmenter la productivité doivent être éliminés. "Votre travail est votre auto-portrait ; voulez-vous le signer ? - Non, car si vous me donnez une toile défectueuse, des couleurs ternies, des pinceaux usés, je ne reconnaitrai pas cela comme mon travail". Les affiches et les slogans n'ont jamais aidé personne à faire mieux son travail.

Il paraît qu'une grande entreprise a réuni les dirigeants de ses 240 principaux fournisseurs pour leur dire que dès le commencement du mois suivant, elle n'accepterait plus aucun produit défectueux. On croit toucher au sublime, mais ce programme n'est qu'une farce. En effet, comment les fournisseurs pourront-ils procéder à un changement aussi brusque ? Comment le client saura t-il que tous les produits sont bons ? Comment un fournisseur peut-il comprendre les besoins de son client si ce n'est en travaillant avec lui comme partenaire ? Il faut du temps.

"Faites le bien la première fois." Une noble expression. Mais comment peut-on faire bien alors que les matériaux n'ont ni la forme ni la couleur demandée, que les machines sont en mauvais état, que les instruments de mesure sont faussés ? Voici encore une fois un slogan parfaitement creux, un cousin du zéro défaut.

"Faisons mieux ensemble." Des ouvriers m'ont dit que ce slogan les rendait furieux. Ensemble, qu'est-ce que cela veut dire, alors que personne n'écoute vos problèmes et vos suggestions ? Voici une autre affiche inutile, qui n'est qu'une cruelle plaisanterie :

"Soyez un ouvrier de qualité, soyez fier de votre travail."

Fig. 14 : Une affiche dont le ridicule saute aux yeux des ouvriers

Qu'est-ce qui est faux dans ces affiches et ces exhortations ? C'est simple, elles ne s'adressent pas aux personnes concernées. Le management fait l'erreur de penser que les ouvriers peuvent, en se mettant sérieusement au travail, atteindre le zéro défaut, améliorer la qualité, la productivité et réaliser tout ce qui est souhaitable. Les graphiques et les affiches que l'on voit dans les usines ne prennent pas en compte le fait que la plupart des difficultés sont provoquées par le système. Le principal outil du management est certainement le mode de calcul qui montre quels sont les défauts et les erreurs qui proviennent du système, et quels sont ceux qui proviennent des ouvriers et plus généralement des opérateurs.

Les exhortations et les affiches n'engendrent que des frustrations et des ressentiments. Elles font savoir aux ouvriers que le management n'a pas conscience de ce qui les empêche d'être fiers de leur travail. Voici une belle citation de Goethe, qui a une portée bien plus grande qu'il ne l'avait sans doute imaginé :

> *"Là où il faudrait une idée, on peut toujours trouver un mot pour la remplacer"*.

Une campagne d'affiches, d'exhortations et d'engagements entraine dans certains cas une amélioration fugitive de la qualité et de la productivité, parce que certaines causes spéciales, bien visibles, sont éliminées. Mais au bout d'un certain temps, l'amélioration s'arrête, et puis la tendance s'inverse. On finit par s'apercevoir que la campagne n'était qu'une mystification. Ce qu'il faut, c'est que le management se rende compte qu'il a, avant tout, la responsabilité d'améliorer le système et d'éliminer les causes spéciales détectées par des méthodes statistiques.

Un système stable d'articles défectueux. Dans la cantine d'une grande entreprise, j'ai vu les graphiques de la Fig.15. Fixer des objectifs, c'est une bonne idée. Donnons aux gens des points de repère. Que vont-ils faire ? Rien ? Faux : Leurs performances se dégradent.

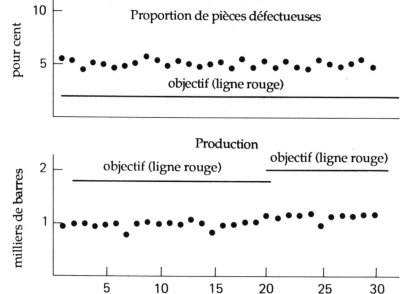

Fig. 15 : Graphiques concernant une production hebdomadaire et une proportion de pièces défectueuses. Les objectifs, établis par le département des méthodes industrielles, sont démoralisants et inefficaces. Les points portés sur les graphiques indiquent un état stable, c'est-à-dire que la responsabilité des améliorations incombe au management (dans le cas présent, aux ingénieurs des méthodes).

Cette affiche montre un système dont les résultats quantitatifs et qualitatifs sont stables. Naturellement, la direction souhaite voir apparaître une plus grande production et une plus faible proportion d'articles défectueux. Pour y parvenir, sa méthode consiste à supplier les ouvriers.

L'affiche ne s'adresse pas aux personnes réellement concernées. Les ouvriers n'ont peut-être pas étudié ce livre, mais ils comprennent bien que la direction leur demande des choses qu'ils sont dans l'impossibilité de faire. La conséquence est un climat de crainte et de méfiance envers la direction.

L'amélioration de la production à la 20ème semaine, visible sur le graphique, provient de l'installation de deux nouvelles machines. Ce résultat a incité la direction à fixer un nouvel objectif. Ceci a provoqué des remous parmi les ouvriers, qui pensent que la direction n'est jamais satisfaite. "Quoi que nous fassions, ils en demandent plus."

Voici les fruits des exhortations :

1. Les buts ne sont pas atteints.
2. La variabilité augmente.
3. La proportion de défauts augmente.
4. Les coûts augmentent.
5. Les ouvriers sont démoralisés.
6. La direction n'est plus respectée.

Des affiches qui expliqueraient chaque mois à tout le personnel de l'atelier ce que la direction a fait pour acheter des matériaux de meilleure qualité, avoir une meilleure maintenance, donner une meilleure formation, améliorer les conditions de travail, améliorer la qualité et la productivité dans l'atelier, auraient un effet complètement différent ; elles redonneraient courage. Les ouvriers comprendraient que la direction prend en charge certains défauts et essaye de supprimer des obstacles. Je n'ai pas encore vu de telles affiches.

Naturellement, chacun a ses propres objectifs. Un homme peut se consacrer à un travail scolaire, travailler dur pour réussir un examen. "Je décide de finir ce chapitre avant midi." Je me donne une limite. Les objectifs sont nécessaires pour vous comme pour moi, mais des objectifs numériques que vous fixez à d'autres personnes, sans leur indiquer un itinéraire, auront des effets opposés à ceux que vous attendez.

Naturellement, une société a des objectifs, par exemple celui de garder le cap de sa mission, celui d'améliorer indéfiniment ses processus, ses produits et ses services.

Dans les journaux internes des entreprises, on trouve parfois des exhortations. Par exemple, dans celui d'un arsenal de la *Navy* :

"J'insiste à nouveau sur le fait que, dans notre métier, il est vital d'améliorer la qualité. La productivité réelle doit se traduire par une plus grande quantité d'un produit acceptable. Le travail bâclé, même fait rapidement, n'améliore pas la productivité. Si nous faisions du mauvais travail, nous perdrions notre réputation et nous rendrions un mauvais service au public.

L'importance du concept de responsabilité des individus et la force de la diffusion de la connaissance chez tous les employés, cadres et non-cadres, ne sont plus à démontrer. Nous maintiendrons les audits qui informent la direction sur le travail accompli et sur les chefs d'équipe qui en sont responsables. Généralement, les gens souhaitent faire bien, mais dans une grande organisation, ils ne comprennent pas toujours ce qui est bien. La direction doit rendre clair comme du cristal l'objectif de chaque employé et faire connaître l'importance de la performance individuelle pour occuper un poste et recevoir une promotion. Quand les instructions et les objectifs sont absolument clairs, et quand chaque défaillance entraine rapidement une action de suivi, les résultats ne se font pas attendre. Une bonne conduite managériale a pour conséquence un personnel ouvrier loyal, très motivé, d'une remarquable efficacité . Dans nos arsenaux, l'aptitude managériale à entrainer les hommes et à encourager leur développement est un élément essentiel."

Ces mots semblent convaincants. Rendre les gens responsables ! Oui, mais de quoi ? Et que signifie "clair comme du cristal" ? Qu'est-ce qu'une défaillance ? S'agit-il d'une défaillance des employés ou du système ?

Nous apprendrons au Chapitre 10 que le seul sens communicable d'un mot, d'une spécification, d'une instruction, d'une proclamation ou d'une loi, ce n'est pas ce que le rédacteur avait en tête, mais le résultat de la mise en application.

11a. Eliminer les quotas de production dans les ateliers. Les quotas pour les ouvriers, connus aussi sous le nom de "taux journalier d'activité" sont à la fois des mesures et des normes. Naturellement, un contrôleur de gestion veut avoir en main les prévisions de coûts. Les ingénieurs des méthodes essayent d'estimer ce coût. Il devient alors un coût standard, une activité standard, un taux, un quota.

Les taux standard de production sont faits souvent pour s'adapter à l'ouvrier moyen. Evidemment, la moitié d'entre eux est au dessus de la moyenne et la moitié en dessous. Ce qui arrive, c'est que la pression des camarades de travail oblige la moitié supérieure à s'en tenir à la norme, et pas plus, alors que la moitié inférieure n'arrive pas à atteindre la norme. Il en résulte une perte économique, une situation de chaos, de frustration et de rotation rapide du personnel. Parfois, les taux présentés comme la norme sont calqués sur les meilleurs résultats et c'est encore pire.

Un quota est une forteresse contre l'amélioration de la qualité et de la productivité. Je n'ai jamais vu un système de quota qui apporte la plus petite aide pour faire du meilleur travail. Un quota est totalement incompatible avec l'amélioration constante des processus.

Le but d'une norme d'activité est noble : prédire les coûts ; fixer un plafond. Mais en réalité elle a pour conséquence de doubler le coût de l'opération et d'étouffer la fierté du travail. Il existe maintenant plus de gens pour calculer les normes d'activité et compter les chiffres de production que de gens actifs en production.

Chaque jour, dans des centaines d'usines, on voit des hommes et des femmes rester debout à ne rien faire pendant la dernière heure ou les deux dernières heures de travail, en attendant le coup de sifflet. Ils ont fait leur quota, ils ne peuvent pas en faire plus et ils ne peuvent pas rentrer chez eux. Est-ce bon pour la compétitivité de l'industrie américaine ? Ces gens sont malheureux de ne rien faire ; ils préféreraient travailler.

Une banque avec laquelle j'ai travaillé venait de prendre un cabinet de conseil pour établir des normes d'activité. Le cabinet de conseil est arrivé avec des chiffres sur le nombre de clients dont un caissier peut s'occuper en une heure, sur le nombre de calculs d'agio qu'un employé peut faire en une heure, et sur toute autre sorte d'activités, mais pas un mot sur la qualité du travail, pas une seule suggestion d'amélioration.

L'un de mes étudiant a dit un jour en classe que, dans la banque où il travaillait, chacun prenait note de tous ses actes - un coup de téléphone, un calcul, la consultation d'un fichier, l'attente d'un client, etc. Il y avait un certain temps alloué pour chacun de ses actes et le score de chaque employé était relevé quotidiennement. Certains jours, l'étudiant se retrouvait avec un score de 50, le lendemain avec un score de 260, etc. Chacun était classé en fonction de son score. Le moral était évidemment au plus bas.

"Le quota qui m'est fixé est de 155 pièces par jour et je ne peux pas y parvenir sans faire beaucoup de pièces défectueuses. Nous avons toutes le même problème." Pour faire son quota, cette ouvrière doit abandonner toute fierté dans son travail. Sinon elle perdra de l'argent et perdra même son emploi. Or avec une supervision intelligente, qui l'aiderait, qui éliminerait les défauts dans les matériaux, cette ouvrière pourrait produire plus de pièces que le quota, sans défauts, et en travaillant moins.

Certains directeurs disent qu'ils ont un meilleur plan : une retenue sur salaire pour chaque pièce défectueuse. L'idée parait bonne. "Qu'il soit bien clair qu'il n'y a pas de place ici pour des erreurs et des produits défectueux." En réalité, c'est un système féroce. Qui décide qu'un produit est défectueux ? Les ouvriers et les contrôleurs savent-ils bien comment se présente un produit défectueux ? Aurait-il été déclaré défectueux hier ? Qui a produit le défaut, l'ouvrier ou le système ? Où en est la preuve ?

Le travail à la pièce fait encore plus de ravages que les normes de production. Les primes de productivité correspondent au travail à la pièce. Un ouvrier comprend tout de suite qu'il est payé quand il fait des pièces mauvaises. Plus il fait de pièces mauvaises, mieux il est payé. Où est sa fierté du travail ? Il n'y a pas de travail à la pièce dans les usines japonaises.

Les normes de production, les taux, les primes et le travail à la pièce sont des manifestations de l'incapacité de comprendre ce que doit être une bonne supervision. Les pertes qui en résultent sont effrayantes.

Si le dirigeant d'une société est intéressé par une augmentation des dividendes, il doit prendre des mesures immédiates pour éliminer les normes de production et le travail à la pièce. Il doit les remplacer par une supervision intelligente, suivant les principes et les exemples de ce livre. Il doit éliminer tout ce qui empêche les ouvriers et les ouvrières d'être fiers de leur travail.

Dans ma classe à la Business School de l'Université de New York, une étudiante a décrit un jour son travail dans une compagnie aérienne. Elle devait répondre au téléphone, faire des réservations, donner des renseignements. Elle recevait 25 appels à l'heure. Elle devait rester accueillante, ne pas brusquer les gens. Mais elle se heurtait constamment à des difficultés : (a) l'ordinateur était lent à répondre ; (b) il ne répondait pas et il fallait chercher dans un guide ou un annuaire. Christine, quel est votre travail ? est-ce :
– de traiter 25 appels à l'heure ?
– d'être accueillante, de ne pas brusquer les clients ?

Ce ne peut pas être les deux à la fois. Comment peut-on être fier de son travail quand on ne sait pas en quoi consiste sa fonction ? Et pourtant, il faut bien que le comptable ait dès maintenant un chiffre pour établir son budget.

Voici quelques suggestions pour définir un plan d'amélioration de l'économie et du service. La fierté du travail en fait partie, car chacun participe à l'amélioration. Il faudra naturellement qu'un statisticien de la société travaille sur cette première ébauche en tenant compte de ses propres idées et des conditions locales.

1. Donner au comptable un chiffre pour son budget, qui sera révisé.
2. Faire savoir clairement aux 500 personnes qui travaillent dans ce départements que le but de chacun est de donner satisfaction au client, d'être fier de son travail.
3. Chacun tiendra une liste des appels reçus. Il notera l'heure du début, l'heure de la fin, le temps d'attente de l'information à l'écran, le temps de recherche manuelle le cas échéant. Un code à douze positions suffira ; l'enregistrement de la plupart de ces détails peut être automatique.
4. Chaque employé renverra à son chef les clients qui ont des problèmes spéciaux, qui ne sont pas dans le cadre normal de sa mission.
5. A la fin de la semaine, prendre un échantillon de 100 résultats. Tracer la distribution et le graphique de tendance.. Noter toutes les informations pouvant être utiles, par exemple l'âge de l'employé, son ancienneté etc..

6. Recommencer les étapes 2, 3, 4, 5, plusieurs semaines de suite. Prendre un nouvel échantillon chaque semaine.
7. Etudier les résultats. Comparer les semaines. Comparer les employés. Des profils se dessinent-ils ?
8. Mettre en place une étude permanente avec cette méthode, mais sur une base plus réduite.

Il y a une distribution statistique de chaque performance. Sur cette distribution, la moitié des opérateurs sera nécessairement au dessus de la moyenne, et l'autre moitié en dessous. L'étude des résultats devrait assurer une amélioration continuelle de la qualité du service. Les chiffres relevés devraient permettre de tracer des graphiques et de faire des calculs qui indiqueraient, le cas échéant, quelles personnes sont en dehors du système, par exemple en ce qui concerne le nombre d'appels transmis au chef de service ou le nombre d'appels reçus à l'heure pour chaque code. On saurait alors que ces personnes ont besoin d'une aide spéciale ou de l'attention du supérieur.

Finalement, le comptable aura chaque année un chiffre qui lui permettra de prévoir les coûts. Chaque employé saura que sa mission est d'assurer un service, et non pas d'atteindre un quota, mais que ce service est rendu avec un coût minimum et raisonnable. Chacun participera à l'amélioration du service et à la réduction des coûts. C'est la meilleure façon d'obtenir la qualité de vie au travail.

Les suggestions qui viennent d'être présentées peuvent s'appliquer, au prix de quelques modifications, à n'importe quelle activité, dans l'industrie ou dans l'administration.

Par exemple, un directeur des PTT était ennuyé parce que les employés d'un centre de tri postal faisaient trop d'erreurs. Ils étaient payés aux pièces ; leur mission était de trier 15 000 lettres par jour. La cause du problème est évidente. Avec cette méthode de rémunération, le tri des lettres ne s'améliorera jamais et le coût de l'opération ne diminuera jamais. Au contraire, en procédant comme dans l'exemple de tout à l'heure, on réduira continuellement les erreurs, la productivité augmentera et les employés seront fiers de leur travail.

La mission de la direction est de remplacer les normes d'activité par un leadership intelligent. Les leaders doivent connaître suffisamment le métier ainsi que les principes exposés au chapitre 2. Dans toutes les entreprises où les normes d'activité ont été détrônées et remplacées par le leadership, la qualité et la productivité ont augmenté considérablement et les gens sont plus heureux dans leur travail.

11b. Eliminer les objectifs chiffrés pour les cadres. Quand la direction d'une société établit des objectifs chiffrés pour les cadres, sans méthode, le management devient une une grossière parodie. Exemples : (1) réduire le coût de la garantie de 10 % l'année prochaine ; (2) augmenter les ventes de 10 % ; (3) améliorer la productivité de 3 %. Toute fluctuation naturelle dans la bonne direction (généralement due à l'imprécision des données) est interprétée comme un succès. Au contraire, toute fluctuation dans la mauvaise direction sème la panique, déclenche des luttes sans merci, et n'aboutit qu'à de plus grandes frustrations et de plus grands problèmes.

Par exemple, un directeur des achats m'a déclaré un jour qu'il allait augmenter la productivité de son département de 3 pour cent l'année suivante, ce qui signifiait que le nombre moyen de commandes par employé et par an augmenterait de 3 pour cent. Quand je lui ai demandé comment il parviendrait à ce résultat, il a reconnu qu'il n'avait pas de méthode. Comme le dit Lloyd Nelson : "s'il peut le faire l'année prochaine sans avoir de plan, pourquoi donc ne pas l'avoir fait l'année dernière ?" Les employés ont du se la couler douce. Et si l'on pouvait prétendre à une amélioration de 3 pour cent sans avoir un plan, pourquoi pas 6 ? Le directeur n'avait d'ailleurs aucun plan pour réduire le coût total.

Un ingénieur des PTT m'a dit que son organisation voulait augmenter la productivité de 3 % l'année prochaine. Quand je lui ai demandé quel était leur plan, leur méthode, j'ai eu la réponse habituelle : pas de plan. Ils allaient simplement s'améliorer.

Si vous avez un système stable, il est inutile de préciser un objectif. Vous obtiendrez simplement ce dont le système est capable. Un objectif fixé au delà de l'aptitude statistique du système ne sera pas atteint.

Si vous n'avez pas un système stable, cela ne sert à rien de fixer un objectif. Il est impossible de savoir ce dont le système est capable : il n'a pas d'aptitude statistique.

Le management consiste à guider, à entrainer. Pour guider quelqu'un, il faut comprendre son métier. Qui est le client ? comment mieux le servir ? Pour bien diriger son équipe et faire surgir constamment des améliorations, un nouveau manager doit apprendre le métier auprès de ses subordonnés. Or il est tellement plus facile de renoncer à cet apprentissage et de fuir ses responsabilités en braquant les projecteurs sur le produit à la sortie, en demandant des rapports sur la qualité, sur les pannes, sur les taux de rebuts, les stocks, les ventes, les gens. Oui, c'est facile, mais ce n'est pas en fixant son attention sur le bout de la chaine que l'on peut améliorer un processus ou une activité.

Comme nous l'avons déjà remarqué, le management par des objectifs chiffrés provient de l'illusion que quelqu'un peut conduire son affaire sans connaître le métier. En pratique, c'est souvent aussi le management par la crainte.

Tout le monde peut comprendre aujourd'hui que le management par des objectifs chiffrés est une erreur.

Les seuls chiffres dont un directeur peut valablement faire état devant ses employés sont ceux qui définissent le plus simplement possible les actions nécessaires à la survie. Par exemple : (1) si nos ventes n'augmentent pas de 10 % l'année prochaine, nous ferons faillite ; (2) le taux d'oxyde de carbone dans l'usine ne doit pas dépasser 8 p.p.m. en moyenne journalière, car un chiffre supérieur serait dangereux pour la santé.

12. Supprimer tous les obstacles à la fierté du travail. Deux catégo - ries de salariés sont concernées. D'une part les cadres, les contremaî - tres, que nous nommons ici : le management. L'obstacle est l'évaluation annuelle des performances, en d'autres termes, la promotion au mérite. Ce sujet est traité au chapitre 3. D'autre part les ouvriers, les employés.

En Amérique, l'ouvrier supporte des handicaps qui font de terribles ravages dans la qualité, la productivité et la position compétitive. Ces handicaps le privent d'un droit imprescriptible, un droit que nous avons à la naissance : le droit d'être fier de son travail, le droit de faire du bon travail. Ces obstacles existent aujourd'hui dans presque tous les bureaux, tous les magasins, toutes les usines et toutes les administrations du territoire des Etats-Unis.

Comment, dans une usine, peut-on être fier de son travail lorsqu'il n'existe nulle part une définition du travail acceptable ? Bon aujourd'hui, mauvais demain. Quelle est ma mission ?

Les directeurs généraux ont fait du personnel d'encadrement, des cadres supérieurs aux contremaîtres, une sorte de marchandise. Dans une excellente entreprise, j'ai rencontré un jour 40 cadres supérieurs. Leur principal sujet d'inquiétude était qu'ils ne savaient pas avant le vendredi s'ils auraient encore du travail la semaine suivante. L'un d'eux m'a dit : "nous sommes une marchandise." C'est le mot que je cherchais. La direction générale les achète, au prix du marché ou à un autre prix, selon les circonstances, et puis les remet sur le marché quand elle n'en a plus besoin.

Les cadres supérieurs ont l'habitude de passer de longues heures à étudier les ventes qui baissent, les dividendes qui baissent, les coûts qui augmentent. Ils se donnent beaucoup de mal pour cela, mais ils savent traiter ce type de problèmes. Au contraire, ils sont impuissants devant les problèmes du personnel. Devant ces problèmes, ils se dérobent, ils racontent n'importe quoi, ils espèrent que les choses vont s'arranger tou- tes seules. Ils essayent de faire illusion en parlant de motivation, de participation, de qualité de la vie. Mais tous ces espoirs s'évanouissent au bout de quelques mois si le management n'est pas prêt à agir suivant les suggestions du personnel.

Une ouvrière m'a dit un jour que des instructions imprimées sont placées sur les postes de travail dans son atelier, mais que personne ne peut les lire jusqu'au bout, tant elles sont compliquées.

Comment un ouvrier peut-il être fier de son travail alors que le contrôleur n'est pas sûr de savoir ce qui est bon, que les instruments de mesure et les calibres sont faussés, que le contremaître le bouscule pour atteindre son quota ?

Comment peut-il être fier alors qu'il passe son temps à réparer ou à cacher des défauts faits avant lui ?

Comment peut-il être fier alors que sa mission est de produire X articles par jour, bons ou mauvais, peu importe ?

Comment peut-il être fier alors que sa machine est en mauvais état et que personne ne l'écoute quand il demande une révision ?

Comment peut-il être fier quand, après qu'il ait arrêté sa machine pour un règlage indispensable, le contremaître arrive et dit : "En marche, vite", ce qui équivaut à lui demander de faire des produits défectueux ?

L'ouvrier qui m'a raconté ce dernier incident l'interprétait comme un défaut de communication :

> *"Un défaut de communication ? ai-je demandé, vous avez compris ce que le contremaître vous a dit, n'est-ce pas ? - Oui, me répondit-il, il m'a ordonné de faire des pièces mauvaises. Où est ma fierté du travail bien fait ?"*

Comment une ouvrière peut-elle être fière de son travail quand elle passe une grande partie de son temps à changer des outils - "pas assez résistants, mauvaise qualité" dit-elle.

"Mais la société fait des économies en achetant des outils moins chers", ai-je remarqué. "Oui", dit-elle, "mais elle perd dix fois ce qu'elle a économisé parce que les outils s'usent et nous font perdre notre temps".

"Mais vous êtes payée au temps ; où est le problème ?"

"Je pourrais travailler beaucoup plus, si seulement il n'y avait pas ces mauvais outils".

Encore quelques exemples véridiques :

Un ouvrier. Le directeur a peur de prendre une décision. S'il ne fait rien, il n'a pas d'explications à donner à ses supérieurs. Entre directeurs, on ne demande rien à celui qui ne fait rien. Comment peut-on améliorer quelque chose quand on fuit ses responsabilités ?

– Et la productivité ?

– Nous ne pouvons pas avoir une bonne productivité quand le convoyeur est en panne et quand nous devons transporter les pièces à la main. Les pièces sont brûlantes et nous attrapons des ampoules en les manipulant dès qu'elles nous arrivent. Alors nous allons moins vite. La direction le sait mais elle ne fait rien.

– Ceci dure depuis combien de temps ?

— Sept ans.

Un autre ouvrier. Un chef arrive et puis disparaît au bout de cinq semaines. Un autre chef arrive. Comme l'autre, il ne connaît rien au métier ; il n'a pas l'intention d'apprendre grand chose, parce qu'il ne restera pas bien longtemps lui non plus.

Un autre ouvrier. Pendant des années, nous avions eu un contrat de cinq-cents mille mètres par an. Notre direction a décidé de réduire les coûts pour augmenter les bénéfices. Alors on nous a donné des matières premières de plus en plus mauvaises. Nous avons perdu ce marché, et notre bénéfice a été très fortement entamé. On ne peut pas produire de la qualité avec des matériaux au rabais.

Des ouvriers qui essayaient d'utiliser une machine m'ont dit qu'ils étaient très déçus. Elle avait été achetée neuve deux ans plus tôt. D'autres ouvriers m'ont montré des machines en mauvais état. Cela faisait des années que le technicien de maintenance cannibalisait des machines mises à la ferraille au lieu d'utiliser des pièces neuves. C'est ce qui s'appelle économiser un sou pour en dépenser mille.

Une ouvrière. Les manches qui arrivent sont toujours trop longues ; il faut les tailler.

— Toutes les manches ?

– Toutes pendant un certain temps, et puis un lot arrive avec la bonne longueur, et puis ça recommence.

– Et alors ? Vous êtes payées de la même manière.

– C'est vrai, mais nous perdons de l'argent.

Une ouvrière. On ne peut pas assurer la qualité avec l'inspection, mais quand la qualité est absente, l'inspection est peut-être la seule réponse.

Un ouvrier. Notre travail est difficile parce que beaucoup de personnes sont absentes. Il faut essayer de faire leur travail en même temps que le nôtre. C'est très dur et la qualité en souffre.

– Pourquoi les gens sont-ils absents ?

– Parce qu'ils n'aiment pas leur travail.

— Pourquoi ?

– Ils ne peuvent pas faire du bon travail.

– Pourquoi ne pouvez-vous pas faire du bon travail ?

– Trop de précipitation. Il faut tout faire en même temps. Le contremaître doit réussir son quota. Nous n'aimons pas travailler ainsi, c'est pourquoi tant de gens restent chez eux.

Commentaire. L'absentéisme est largement fonction de ce que fait la direction. Si les gens sentent qu'ils ont un rôle important à jouer, ils viendront travailler.

Une ouvrière. Ma machine, un automate programmable, est souvent en panne et je ne peux pas travailler quand elle est en panne.

– Mais vous êtes payée si vous êtes présente, active ou inactive. Où est le problème ?

– C'est que je ne peux pas travailler quand la machine est en panne.

– Pouvez-vous la réparer ?

- C'est difficile. Je la répare quand je sais comment faire. Sinon, j'appelle le technicien de maintenance, mais il met longtemps à venir.

– Mais vous êtes payée de toute façon. Où est le problème ?

— C'est d'attendre le technicien, et la tension que ça crée. Rien ne peut la compenser.

Un ouvrier. Nos contremaîtres sont des jeunes gens qui ont étudié les relations humaines dans un institut. Ils ne connaissent rien à notre métier. Ils ne peuvent pas nous aider.

Un ouvrier. A quoi cela sert-il de faire une suggestion au contremaître ? Il se contente de sourire et continue son chemin.

Commentaire. Que pourrait-il faire d'autre ? Il ne comprend pas le problème et s'il le comprenait, il serait incapable de faire quelque chose. Le poste de contremaître est un poste de débutant pour des jeunes gens diplômés de l'enseignement supérieur.

Un ouvrier. Nos machines marchent jusqu'à ce qu'elles tombent en panne ; alors nous perdons du temps. Il n'y a pas assez de maintenance préventive.

Un contremaître. Je remplis un rapport quand quelque chose ne va pas. On m'a dit qu'un chef viendrait examiner le problème, mais jamais personne n'est venu.

Encore un exemple. Cette histoire a eu lieu dans une usine qui fait des appareils électriques. L'activité la plus visible et la plus importante semblait être l'inspection. "Quelle est la proportion de vos immobilisations représentée par les calibres, les appareils de mesure et les ordinateurs ?" ai-je demandé.

"Environ quatre-vingt pour cent."

"Quelle est la proportion de l'inspection dans votre masse salariale ?"

"Entre cinquante-cinq et soixante pour cent. Nous voulons être certains de notre qualité et nous avons une réputation à maintenir."

Une puce à mémoire était placée sur chaque appareil terminé. Elle contenait assez d'information pour imprimer les numéros de série des 1100 pièces de l'appareil avec tous les résultats d'essais.

"Nous avons un tel nombre de contrôles", m'expliqua l'ingénieur, "que nous n'avons pas besoin de contrôle de la qualité".

Plus tard, au cours d'une réunion avec les délégués syndicaux, deux femmes me posèrent la question suivante : "Pourquoi perdons nous un temps aussi long à redresser ces plaques en plastique avant de les assembler ? Une sur trois arrive tordue."

"Pourquoi arrive t-elle tordue ?" ai-je demandé.

"Nous pensons que c'est une avarie due à la manutention."

"Quelle est la différence pour vous ? vous êtes payées à l'heure."

"Oui, mais nous pourrions faire plus de travail si nous ne perdions pas notre temps à redresser ces plaques tordues."

"Depuis combien de temps avez-vous ce problème ?"

"Nous nous en plaignons depuis trois ans, mais il ne se passe rien."

On peut se demander ce que les ouvriers pensent de ce management qui ne se soucie pas des appels au secours pour éliminer une cause de gaspillage.

Plus tard, au cours d'une réunion avec la direction générale, j'ai posé cette question : Comment se fait-il qu'avec 80 % de vos immobilisations en calibres, appareils de mesure et ordinateurs, 55 % de votre masse salariale en contrôleurs, personne n'était au courant de cette histoire de plaques tordues, mis à part les ouvrières ? Vous êtes très ennuyés parce que l'un de vos meilleurs clients recherche un fournisseur qui lui fera des prix plus faibles et lui assurera une meilleure qualité. Vous risquez de perdre un bon client. Vous ne pouvez pas lui en vouloir. Vos prix sont trop élevés parce que vous gaspillez l'effort humain (réparation, inspection), et parce que vous faites d'énormes dépenses pour acheter des appareils de contrôle et acccumuler une information qui ne sert à rien.

Encore un exemple. Dans un avion venant de Minneapolis, un pilote est venu s'asseoir à côté de moi. Il se plaignait parce qu'il était payé pour faire un vol sur lequel il n'y avait personne. Il aurait préféré piloter un appareil qui fasse gagner de l'argent à la compagnie, disait-il. (Ses chefs, apparemment, n'avaient pas expliqué aux pilotes que certains déplacements à vide sont inévitables.)

D'autres problèmes posés aux ouvriers apparaissent tout au long de ce livre. La privation de la fierté du travail est certainement l'un des principaux obstacles à la réduction des coûts et à l'amélioration de la qualité aux Etats-Unis. Mais il y a d'autres pertes économiques qui proviennent de l'incompétence de l'encadrement, comme si la mauvaise qualité et la mauvaise productivité ne suffisaient pas. Par exemple, le nombre d'accidents du travail augmente énormément quand l'encadrement est mauvais.

La rotation du personnel augmente en même temps que la proportion de produits défectueux. Au contraire, le personnel devient plus stable quand il devient évident aux yeux de tous que le management essaye d'améliorer les processus.

Celui qui a le sentiment d'avoir un rôle important à jouer fait l'effort de s'intéresser à son travail. Quelqu'un se sent important quand il est fier de ce qu'il fait et quand il participe à l'amélioration du système. L'absentéisme et la mobilité de la main-d'œuvre résultent en grande partie d'un mauvais encadrement et d'un mauvais management.

Encore un exemple. Pendant une grève du personnel horaire, des ingénieurs et cadres ont assuré la production. Un chef de département m'a dit qu'ils ont trouvé des machines en mauvais état, certaines avaient besoin d'un bon règlage, d'autres étaient abimées, l'une d'elles devait être remplacée. Après la remise en état, la production a doublé. S'il n'y avait pas eu la grève, ils n'auraient jamais été au courant du mauvais état des machines et la production aurait continué avec une capacité réduite de moitié. "Alors, Jack," lui ai-je dit, "c'était la faute à qui ?" Il le sait bien, et ceci ne se reproduira plus. Il a mis en place un système qui permet aux employés de signaler les problèmes qu'ils rencontrent avec les machines et les matériaux, et qui fait que le management accorde maintenant à ces problèmes toute l'attention qui convient.

Mais que se passe t-il ? D'après mon expérience, les cadres sont capables d'affronter toutes sortes de problèmes sauf les problèmes humains. Ils peuvent rester de longues heures à se torturer l'esprit sur leurs affaires qui vont mal, leur métier qui est menacé, mais pas sur les problèmes humains. D'après mon expérience, lorsqu'ils sont confrontés aux problèmes humains (dont ceux des cadres), les cadres sont frappés de paralysie. Ils se réfugient alors dans la formation de cercles de qualité, de groupes de participation des employés et de groupes de qualité de vie au travail, qui sont populaires aux Etats-Unis. Comme on aurait pu le prévoir, ces groupes se désintègrent au bout de quelques mois à force de frustrations. Ils refusent de participer davantage à un sinistre canular. Ils sont incapables de réaliser quoi que ce soit, pour la simple raison que personne dans le management n'agit en fonction de leurs propositions d'amélioration. Ces inventions, cruellement dévastatrices, sont faites surtout pour se débarasser des problèmes humains. Mais il y a quelques heureuses exceptions, quand le management travaille suivant des suggestions pour éliminer ce qui fait obstacle à la fierté du travail.

Pour les ouvriers, la possibilité d'être fier de son travail est autre chose que l'accès à un club de gymnastique, un club de vacances ou un court de tennis.

13. Encourager l'éducation et l'amélioration de chacun. Une organisation n'a pas seulement besoin de gens qui soient valables ; elle a besoin de gens qui s'améliorent par l'éducation.

A propos d'amélioration personnelle, il faut garder présent à l'esprit le fait qu'il n'y a pas pénurie de gens valables. La pénurie n'existe que pour de très hauts niveaux de connaissance, et c'est vrai dans tous les domaines.

Il ne faut pas attendre d'un expert qui assure une formation dans une entreprise qu'il s'engage sur des résultats chiffrés. En général, une action de formation orientée vers un besoin immédiat n'est pas une démarche sérieuse.

La crainte de la connaissance est un phénomène très répandu, comme nous l'avons vu au Point 8. Mais le progrès en matière de compétitivité est toujours fondé sur la connaissance.

Comme nous l'avons vu, tous les acteurs de la scène industrielle, économique, politique, ont une part de responsabilité dans la reconstruction de l'industrie occidentale, et ont besoin d'une nouvelle éducation. Les dirigeants en premier lieu, les ingénieurs et cadres, les fonctionnaires, tout le monde a besoin d'une nouvelle éducation.

Si l'on veut que les individus, au cours de leur carrière, apportent quelque chose à la société, que ce soit au plan matériel ou moral, il faut leur donner autre chose que de l'argent. Il faut leur donner des possibilités toujours plus grandes, toujours renouvelées.

14. Agir pour accomplir la transformation.

1. L'équipe de direction s'attaquera à chacun des 13 points précédents , aux maladies mortelles et aux obstacles. Les membres de l'équipe de direction étudieront ensemble les principes de la transformation et décideront des actions à réaliser. Ils seront d'accord pour respecter la nouvelle philosophie.

2. L'équipe de direction sera fière de sa nouvelle philosophie et de ses nouvelles responsabilités. Elle aura le courage de rompre avec la tradition, au risque d'être bannie par ses pairs.

3. Par des séminaires et tous autres moyens, l'équipe de direction expliquera les raisons du changement à un certain nombre de personnes constituant dans la société une "masse critique". Elle expliquera que le changement concerne tous les membres de la société. Il faut que les 14 points, les maladies mortelles et les obstacles que nous exposerons au chapitre suivant soient compris par un nombre de personnes suffisamment grand, sinon la direction ne pourra rien faire.

Tout ce mouvement devra être mis en route et guidé par les ingénieurs et cadres, parlant d'une seule voix.

4. Toute activité, tout poste de travail, fait partie d'un processus. L'ensemble d'un processus peut être représenté par un diagramme de flux, qui divise le travail en plusieurs étapes. Mais une étape n'est pas une entité indépendante. Un diagramme de flux, simple ou complexe, n'est que la représentation d'une théorie, une idée.

Considérons un produit en cours de réalisation. A chaque étape, il change d'état et passe à l'étape suivante. Chaque étape a un client, c'est l'étape suivante. La dernière étape conduira le produit ou le service au client final, celui qui achète. Au cours de chaque étape, il y aura :

– Une production, avec un changement d'état entre l'entrée et la sortie.

– Une amélioration continuelle des méthodes et des procédures, pour augmenter la satisfaction du client, à l'étape suivante.

Chaque équipe travaille avec l'équipe précédente et l'équipe suivante pour atteindre un optimum, leur objectif commun étant la qualité pour le client final.

5. Commencer à construire le plus tôt possible, mais sans trop se presser, une organisation qui guidera une amélioration continuelle de la qualité.

Le cycle de Shewhart (figure 16) est une procédure très utile pour suivre l'amélioration à toutes les étapes. C'est aussi une procédure permettant de trouver une cause spéciale de variation détectée par un signal statistique.

L'étude des résultats d'un changement a pour but d'essayer d'apprendre comment améliorer la production du lendemain. Un planning nécessite une prévision. Les résultats d'un changement peuvent renforcer le degré de confiance dans la prévision.

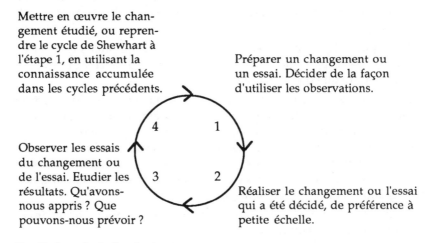

Mettre en œuvre le changement étudié, ou reprendre le cycle de Shewhart à l'étape 1, en utilisant la connaissance accumulée dans les cycles précédents.

Préparer un changement ou un essai. Décider de la façon d'utiliser les observations.

Observer les essais du changement ou de l'essai. Etudier les résultats. Qu'avons-nous appris ? Que pouvons-nous prévoir ?

Réaliser le changement ou l'essai qui a été décidé, de préférence à petite échelle.

Fig. 16 : Le cycle de Shewhart

Le quatrième temps du cycle de Shewhart nous conduira vers (a) une amélioration à chaque étape, et (b) une meilleure satisfaction du client de cette étape. Le résultat peut évidemment indiquer qu'il n'y a aucun changement, au moins pour l'instant.

Quand les résultats du changement ou de l'essai sont favorables, on peut décider de recommencer le cycle, de préférence dans des conditions d'environnement différentes, afin de savoir si la première conclusion était fausse ou bien si les résultats sont valables dans un large domaine.

Chaque temps du cycle de Shewhart doit être accompagné d'une méthode statistique afin d'avoir une action économique et rapide, d'éviter des conclusions fausses par suite d'une mauvaise interprétation des essais, et de mesurer les effets des interactions.

Parfois, l'effet d'un changement proposé peut se calculer simplement, ce qui évite une expérience coûteuse. Nous verrons par exemple au Chapitre 11 comment un simple calcul arithmétique, combiné avec des principes du calcul des probabilités, indique s'il faut faire des contrôles afin de réduire le coût de manière optimale.

Une étude guidée par le cycle de Shewhart peut se faire sur l'ensemble de plusieurs étapes afin de tenir compte des interactions.

6. Chacun peut participer à un travail d'équipe. Le but d'une équipe est d'améliorer l'entrée et la sortie de chaque étape. Une équipe peut être composée de personnes dont les fonctions sont différentes. Une équipe a un client.

Dans une équipe, chacun a la possibilité d'apporter des idées, des projets, des informations. Mais chacun doit accepter que certaines de ses meilleures idées soient rejetées parce qu'un consensus s'est formé à leur encontre. Celui dont une idée a été rejetée aura peut-être plus de chance au prochain tour du cycle de Shewhart. Une bonne équipe a une mémoire collective.

Il peut arriver qu'une équipe jette au panier le travail qu'elle a fait au cours de la réunion précédente, et prenne un nouveau départ avec des idées neuves. C'est le signe que des progrès ont été faits.

7. S'engager dans la construction d'une organisation pour la maîtrise et l'amélioration de la qualité (figure 55). Cette action nécessite la participation d'un statisticien compétent.

Une équipe doit avoir un esprit, une mission et un objectif. Ses propositions doivent être assez générales, afin de ne pas étouffer les initiatives.

En travaillant ainsi, chacun verra ce qu'il peut faire lui-même et ce que la direction générale est seule à pouvoir faire.

Chapitre 4

Maladies et obstacles

Mon peuple périt faute de science.

Osée 4:6

But de ce chapitre. Les 14 points du chapitre 3 constituent une théorie dont l'application transformera le management occidental. Mais sur le chemin de la transformation, on trouve hélas des maladies mortelles pour l'entreprise. Nous allons tenter ici d'en comprendre les effets. Pour les guérir, il faudra bouleverser notre style de management (par exemple éliminer la crainte d'une OPA et le culte du profit à court terme).

A. Les maladies mortelles

Voici, en résumé, les maladies mortelles qui affectent la plupart des entreprises du monde occidental.

1. Manque de fermeté dans la mission de préparer des produits et des services qui auront un marché, maintiendront l'entreprise en activité et assureront des emplois.

2. Culte des profits à court terme : état d'esprit à court terme. Cette attitude, totalement opposée à la fermeté dans la mission de rester en activité, est alimentée par la crainte d'une OPA inamicale ainsi que par la pression des banquiers et des actionnaires soucieux d'obtenir des dividendes.

3. Evaluation des performances, salaire au mérite, examen annuel.

4. Mobilité des cadres supérieurs. Instabilité des emplois.

5. Gestion reposant uniquement sur des chiffres visibles, négligeant les chiffres inconnus ou difficiles à évaluer (c'est un défaut caractéristique de l'industrie américaine, qui dépasse le cadre de cet ouvrage).

6. Coûts de sécurité sociale excessifs. Aux frais médicaux s'ajoutent certains coûts directs tels que le salaire des personnes en congé maladie, les indemnités pour accidents du travail, l'assistance à ceux qui font une dépression nerveuse à la suite d'une mauvaise notation annuelle, l'assistance et les soins aux alcooliques et aux drogués.

7. Coûts de responsabilité civile excessifs. Aux Etats-Unis, ils sont gonflés par les avocats qui travaillent au pourcentage.

Nous voici prêts à entrer dans le détail des maladies mortelles.

1. Une paralysie : le manque de constance dans la mission. La majeure partie de l'industrie américaine marche au rythme des dividendes trimestriels. Il serait préférable de protéger l'investissement en travaillant continuellement pour améliorer les processus et les produits. C'est le seul moyen de garder des clients (Points 1 et 5 du Ch. 3).

2. Culte des profits à court terme. La recherche des dividendes trimestriels et du profit à court terme finit par venir à bout de la constance dans la mission. D'où vient la course aux dividendes trimestriels ? Quelle est donc cette force qui pousse les entreprises à faire des efforts désespérés de dernière minute pour présenter de bons dividendes aux réunions d'actionnaires ? N'importe quel dirigeant peut faire grimper les dividendes à la fin du trimestre ; il lui suffit d'expédier tout ce qu'il a sous la main, sans se soucier de la qualité, et d'envoyer la facture. Il reportera au trimestre suivant, et le plus tard possible, les commandes de matières premières et d'équipements. Il économisera sur la recherche, l'éducation et la formation professionnelle.

Pourtant, un actionnaire qui a besoin de dividendes pour assurer son train de vie est certainement plus intéressé par le long terme que par le court terme. Il est important qu'il ait des dividendes dans trois ans, cinq ans, huit ans. Or le culte du profit à court terme va à l'encontre de la croissance à long terme. Les lignes qui suivent, extraites d'un article du Dr. Tsurumi, dans le New York Times du 1er mai 1983, sont éloquentes.

> *Une partie des problèmes de l'industrie américaine réside dans les buts de ses dirigeants. La plupart des chefs d'entreprise américains pensent qu'ils sont dans les affaires pour faire de l'argent, plutôt que des produits et des services. Mais le credo des chefs d'entreprise japonais, au contraire, c'est que leur société doit devenir, dans le monde entier, le fournisseur le plus efficace des produits et des services qu'elle distribue. Quand elle est devenue le leader mondial dans son domaine et continue à offrir de bons produits, les bénéfices viennent automatiquement.*

Aux Etats-Unis, un rapport annuel aux actionnaires est généralement un petit chef d'œuvre de présentation destiné à faire passer le contenu, qui s'accompagne d'une bonne dose de comptabilité créative. Mais il est rare qu'il soit fait état de quelque progrès immatériel, de quelque avantage moral pour la société en question. En revanche, le sauvetage de quelques ruines est considérée comme une merveille de management.

Les entreprises japonaises n'apparaissent pas comme des organisations qui maximisent le profit au bénéfice des actionnaires. Le capital est obtenu par des prêts bancaires, avec des taux d'intérêts fixes. N'étant pas tenues de plaire à des actionnaires, les firmes japonaises sont libres d'agir au nom d'autres acteurs : leurs salariés. Peter Drucker a fait remarquer que les grandes entreprises japonaises sont conduites en priorité pour le bien de leurs employés qui en sont, moralement si l'on peut dire, les propriétaires. Dès lors que les salariés sont les bénéficiaires de ce qui devrait autrement être du profit pour des actionnaires, la confiance entre les dirigeants et les travailleurs s'ensuit naturellement.

Crainte d'une OPA inamicale. Une société cotée en bourse dont les actions chutent brutalement pour une raison ou une autre (éventuellement en raison d'un plan à long terme) peut se mettre à craindre une OPA. Le même danger est encouru par une société qui réussit trop bien. La crainte d'une OPA inamicale est souvent le seul obstacle important à la fermeté dans la mission. L'élimination des associés par une manœuvre boursière est tout aussi dévastatrice qu'une OPA inamicale. Dans l'un et l'autre cas, le vainqueur exige des dividendes, avec un certain nombre d'effets pervers pour le vaincu. Le management américain sera t-il donc toujours exposé à un tel pillage ?

Le faux esprit d'entreprise qui sévit en Amérique est à la fois la cause et la conséquence d'une économie défaillante. Les bénéfices sur le papier sont les seuls chiffres facilement accessibles à des managers professionnels placés à la tête d'entreprises dont le mode de production ne correspond plus au rôle que l'Amérique doit jouer dans l'économie mondiale. En même temps, la course implacable aux bénéfices sur le papier a détourné l'attention des dirigeants de la tâche difficile qui consiste à transformer la base productive. Elle a retardé la transition qui doit survenir, et rendu les changements futurs plus difficiles. Le faux esprit d'entreprise a donc, par nature, tendance à se perpétuer, et si nous ne le contrôlons pas, il conduira notre nation vers son déclin.

Les banques pourraient favoriser les plans à long terme et protéger ainsi les capitaux qui leurs sont confiés. C'est le contraire qui se passe en Amérique.

Evidemment, il est possible qu'une prise de pouvoir d'une société sur une autre arrive, par une réduction des structures, à améliorer l'efficacité globale à long terme. Ceci peut finalement profiter au personnel. Mais c'est aussi un coup dur pour ceux qui se retrouvent brusquement au chômage. Les sociétés japonaises qui fusionnent prennent soin de leur personnel d'une manière ou d'une autre, quitte à réduire parfois le salaire des cadres.

3. Evaluation des performances, salaire au mérite, examen annuel. Un grand nombre de sociétés américaines ont un système dans lequel tous les ingénieurs et cadres sont notés une fois par an par leurs supérieurs. Quelques services publics ont un système semblable. Les effets de ce système sont désastreux. La direction participative par objectifs est tout aussi nuisible. Quelqu'un, en Allemagne, m'a dit qu'il serait plus juste de nommer cela : le management par la crainte.

Le salaire au mérite favorise les performances à court terme, annihile les projets à long terme, installe la crainte, démolit le travail d'équipe, alimente les rivalités et les intrigues. Elle rend les gens amers, accablés, désabusés, affligés, découragés, elle en fait des chiens battus, les conduit parfois à la dépression nerveuse. Elle leur donne un sentiment d'infériorité, les paralyse pendant des semaines après qu'ils ont eu connaissance de leurs notes, car ils ne parviennent pas à comprendre pourquoi ils sont mal notés. C'est une méthode injuste parce qu'elle impute aux membres d'un groupe des différences qui peuvent provenir entièrement du système dans lequel ils travaillent.

Ce qui est fondamentalement mauvais dans l'évaluation des performances ou le salaire au mérite, c'est que ces méthodes mettent seulement l'accent sur ce qui se trouve à la sortie du processus, en négligeant complètement l'aptitude d'un manager à aider ses subordonnés. Il ne lui reste plus qu'à gérer des défauts, ainsi les problèmes humains sont éludés.

L'idée du salaire au mérite est séduisante. C'est une expression qui captive l'imagination : payez pour ce que vous recevez ; recevez pour ce que vous payez ; motivez les gens pour qu'ils fassent de leur mieux, dans leur propre intérêt.

L'effet est exactement à l'opposé de ce que promettent les mots. Chacun essaye de se pousser en avant dans son propre intérêt, pour sa survie. C'est l'organisation qui est perdante. Le salaire au mérite récompense les gens qui conviennent au système, elle ne reconnait pas les tentatives faites pour l'améliorer. Ne faites pas de vagues.

Le système d'évaluation traditionnel fait augmenter la variabilité des performances des individus. Le problème réside dans la précision attribuée implicitement à la théorie de l'évaluation. Voici ce qui se passe : lorsque quelqu'un est noté plus bas que la moyenne, il jette son regard vers ceux qui sont notés plus haut. Il cherche évidemment à savoir pourquoi il y a une différence et il tente de faire aussi bien que ceux qui sont notés plus haut. Il en résulte une dégradation des performances.

Un précédent dangereux . Le lieutenant de police Paul Lucas, de Falls Church, a déclaré en 1984 dans le Washington Post que sa section travaillait pour atteindre un certain nombre d'objectifs figurant à son budget annuel, parmi lesquels un certain nombre de contraventions. Il disait que, pour 1984, sa section s'efforcerait de dresser 551 contraventions pour conduite en état d'ivresse, 2592 contraventions pour excès de vitesse et 3476 contraventions pour diverses autres infractions.

Compter devient une obsession. L'évaluation des performances a pour principale conséquence d'entretenir un état d'esprit fixé sur le court terme. L'employé doit présenter quelque chose, et le supérieur compte les points. Il est facile de compter, c'est un bon moyen pour éviter de réfléchir.

Malheureusement, les gens que l'on mesure par un décompte de points sont privés de la fierté du travail bien fait. Par exemple, si un ingénieur de bureau d'étude est noté d'après le nombre de plans produits chaque mois, il n'a aucune chance d'être fier de son travail. Il n'ose pas prendre le temps d'améliorer un plan terminé. C'est donc un système qui conduit à la dégradation de son résultat. De même, les spécialistes d'un laboratoire de recherche sont notés d'après le nombre de nouveaux produits qu'ils créent. Ils n'osent pas s'occuper suffisamment longtemps d'un produit pour le suivre jusqu'à sa fabrication. Leur notation serait amenée à en souffrir.

Même si le supérieur apprécie les efforts et les aptitudes de ses employés, qui apportent une contribution durable aux méthodes et aux structures de l'organisation, il devra défendre ses demandes de promotion auprès de la direction avec des preuves tangibles.

Un médiateur fédéral m'a dit qu'il est noté sur le nombre de réunions auxquelles il participe chaque année. Il améliore sa notation en prolongeant les négociations autant qu'il peut. Le nombre de réunions est compensé par le nombre d'accords obtenus. Qu'il mette une entreprise en faillite, qu'il vole les travailleurs ou qu'il soit bon pour les Américains, un accord est un accord. Un acheteur du service postal U.S. m'a dit qu'il est noté sur le nombre de contrats négociés chaque année, chaque contrat devant être au plus bas prix. Un contrat à long terme lui prendrait du temps et détériorerait sa notation annuelle. De tels indices sont ridicules, mais ils sont classiques dans l'industrie et l'administration des Etats-Unis.

Aussi longtemps que le personnel d'un service achats sera noté d'après le nombre de contrats réalisés, il ne sera pas beaucoup incité à prendre le temps d'étudier les problèmes de la production et les pertes causées par les achats.

Pour noter un chercheur, il faut un esprit ouvert. Celui qui travaille sur de nouveaux produits et de nouveaux services sera peut-être à l'origine d'un nouveau secteur d'activité quelques années plus tard. Quand il s'engage dans cette voie, il doit changer de mode de vie et de résidence. Il participera à des conférences internationales sur les sujets qui l'intéressent. Il fera les communications qui lui sont nécessaires dans son travail. Pendant des années, il ne pourra montrer aucun résultat visible pour le profane. Si son directeur général n'a pas l'esprit ouvert, il lui donnera une mauvaise note parce qu'il ne travaille pas sur un projet à court terme.

Le travail d'équipe étouffé. L'évaluation des performances explique, je pense, pourquoi il est difficile aux directeurs d'état-major d'agir pour le bien de leur société. Considérés comme des prima donna, ils œuvrent plutôt à sa défaite. La bonne performance d'une équipe aide la société mais ne conduit pas à beaucoup de résultats tangibles pour les individus. Le problème d'une équipe est : qui est l'auteur de quoi ?

Comment le personnel d'un service achats pourrait-il, avec un tel système d'évaluation, prendre le moindre intérêt à l'amélioration de la qualité des approvisionnements en vue d'avoir de meilleurs produits et de meilleurs services ? Pour cela, il faudrait qu'il collabore avec la production. La productivité du service achats en serait contrariée, car elle est mesurée d'après le nombre de contrats, sans que la qualité des produits achetés entre en ligne de compte.

D'ailleurs, si quelqu'un se vante d'une amélioration en production, ce ne sera jamais quelqu'un des achats. Ainsi, nous voyons que l'esprit d'équipe, si souhaitable, est impossible avec un système de notation annuelle. Chacun est saisi par la crainte : "attention, ne prenons pas de risque, il faut marcher droit".

> *Entendu au cours d'un séminaire. On est bien noté quand on éteint un incendie. Le résultat est visible, il peut être quantifié. Si vous faites bien votre travail la première fois, vous êtes invisible. Vous remplissez simplement votre contrat, c'est votre job. Mais quand, après avoir fait du mauvais travail, vous réparez vos propres dégâts vous êtes un héros.*

Deux chimistes qui travaillent ensemble sur un projet préparent une présentation en commun. Celle-ci est acceptée pour une conférence à Hambourg. Mais, de nos jours, un seul est autorisé par la direction à partir pour Hambourg : c'est évidemment celui qui est le mieux noté. Alors l'autre est bien décidé à ne plus jamais travailler dans de telles conditions. Résultat : chacun pour soi.

Les chimistes de la société comprennent bien que le nombre de personnes qui participent à une conférence doit, en certaines circonstances, être limité. Un bon principe serait de les laisser choisir qui participe à une conférence ; ainsi, ils pourraient organiser une rotation de manière équitable.

En Amérique, le management gratifie excessivement les nouvelles technologies, ce qui n'encourage pas les gens à travailler sur d'autres aspects du système. Lorsqu'un projet est terminé, des récompenses sont offertes à ceux qui suggéreront des améliorations. C'est un comité qui étudie les suggestions. D'excellentes idées peuvent être éliminées parce qu'elles coûtent trop cher au moment où elles sont examinées. Plus tôt, elles auraient eu une chance d'être retenues car le meilleur moment pour les améliorations est le début du développement. Ainsi, le système d'évaluation fait courir le risque de perdre de bonnes idées qui amélioreraient la qualité et réduiraient les prix de revient. De plus, celui qui présente une suggestion n'assiste pas à la réunion ; le comité peut se méprendre sur le sens et les possibilités de la suggestion.

Au Japon, chaque suggestion est étudiée par un groupe et celui qui l'a proposée assiste aux réunions. La décision est collective ; elle est conforme à l'intérêt de la société. Ensuite, chacun fait de son mieux dans le travail du groupe. Si quelqu'un n'est pas d'accord ou ne veut pas faire de son mieux, il choisit un autre groupe ou un autre travail.

L'évaluation des performances alimente la crainte. Les gens ont peur de poser des questions qui pourraient faire penser à quelque scepticisme de leur part à l'égard des idées du chef, de ses décisions, de sa logique. Le jeu devient un jeu politique. Ne contrariez pas le patron. Tous ceux qui présentent un point de vue différent ou posent des questions risquent d'être mis en accusation. Ils seront des traitres, des marginaux, des arrivistes. Soyez donc un *Yes-man.*

Dans un grand nombre de sociétés américaines,les salaires et les primes des cadres supérieurs atteignent des niveaux astronomiques. Il est bien naturel que des jeunes gens aient l'ambition d'accéder un jour à de tels postes ; la seule chance d'y arriver est d'avoir chaque année une promotion régulière, sans faute. La préoccupation d'un homme ambitieux n'est pas de savoir comment servir la société par sa connaissance, mais d'être bien noté. Si vous manquez une promotion, c'est un autre qui prendra la place.

Si je change une procédure, cela pourrait mal tourner. Pourquoi changer quoi que ce soit ? Pourquoi prendre un risque ? Jouons la sécurité : il est plus sûr de rester dans la ligne.

Avec le système d'évaluation des performances, un dirigeant, ainsi que les personnes qu'il dirige, ne travaille pas pour la société mais pour son propre avancement. Il faut qu'il donne de lui une bonne image.

Thèmes de réflexion. Comment feriez-vous votre propre évaluation ? Quels seraient vos critères et vos méthodes ? Lorsque vous évaluez quelqu'un d'autre, comment essayez-vous de mesurer ses performances ? Comment votre évaluation de quelqu'un aide t-elle à prévoir ses performances futures, dans sa fonction actuelle et dans une fonction supérieure ?

Un autre Irving Langmuir ? Avec le handicap de l'évaluation annuelle, l'histoire américaine peut-elle produire un autre Irving Langmuir, Prix Nobel, ou un autre W.D. Coolidge, inventeur du tube à rayons X ? Ces deux hommes étaient à la société General Electric. Et la société Siemens pourrait-elle produire un autre Ernst Werner von Siemens ? Il est important de noter que les 80 Prix Nobel américains avaient tous la sécurité d'emploi. Ils n'avaient de comptes à rendre à personne.

Une évaluation honnête est impossible. C'est une erreur très répandue de croire qu'il est possible de classer les gens par ordre de performance, les prévisions de l'année à venir étant basées sur les résultats de l'année précédente.

La performance de quelqu'un est le résultat d'une combinaison de plusieurs forces : la personne elle-même, les personnes qui travaillent avec elle, la fonction, les matériaux utilisés, le matériel, l'organisation, l'encadrement, les conditions d'environnement (bruit, confusion, mauvaise nourriture à la cantine). Ces forces produisent d'énormes différences d'une personne à une autre. En fait, nous verrons que les différences apparentes entre les individus sont presque entièrement imputables à l'action du système dans lequel ils travaillent. Un homme qui n'a pas une promotion est incapable de comprendre pourquoi sa performance est plus faible que celle d'un autre. Ceci n'a rien d'étonnant car sa note est le résultat d'une loterie. Malheureusement, il prend cette note au sérieux.

On ne peut parler de performances exceptionnelles au sujet d'une personne que lorsque cette personne, les calculs appropriés ayant été faits, se situe au delà des limites de variation du système ou aboutit à un certain profil.

L'expérience avec des billes rouges que j'ai présentée au chapitre 2 montre que des différences incroyables entre les individus sont provoquées seulement par le système. Nous avons fait une assez bonne simulation d'un système à cause constante, mais il faut bien remarquer que dans la réalité, les différences entre les individus sont encore plus grandes qu'ici. Voici deux autres exemples numériques d'une telle situation.

Exemple 1. Vous êtes un chef de service avec neuf employés qui dépendent de vous directement. Ils ont tous la même responsabilité, et l'année dernière vous avez enregistré le nombre d'erreurs indiqué ci-dessous (erreurs d'écriture, erreurs de calcul, etc.). Chaque employé avait sensiblement le même risque que les autres de faire une erreur.

Nom	Nombre d'erreurs	Nom	Nombre d'erreurs
Janet	10	Charlie	23
Andrew	15	Alicia	11
Bill	11	Tom	12
Franck	4	Joanne	10
Dick	17	Total	113

Il s'agit maintenant d'évaluer les performances et de proposer des promotions au mérite. Qui va être récompensé ? Qui va être pénalisé ? Tout d'abord, quelles sont les variations imputables au système dans lequel ces personnes travaillent ? Voici les calculs.

$$\overline{x} = \frac{113}{9} \; 12,55$$

Calcul des limites de variation imputables au système :

$$\left.\begin{array}{l} \text{Limite supérieure} \\ \\ \text{Limite inférieure} \end{array}\right\} = 12,55 \pm \sqrt{12,55} = \left\{\begin{array}{l} 23,2 \\ \\ 1,9 \end{array}\right.$$

Aucune de ces neuf personnes ne tombe en dehors des limites calculées. Les différences apparentes proviennent du système. Si l'on cherchait à savoir pourquoi Charlie a fait 23 erreurs et Franck seulement 4, ce serait du temps perdu. Mais le plus grave, c'est que si quelqu'un cherche une cause, il trouve toujours une réponse et il provoque une action qui aggrave encore la situation.

Exemple 2. Nous considérons le processus suivant :
1. un ingénieur produit demande un changement technique
2. un ingénieur du bureau d'études dessine un projet
3. il le présente à l'ingénieur en chef
4. celui-ci accepte ou refuse le projet

La figure 17 indique le nombre de changements faits par chacun des 11 ingénieurs du bureau d'études dans une division au cours du développement d'un produit. Les limites de contrôle, basées seulement sur le principe de l'indépendance des changements, sont les suivantes :
Limite supérieure
Limite inférieure

Aucun des 11 ingénieurs ne tombe en dehors des limites. Donc ils appartiennent tous à un même système et les variations proviennent du système. Il est évident qu'aucun ne doit être favorisé ou défavorisé sur le plan du salaire en fonction de ces différences.

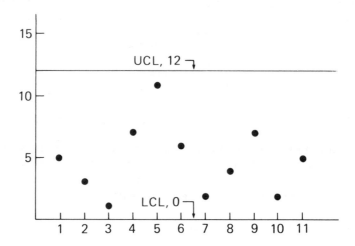

Fig. 17 : Graphique montrant le nombre de changements techniques fait par 11 ingénieurs dans un bureau d'études en un an. Ils sont classés par ordre alphabétique sur l'axe horizontal. Aucun ne dépasse la limite de contrôle. Donc ils appartiennent tous à un même système. (Communiqué par Ronald Moen).

Pour un meilleur leadership. Tout individu dont le résultat tombe en dehors des limites attribuées au système par le calcul est en dehors du système. Un bon leadership consiste à chercher les causes possibles de cette variation. S'il est en dehors des limites et du bon côté, il est logique de prévoir une amélioration de ses performances. C'est un fait qui mérite d'être signalé. S'il est en dehors des limites, mais du mauvais côté, la cause de la variation peut être permanente ou éphémère.

Nous avons un exemple de cause permanente lorsque quelqu'un s'avère incapable d'apprendre un certain travail. Mais l'entreprise l'a embauché pour ce travail. Elle a donc l'obligation morale de lui donner un autre travail qui lui conviendra. En revanche, une personne qui a des ennuis de santé ou des problèmes familiaux peut avoir de mauvaises performances, mais la cause est éphémère. Une franche discussion suffit souvent à rétablir la confiance et à améliorer les performances.

Il arrive que le système rejette un ouvrier au delà des limites de contrôle en lui fournissant des matériaux particulièrement difficiles à utiliser. Il peut se faire que personne ne remarquera cette difficulté, et l'ouvrier n'osera pas s'en plaindre. De même, lorsque quelqu'un utilise un équipement en mauvais état, il peut rester plusieurs années en dehors des limites si personne ne connaît l'origine de ses ennuis et si personne ne fait rien pour y remédier.

Le besoin de porter des lunettes est un exemple de circonstance éphémère. On peut facilement améliorer la situation en envoyant l'intéressé chez un oculiste.

Les schémas répétitifs. Nous venons d'expliquer que des différences apparentes entre les individus (parfois des différences énormes) peuvent avoir une seule cause, constante, dans le système. Nous retiendrons de ce qui précède que tout système réel engendre de telles différences.

Un salarié peut accéder à un poste relativement élevé en obtenant une performance régulière plusieurs années de suite. Si quelqu'un maintient cet avantage sur ses collègues pendant un temps assez long, sept ans par exemple, nous pouvons en conclure qu'il leur est certainement supérieur, même si l'indice de performance utilisé n'a aucun sens. Au bout de vingt ans, avec un indice de performance valable, il est sûr que les grandes vedettes vont se révéler définitivement. Mais un indice de performance qui ne donne aucune chance à un homme d'être fier de son travail, par exemple le nombre de plans réalisés en un an par un ingénieur, est pour lui un handicap.

Si l'amélioration constante des qualifications et de la compétence d'une personne est mise en évidence pendant au moins sept ans, c'est naturellement le signe d'une performance exceptionnelle. Inversement, si pendant sept ans ces qualités se détériorent en permanence, il est certain que la personne a besoin d'aide.

Mais tout ceci est peut-être du domaine du rêve, car aucun groupe de personnes ne reste aussi longtemps dans le même travail. Dans certains cas évidemment, en particulier pour des ouvriers, l'échelle du temps peut être réduite. Il est alors possible de trouver des indices de performances valables qui permettent de porter un jugement beaucoup plus rapide.

Tout n'est sûrement pas mauvais. L'abolition de l'évaluation annuelle des performances est retardée par les directeurs généraux sous le prétexte suivant : "tout n'est sûrement pas mauvais dans le système, puisqu'il m'a fait arriver à ce poste." C'est un piège où il est facile de tomber. J'ai pour interlocuteurs des hommes puissants, avec qui il est intéressant de travailler et de discuter, mais chacun d'eux est parvenu à son poste en étant le premier à chaque évaluation annuelle et en causant la perte d'une vingtaine d'autres. Décidément, il existe une meilleure voie.

Principes modernes du leadership. Les principes modernes du leadership, expliqués et illustrés en détail dans ce livre, sont destinés à remplacer l'examen annuel des performances. La première étape consiste à organiser une formation au leadership.

L'examen annuel des performances, entré dans le management occidental par la petite porte, est devenu populaire parce qu'il ne vous oblige pas à regarder en face les problèmes des gens. Il est plus facile de les noter, d'observer seulement leur production. Mais le management occidental a besoin surtout de méthodes pour améliorer la production. Voici des suggestions.

1. Instituer la formation au leadership ; obligations, principes et méthodes.

2. Tout d'abord, sélectionner plus soigneusement les personnes.

3. Après la sélection, donner une meilleure formation.

4. Un leader, au lieu d'être un juge, est un collègue qui conseille et guide ses subordonnés tous les jours. Il apprend certaines choses d'eux et avec eux. Chacun doit pratiquer le travail en équipe pour l'amélioration de la qualité suivant le cycle de Shewhart.

5. Un leader identifie parmi ses subordonnés ceux qui sont (a) hors du système et du bon côté, (b) hors du système et du mauvais côté, (c) dans le système. Si la mesure de performance est faite avec des nombres, le calcul est simple. En l'absence de nombres, le leader doit se faire une opinion subjective en prenant tout le temps qu'il faut, des heures si nécessaire, pour discuter avec chacun de ses subordonnés.

Ceux qui sont hors du système et du mauvais côté doivent être aidés. Nous en verrons plusieurs exemples. Ceux qui sont hors du système et du bon côté peuvent être récompensés par des primes, mais si une prime n'est pas accompagnée d'un autre moyen de reconnaissance, elle peut devenir contre-productive.

Le classement des personnes est une politique ruineuse. En classant les personnes qui sont dans le système, on viole la logique scientifique.

6. Les personnes d'un groupe qui forment un système seront toutes soumises aux mêmes règles d'augmentation de salaire, par exemple en ce qui concerne l'ancienneté. Mais il n'y a pas d'augmentation suivant un classement puisqu'il n'y a pas de classement. (Si les choses vont mal, personne n'est augmenté).

7. Un leader aura un entretien de 3 à 4 heures au moins une fois par an avec chacun de ses employés. Il ne le critiquera pas mais cherchera à l'aider dans une meilleure compréhension mutuelle.

8. Les résultats de performance ne seront pas utilisés pour classer les membres d'un groupe qui sont dans le système, mais pour aider le leader à réaliser l'amélioration du système. Ces chiffres lui révèleront aussi certaines de ses propres faiblesses.

L'amélioration du système aidera tout le monde et réduira la dispersion des indices de performance. Le temps est arrivé où ceux qui sont privés d'une augmentation ou d'un avantage par l'usage abusif d'un indice de performance (par exemple un classement dans un groupe) pourront demander justice.

Le travailleur indépendant. Il existe de nombreux exemples de personnes qui ne peuvent pas travailler en équipe, mais qui font preuve d'une incontestable réussite par le respect de leurs collègues et de leurs pairs, par leurs inventions et leurs publications dans des revues scientifiques. De telles personnes sont capables d'apporter une contribution fabuleuse à leur société et à la science. La société doit les reconnaître et les aider.

Le leadership remplace l'examen annuel chez Ford. Les principes énoncés ci-dessus ont été adoptés il y a quelques années par Donald E. Petersen, actuellement président-directeur général de Ford Motor Company. Ce changement chez Ford ne manquera pas d'être remarqué par toute l'industrie occidentale. C'est le signe évident qu'au moins une très grande entreprise se soucie essentiellement de sa principale ressource : les personnes qui y travaillent. Il s'agissait avant tout d'éliminer un obstacle considérable qui s'opposait au programme d'amélioration continue de la qualité et de la productivité.

Problèmes dans les services publics. Devant les difficultés croissantes rencontrées dans leur mission, les responsables des services publics se demandent s'ils ne vont pas bientôt servir une cause perdue. Un haut fonctionnaire ayant travaillé dans les services du personnel du gouvernement, sous quatre présidences qui se sont rapidement succédées, et dont les actions étaient animées par des philosophies nettement différentes, a assisté tous les quatre ans à des bouleversements dans le système de management de l'ensemble de l'administration. Il en résulte naturellement une perte de continuité, d'efficacité et de satisfaction au travail. Le public américain est perdant, de plus en plus, chaque fois que l'on essaye d'améliorer le système d'avancement des fonctionnaires. La méthode de changement a toujours été politique, nécessitant l'approbation du Congrès, mais nous voyons maintenant apparaitre de nouvelles lois qui accroissent le potentiel de désordre à chaque changement dans l'administration. Notre système politique, qui choisit les dirigeants de nos administrations fédérales, doit avant tout bien comprendre l'importance de la constance dans la mission et l'importance de la connaissance. Les directeurs nommés par le pouvoir politique doivent comprendre les 14 points, les maladies mortelles et les obstacles. Ce n'est qu'à cette condition qu'ils pourront adopter une attitude de leadership.

Propos d'un fonctionnaire fédéral.

Le secrétaire du Ministère des Finances reste en moyenne 18 mois à ce poste. Certains restent plus, d'autres moins.

Le processus politique encourage la performance à court-terme. A la minute même où quelqu'un est élu, il commence à préparer sa prochaine campagne électorale.

Les respnsables de mon administration fédérale ont une autonomie de deux semaines.

Aujourd'hui, le gouvernement d'un pays industrialisé est une affaire si énorme et si complexe que les relations entre un certain groupe social et le gouvernement risquent de n'être comprises que par un petit nombre de personnes de ce groupe.

Il est certain qu'un gouvernement moderne ne peut pas répondre entièrement à des objectifs cohérents présentés par la société dont il est le serviteur. Nous avons d'ailleurs des raisons de penser que ces objectifs ne sont pas énoncés d'une manière tout à fait claire et réaliste. A bien des égards, ce type de gouvernement ne repose que sur la force de l'habitude, ce qui est difficilement tolérable. De plus, dans un tel cadre, il est évident que parler des améliorations proposées dans ce livre n'a aucun sens. Si nous discutons pour conduire une organisation vers un état plus souhaitable alors que les objectifs, les contraintes et les limitations de l'organisation ne sont pas définies, notre tâche est absolument vouée à l'échec.

4. Mobilité des cadres supérieurs. Une entreprise dont la direction générale s'est solidement engagée sur la qualité et la productivité ne souffre pas d'incertitude et de confusion. Mais comment quelqu'un peut-il s'engager sur une politique ou une autre alors qu'il sait qu'il ne passera pas plus de quelques années à ce poste ?

Junji Noguchi, directeur général de l'Association des Ingénieurs et Scientifiques Japonais, discutant avec l'un de mes clients, avait fait remarquer que l'absence de réussite des Etats-Unis est due à la mobilité des cadres supérieurs.

La manière de travailler des managers conditionne le bien être de toute l'entreprise. La mobilité des cadres supérieurs crée des "prima donna" qui se vantent d'obtenir des résultats rapides. Cette mobilité réduit à néant le travail d'équipe, vital pour la continuité de l'entreprise . Quand un nouveau directeur prend ses fonctions, chacun se demande avec angoisse ce qui va arriver. Et l'agitation atteint son paroxysme quand le conseil d'administration va chercher à l'extérieur quelqu'un de haut niveau pour une opération de secours. Chacun met son gilet de sauvetage.

Un homme qui n'a pas une bonne note à son évaluation annuelle cherche ailleurs de meilleures opportunités. Il arrive fréquemment que le principal concurrent soit quelqu'un qui est parti parce qu'il n'avait pas reçu une promotion.

Mobilité des ouvriers. La mobilité des ouvriers américains est un autre problème presque aussi grave que la mobilité des cadres. Un puissant facteur d'instabilité est l'insatisfaction au travail, l'impossibilité d'être fier de son travail. Quand ils ne peuvent pas être fiers de leur travail, les gens restent à la maison ou cherchent un autre emploi. Le mauvais management et le mauvais encadrement sont en grande partie responsables de l'absentéisme et de la mobilité des ouvriers.

5. Seuls les chiffres visibles servent à diriger une société (en comptant l'argent). On ne peut pas réussir en se basant seulement sur les chiffres visibles. Bien sûr, les chiffres visibles sont importants. Il faut payer les salaires, les impôts, les investissements et toutes sortes d'autres frais. Mais celui qui dirigerait une société en se basant seulement sur les chiffres visibles n'aurait bientôt plus de société, donc plus de chiffres.

Les chiffres les plus importants dont le management a besoin sont, en réalité, inconnus ou inconnaissables, mais un bon management doit cependant les prendre en compte. Exemples :

1. L'effet multiplicateur de la satisfaction d'un client sur les ventes, et l'effet opposé du mécontement d'un client.

   Le retour d'un client satisfait vaut bien dix clients potentiels. Il vient sans démarchage et sans publicité, et parfois il vient avec un ami. La satisfaction des clients est payante : si le propriétaire d'une voiture aime sa voiture, il est probable qu'il en achètera quatre de la même marque dans les douze années suivantes. C'est ce que dit un consultant de Washington spécialisé dans le comportement des consommateurs. Le client est prêt aussi à faire connaître les bonnes nouvelles à huit autres personnes. Mais malheur à la société automobile qui livre un mauvais produit. Un acheteur de voiture irrité racontera ses ennuis à une moyenne de seize personnes.

2. L'amélioration la qualité et de la productivité qui se fait sentir sur toute une chaine de production lorsque la qualité s'est améliorée en amont.

3. L'amélioration de la qualité et de la productivité quand la direction générale fait savoir clairement que la politique de la société sera désormais de rester dans une activité adaptée au marché, que cette politique est inébranlable, quels que soient les dirigeants.

4. L'amélioration de la qualité et de la productivité à partir de l'amélioration continuelle des processus, de l'élimination des normes de travail, d'une meilleure formation et d'un meilleur encadrement.

5. L'amélioration de la qualité et de la productivité à partir d'une équipe composée du fournisseur choisi, de l'acheteur, de membres du bureau d'études, du service commercial et de l'entreprise cliente, afin de travailler sur un nouveau composant ou de redéfinir un composant existant.

6. L'amélioration de la qualité et de la productivité à partir d'une étude commune au bureau d'études, à la production, au service commercial et au client.

7. Les pertes causées par l'évaluation annuelle des performances.

8. Les pertes causées par tout ce qui prive les employés de la fierté du travail bien fait.

9. Le coût des marchandises égarées, celui du temps perdu parce que la maintenance de l'outil de production est insuffisante.

Celui qui espère pouvoir quantifier en dollars les gains que le programme d'amélioration de la qualité procure chaque année à sa société, suivant les principes exposés dans ce livre, sera déçu. Il faut qu'il sache, au départ, qu'il ne sera à même de quantifier qu'une modeste partie du gain.

Les chiffres visibles avaient montré que le service crédit d'une société avait réussi dans sa mission en ne conservant pratiquement que les clients qui payaient rapidement. Le service crédit avait bien fait son travail, il méritait une bonne note. Mais il apparut ensuite, par des chiffres qui n'étaient pas si visibles, que le service crédit avait poussé chez les concurrents certains des meilleurs clients. La direction générale s'était préoccupé trop tard du coût total.

Les coûts de la garantie sont parfaitement visibles, mais ils ne font pas voir tout ce qui se passe au sujet de la qualité. N'importe qui peut réduire les coûts de la garantie en refusant d'intervenir ou en intervenant tardivement après les réclamations.

Autre remarque sur le management par les chiffres. Au fur et à mesure que les perspectives de la société deviennent plus mornes, la direction générale se tourne de plus en plus vers le contrôleur de gestion pour faire un management par les chiffres. Manquant de la connaissance des problèmes de production, le contrôleur de gestion ne peut que surveiller le niveau des dépenses, réduire le coût des matériaux achetés, le coût des outils, des machines, de la maintenance et des fournitures. Il néglige des chiffres invisibles plus importants, qui sont inconnus et inconnaissables et qui font partie du coût de ces opérations. Il provoque ainsi une nouvelle diminution de la marge d'exploitation.

La direction générale d'une société qui est dirigée seulement d'après les chiffres visibles pourrait tout aussi bien aller se promener dans des clubs de vacances à Honolulu ou ailleurs, recevoir des chiffres par tous les moyens modernes de transmission de données et essayer de s'en servir par les moyens habituels.

L'avènement de la micro-informatique et d'autres outils de traitement de l'information reliés par des réseaux modernes de télécommunication, en donnant accès à de nombreuses sources de données, annonce un énorme accroissement de la productivité pour les dix millions de managers environ que l'on compte aux Etats-Unis. Cette nouvelle merveille fonctionne déjà en partie : Des managers prennent maintenant des décisions en combinant l'information développée dans leur propre société avec des bases de données externes, qui comprennent des statistiques sur l'économie et l'industrie. Toutes ces données leur permettent de faire en quelques heures des études et des prévisions sur leurs activités, le marché, la concurrence, les prix. Ces études demandaient autrefois plusieurs mois de travail.

Les nouveaux systèmes transforment en graphiques des volumes entiers de chiffres. Les managers peuvent comprendre facilement ces graphiques, imprimés en couleur, et les assimiler pour une action rapide. La messagerie électronique permet de transmettre simultanément des rapports à de nombreuses personnes d'une société. Ces systèmes facilitent énormément les communications internes.

Cependant, dirigée sur la base des chiffres visibles, sans tenir compte des chiffres inconnus et inconnaissables, une société qui semble sur le chemin de la réussite peut aller droit à l'échec.

Le classement des divisions d'une firme. Comme l'évaluation annuelle des performances individuelles, le classement des divisions d'une firme (pour toutes celles que j'ai vues) crée un mode de pensée à court-terme et détourne les efforts des améliorations à long terme. Par exemple, dans un groupe, la procédure consiste à sélectionner "au hasard" 20 spécifications parmi les milliers de spécifications qui ont trait aux milliers de pièces détachées que fabrique la division, puis à sélectionner "au hasard" 20 pièces détachées correspondant à ces spécifications. On détermine ensuite quelle proportion de pièces fabriquées la semaine précédente est conforme aux spécifications.

Ce qui est étrange, c'est qu'une division peut, tous les mois, avoir la meilleure note, gagner des trophées avec des primes et des augmentations pour ses managers, et dans le même temps aller tout droit à sa perte.

Il est facile de voir ce qui ne va pas dans cet exemple. La division respecte bien les spécifications, mais dans le même temps, elle peut se ruiner par (1) perte de temps dans les ateliers avec des matériaux qui ne conviennent pas ; (2) mauvaise maintenance ; (3) réparations ; (4) mauvais leadership ; (5) outils fragiles ; (6) manque de réaction aux réclamations des clients ; (7) mauvaise conception de produits ; (8) incapacité à maîtriser les processus ; etc.

Personne ne peut blâmer le directeur d'une division d'être si fortement intéressé au classement de sa division. Son salaire et sa prime dépendent de ce classement !

Ce type de classement appartient au management en aval, qui surveille la sortie et intervient trop tard, mais qui est tellement plus facile que d'assurer le leadership et d'améliorer les processus. Une

meilleure approche serait de s'informer sur les progrès réalisés au cours de l'année précédente sur les points suivants :
1. Eliminer ce qui enlève aux ouvriers la fierté du travail bien fait.
2. Réduire le nombre de fournisseurs.
3. Travailler en équipe avec le fournisseur choisi.
4. Réduire la variabilité de certaines caractéristiques de produits.
5. Améliorer certains processus.
6. Donner une meilleure formation aux nouveaux embauchés.

Nous pourrions continuer la liste, mais c'est plutôt au comité de direction de faire preuve d'innovation.

B. Obstacles

A côté des maladies mortelles, il y a toute une série d'obstacles. Quelques obstacles sont aussi graves que les maladies mortelles, d'autres le sont moins. Mais ils sont en général plus faciles à soigner. Nous ne reviendrons pas sur ceux qui ont déjà été présentés dans le chapitre précédent.

L'espoir d'un dessert instantané. Un obstacle important consiste à croire que l'énoncé d'un acte de foi entraine subitement l'amélioration de la qualité et de la productivité. Des lettres et des coups de téléphone reçus par l'auteur révèlent la prédominance de cette idée qu'une ou deux consultations avec un statisticien compétent mettront la société sur la voie de la qualité et de la productivité (aussi facile que de préparer un dessert instantané). "Venez, passez un jour avec nous et faites pour nous ce que vous avez fait pour le Japon. Nous voulons, nous aussi, être sauvés". Et ils raccrochent tristement le téléphone. Quelqu'un m'a écrit un jour pour me commander ma formule, me priant, en même temps, de lui envoyer la note. Mais ce n'est pas si simple : il va falloir étudier le problème et se mettre au travail.

En 1981, un magazine très lu par les américains a publié un article sur le Japon dans sa rubrique "Economie". L'auteur de cet excellent article écrivait malencontreusement : "le Docteur Deming est allé au Japon en 1950 pour y faire une conférence, et voyez ce qui s'est passé". Je crains que cette phrase n'ait donné à un million de lecteurs l'idée fausse qu'il est très simple pour l'industrie américaine de copier l'industrie japonaise.

Une lettre que le Dr. Lloyd S. Nelson, statisticien de la société Nashua, a reçue, me fournit l'exemple d'une personne qui espère des résultats rapides sans un effort suffisant de formation professionnelle :

" Le président de ma société m'a embauché pour un poste semblable à celui que vous occupez dans votre société. Il m'a donné des pouvoirs suffisants et il souhaite que j'assure cette fonction sans l'importuner. Pouvez-vous m'indiquer ce que je dois faire ?"

Le fait d'embaucher quelqu'un pour le même travail que le Dr. Nelson ne va pas créer un nouveau Dr. Nelson. Il est rare de voir tant d'absurdité concentrée en quatre lignes. Le président de la société en question se trompe complètement en pensant que la qualité peut s'améliorer sans lui. Qui donc peut accepter un tel mandat, si ce n'est quelqu'un de totalement novice dans le domaine de l'amélioration de la qualité ?

L'idée que la résolution des problèmes, la robotique, les gadgets et les nouvelles machines vont transformer l'industrie. On ne peut pas se permettre de tourner une économie de 5 000 000 de F ou même de 50 000 F par an en dérision. Un groupe d'ouvriers peut être fier d'une amélioration qui économise 5 000 F par an. Toutes les contributions à l'efficacité ont leur importance.

Le plus important n'est pas les 5 000 F par an mais le fait que ces hommes sont fiers de l'amélioration qu'ils ont réalisée ; ils ont pris conscience de leur importance vis-à-vis de leur société. L'amélioration du résultat de leur travail entraîne une meilleure qualité, une meilleure productivité et un meilleur moral sur la chaîne de production. Ces améliorations-là ne peuvent pas être quantifiées, elles font partie des chiffres invisibles, si importants pour le management.

Incidemment, le calcul des économies résultant de la mise en place d'un robot ou d'un quelconque gadget devrait prendre en compte le coût total, mais, d'après mon expérience, les calculs sont rarement valables.

Recherche d'exemples. L'amélioration de la qualité est une méthode applicable à différents problèmes dans différentes circonstances, mais cette méthode ne peut pas être rédigée à la manière d'un livre de cuisine.

Il n'est pas rare que l'on demande à un consultant des exemples de succès pour des produits similaires. Parmi de nombreuses questions inattendues, on m'a demandé si les méthodes présentées dans ce livre, notamment les 14 points, s'appliquaient à une production de fauteuils roulants, à une entreprise d'air conditionné, à un hôpital, à un cabinet d'expertise comptable, à une banque, et même à une usine d'automobiles comme si l'on n'avait jamais entendu parler des automobiles japonaises.

Trop souvent, les dirigeants d'une société, saisis par la hantise d'améliorer la qualité et la productivité, ne sachant pas comment s'y prendre, n'ayant aucune directive, cherchant à y voir plus clair, se mettent en devoir de visiter d'autres sociétés dont le succès est manifeste. Ils sont reçus à bras ouverts et l'échange d'idées commence. Les visiteurs apprennent ce que font ceux qui les reçoivent. Parfois, une partie des 14 points est appliquée, mais personne ne sait si les procédures utilisées sont bonnes ou mauvaises. Si l'affaire marche bien, personne ne sait pourquoi. Dépourvus les uns et les autres de principes directeurs, ils vont tous à la dérive. Ils sont plus à plaindre qu'à blâmer.

Si l'on veut copier avec succès, il est nécessaire de comprendre la théorie du projet. Les Japonais le font, mais les Américains ne le font pas. Pourtant ces derniers sont de grands copieurs.

Le management américain, qui ne comprend pas son rôle dans la qualité, a essayé de copier les cercles de qualité japonais et s'aperçoit maintenant qu'ils n'ont donné aucun résultat. Pourtant, la contribution des cercles de qualité à l'industrie japonaise est vitale.

Quelqu'un m'a raconté, au cours d'un séminaire (dont j'ai malheureusement oublié l'origine exacte), que la direction d'une société de meubles honorablement connue s'était mis en tête de fabriquer des pianos. Pourquoi pas ? Ils ont acheté un Steinway. Ils l'ont démonté, puis examiné. Ils ont fabriqué des pièces détachées et les ont assemblées exactement comme dans le Steinway. Alors, ils ont constaté que leur produit ne rendait que des sons grotesques. Il ne leur restait plus qu'à remonter le Steinway, afin de récupérer leur argent. Mais ce fut pour découvrir avec surprise qu'il ne parvenait plus, lui aussi, qu'à émettre des bruits sourds.

Nos problèmes sont différents. Un mal qui afflige généralement le management des entreprises et de l'administration, dans le monde entier, c'est l'impression que "nos problèmes sont différents". Il est certain qu'ils sont différents, mais les principes qui aident à améliorer la qualité des produits et des services sont universels par nature.

Le vieillissement dans les grandes écoles. Le déclin de l'industrie américaine pourrait-il provenir d'un vieillissement planifié ? La question est souvent posée. En fait, le vieillissement n'a pas besoin d'être planifié.

Lorsque les profits ont commencé à chuter en 1970, de nombreuses sociétés américaines ont essayé de soutenir leurs bénéfices grâce à des acquisitions et des manipulations boursières. C'est le monde de la finance et de la fiscalité qui est devenu le principal interlocuteur de ces sociétés. La qualité et la position compétitive ont disparu sous ce flot, et les grandes écoles ont répondu à la demande générale en y adaptant les cours de finance et de comptabilité. Le déclin actuel en est la conséquence.

Les grandes écoles américaines apprennent aux étudiants qu'il existe une profession du management et les préparent à prendre des postes clés dans cette profession. C'est une cruelle supercherie, parce que les étudiants n'ont aucune expérience de la production et de la vente. Mais ils savent qu'en travaillant dans un atelier, ils gagneraient la moitié de ce qu'ils gagnent avec un MBA dans un premier emploi administratif. Cette pensée est si horrible pour de jeunes diplômés que, inconscients de leurs limites, inconscients aussi des vrais besoins de l'industrie, ils font tous leurs efforts pour obtenir ce genre d'emploi. Il ne faut pas s'étonner du résultat.

Un étudiant d'une grande école américaine pourrait se demander aujourd'hui, et le demander à ses professeurs, quels sont, parmi les cours qui sont offerts, ceux qui donnent à chacun une connaissance pouvant favoriser l'amélioration de notre balance des paiements. Parmi ceux-ci, je citerai les mathématiques, l'économie, la psychologie, la statistique et le droit. Mais la comptabilité, la finance, le marketing et l'informatique, simples techniques, n'en font pas partie.

Pour un étudiant, le meilleur moyen d'apprendre une technique, c'est de travailler dans une bonne entreprise, sous les ordres de bons professionnels, et d'être payé pendant son apprentissage.

Il y a plusieurs raisons pour lesquelles la qualité et la productivité des Etats-Unis (qui vont main dans la main) ne font pas de progrès. Le système d'éducation, qui produit des individus ignares en matière de mathématiques et glorifie le MBA, forme des managers qui savent prendre le pouvoir dans une société mais ne savent pas la diriger. Les objectifs à court terme des directions générales, la mobilité des cadres et la banalisation des tâches des ouvriers, sont également nuisibles.

Chacun peut constater que toutes les grandes entreprises américaines ont été développées par des hommes dont l'intérêt pour la qualité était sincère, qu'ils fussent techniciens, inventeurs, ingénieurs mécaniciens ou chimistes. Maintenant, ces entreprises sont en grande partie dirigées par des hommes qui s'intéressent au profit, pas au produit. Ils mettent toute leur fierté dans la présentation du rapport annuel aux actionnaires.

Le mauvais enseignement des méthodes statistiques dans l'industrie. Le management américain a été pris de panique quand il a découvert la nécessité de la qualité. Ignorant ce que la qualité signifie et comment on l'obtient, il a lancé une formation intensive et accélérée aux méthodes statistiques, en allant chercher comme formateurs de médiocres tâcherons, incapables qu'ils sont de faire la distinction entre la compétence et l'ignorance. Il en résulte que des centaines d'ingénieurs américains sont en train d'apprendre des choses fausses.

Personne ne peut enseigner la théorie et la pratique des graphiques de contrôle sans connaître la théorie statistique, avec au minimum le niveau du troisième cycle et en plus une expérience suffisante sous les ordres d'un statisticien chevronné. J'affirme ceci sur la base de mon expérience, car je constate tous les jours les effets dévastateurs de l'incompétence de certains enseignants.

Dans les universités, l'enseignement de la théorie statistique, du calcul des probabilités et des sujets connexes est généralement excellent. L'application de la théorie aux études de dénombrements est bonne, mais l'application aux problèmes analytiques que l'on trouve dans beaucoup de livres scolaires est décevante et peut même induire en erreur les étudiants. C'est le cas, par exemple, de l'amélioration de certains processus industriels ou de la prévision de certains rendements dans l'agriculture.

Les techniques statistiques enseignées dans les livres, telles que l'analyse de variance, le test de Student, les intervalles de confiance, présentent de l'intérêt. Mais elles sont inadaptées à l'amélioration de la qualité et de la productivité car elles font disparaître l'information sur l'ordre des événements d'une production et ne donnent pas une véritable base de prévision. La plupart des logiciels d'analyse de données sont, à cet égard, de flagrants exemples d'inefficacité.

Un intervalle de confiance a une signification pratique et il est très utile pour condenser les résultats d'un dénombrement. J'utilise personnellement des intervalles de confiance dans des contrats. Mais un intervalle de confiance n'a pas de sens en tant que prévision et n'apporte rien à la planification.

Un schéma qui se répète dans certaines conditions d'environnement conduit à un certain degré de confiance celui qui prépare un plan. Mais le degré de confiance ne peut pas être quantifié. Ce que nous appelons degré de confiance dans un test d'hypothèse (exemple 0,95 ou 0,99) ne donne pas une mesure du degré de confiance dans une prévision.

Par exemple, certains produits chimiques qui entrent dans la fabrication des polymères sont habituellement mélangés pendant trente minutes. Un essai fait à Pittsburgh montre que les résultats sont meilleurs s'ils sont mélangés pendant soixante minutes à la même température. Penser que le phénomène sera le même à Bordeaux, c'est un acte de foi, ce n'est pas de la statistique.

Des personnes qui ont un diplôme du 3ème cycle en théorie statistique acceptent des postes dans l'industrie et dans l'administration et travaillent sur des ordinateurs. C'est un cercle vicieux. Les statisticiens ne connaissent pas le travail statistique et se contentent de travailler avec des ordinateurs. Les dirigeants qui embauchent des statisticiens ne connaissent pas davantage le travail statistique et supposent néanmoins que les ordinateurs sont la solution. Par conséquent les statisticiens et les dirigeants s'induisent mutuellement en erreur et entretiennent le cercle vicieux.

Utilisation de tables de contrôle statistique par attributs. Des produits représentant des milliers de dollars changent de main chaque heure en fonction du résultat d'inspection sur des échantillons tirés de lots qui sont ensuite acceptés ou refusés. Les tables de contrôle statistique par attributs utilisées dans ce cas sont, par exemple, la table Military Standard 105D, les tables qui en sont dérivées telles que la table

AFNOR X.06.022, et les tables de Dodge-Romig. L'usage de ces tables ne peut qu'alourdir le prix de revient. Si elles sont utilisées par une entreprise pour vérifier des produits avant de les expédier, elles garantissent que des clients recevront des produits défectueux. (Les inconvénients de ces tables apparaitront clairement au chapitre 11.)

Les tables de contrôle statistique ont fait leur temps. L'industrie américaine ne peut plus supporter les pertes qu'elles occasionnent. Il est incroyable que tant de livres sur la statistique continuent de consacrer des pages et des pages à ces méthodes périmées.

"Notre service qualité s'occupe de tous nos problèmes concernant la qualité". Toutes les entreprises ont un service qualité. Malheureusement, les services qualité ont pris à leur compte le travail de ceux qui peuvent faire le plus pour la qualité : directeurs généraux, chefs d'atelier, ouvriers.

Ils n'ont pas réussi à expliquer à la direction générale l'importance d'un bon management et les conséquences funestes de certains errements tels que les achats au plus bas prix, le fait d'avoir de multiples sources d'approvisionnement, les objectifs de production, etc. Les directeurs généraux ont abandonné la qualité à des spécialistes du jargon statistique. Ils sont mystifiés mais contents.

Malheureusement, la fonction "assurance de la qualité" consiste trop souvent à donner aux directeurs généraux la confirmation tardive d'une situation médiocre, semaine après semaine : pourcentage de produits défectueux, niveau de qualité, coût de la garantie, etc. Mais ce dont les directeurs généraux ont besoin, c'est de savoir si le système a atteint un état stable ou s'il est toujours infesté par des *causes spéciales de variation*.

D'après mon expérience, certains services de gestion de la qualité travaillent suivant l'idée que leur mission sera d'autant mieux remplie que les graphiques de contrôle seront plus nombreux. Ils tracent et archivent une grande quantité de graphiques de contrôle. Ce phénomène s'était déjà produit en Amérique entre 1942 et 1948, mais en 1949, tous les graphiques de contrôle avaient disparu. Pourquoi ? C'est parce qu'ils s'étaient avérés inutiles. Ils étaient inutiles parce que les directeurs généraux n'avaient pas compris le sens de leur mission. Ils ne le comprennent toujours pas.

Nos problèmes proviennent entièrement des ouvriers. C'est une idée répandue dans le monde entier que si les ouvriers et les employés faisaient leur travail comme on leur dit, il n'y aurait plus de problèmes dans les usines et dans les services. Ce sont là de beaux rêves. Les travailleurs sont handicapés par le système, et le système appartient à la direction générale.

C'est le Dr. Joseph M. Juran qui a fait remarquer le premier, il y a longtemps, que la plupart des possibilités d'amélioration résident dans le système, et que les contributions des ouvriers sont sévèrement limitées.

"On trouve en Europe la même hypothèse injustifiée et pourtant très répandue que les défauts peuvent être maîtrisés par les ouvriers, et que si les ouvriers voulaient bien faire l'effort nécessaire, les problèmes de qualité disparaîtraient en grande partie de l'usine. *(J.M. Juran, Industrial Quality Control, mai 1966.)*"

Récemment, la direction générale d'une grande entreprise de production supposait, d'après ses dires, que si l'ensemble des 2 700 opérations de la production étaient réalisées sans le moindre défaut, il n'y aurait plus de problèmes. J'ai écouté pendant trois heures le récit de l'application de méthodes statistiques dans l'usine, fait avec beaucoup de conviction. Leurs ingénieurs traitaient chaque problème comme une cause spéciale (on la trouve et on l'élimine), mais ne travaillaient pas sur le système lui-même.

Dans le même temps, les coûts de la garantie grimpaient irrésistiblement et les affaires s'étiolaient. La direction générale semblait totalement inconsciente de la nécessité d'améliorer la conception des produits et de porter une plus grande attention aux matériaux achetés. Pourquoi donc avait-elle une telle foi en la méthode statistique au niveau des ateliers ? Réponse : elle n'imaginait pas que l'on puisse faire autrement. La qualité, c'était pour les autres, pas pour elle.

Une énorme banque de Chicago traverse une passe difficile ; mais ses ennuis auraient été les mêmes si chaque calcul et chaque relevé avaient été exempts d'erreurs. Une épicerie fait faillite parce que son gérant n'est pas capable de s'adapter aux besoins de la clientèle ; mais il n'y a pas eu d'erreurs sur les caisses enregistreuses ou dans les stocks. Il ne suffit pas d'améliorer chaque processus. Il faut aussi améliorer les produits et les services ; c'est la responsabilité de la direction générale.

Les faux départs. Les faux départs donnent certaines satisfactions, mais conduisent en définitive à des frustrations, des blocages et des pertes de temps. De nombreux faux départs proviennent de l'hypothèse que les choses progresseront quand on aura enseigné les méthodes statistiques à un nombre suffisant de personnes en production. Nous avons largement démontré la fausseté de cette hypothèse.

Il est fondamental de savoir distinguer entre les causes spéciales et les causes communes de variation. Il faut absolument comprendre la nécessité de réduire les variations imputables aux causes communes. C'est le rôle de la direction générale ; nous avons la preuve qu'une société dont la direction générale refuse sa responsabilité en matière de qualité et qui dépend entièrement de méthodes statistiques dans les ateliers rejettera violemment au bout de trois ans ces méthodes et ceux qui les utilisent.

Un ami, un consultant bien plus capable que moi, a passé six semaines au cours de l'été 1983 dans l'une des sociétés américaines les plus connues. Voici ce qu'il a constaté :

1. A chaque fin de trimestre, l'usine effectuait un maximum de livraisons et payait un minimum de factures aux fournisseurs.

2. Une centaine de graphiques de contrôle étaient en service, mais cinq seulement étaient utilisés correctement.

3. L'évaluation des performances était poussée à l'extrême : toutes les équipes étaient notées suivant un barème ABCDE.

4. Cinq niveaux hiérarchiques au dessus du directeur d'usine. Le fait que le directeur d'usine ne pouvait obtenir aucune action de ses supérieurs n'a rien d'étonnant.

5. A son arrivée, un nouveau directeur d'usine ordonna à tous les cadres de porter une cravate. Il provoqua une mutinerie (les gens ne comprenaient pas la relation entre la cravate et la performance).

Un autre type de faux départ est celui des cercles de qualité. L'idée est séduisante, car un ouvrier peut nous apprendre beaucoup de choses sur ce qui ne va pas et nous proposer des améliorations. Alors pourquoi ne pas utiliser cette source d'information ? Mais l'efficacité des cercles de qualité dans la plupart des sociétés américaines est nulle. La raison en est, je le crains, que de nombreux dirigeants qui s'intéressent aux cercles de qualité souffrent de paresse intellectuelle.

Un cercle de qualité ne peut réussir que si l'encadrement agit suivant ses recommandations. Les experts dont le travail consiste à lancer et à suivre des cercles de qualité prennent soin de travailler d'abord avec l'encadrement.

Extrait d'une conférence du Dr. Akira Ishikawa au Newark Museum, le 16 novembre 1983.

Aux Etats-Unis, un cercle QC est organisé comme une équipe normale, alors qu'au Japon c'est un groupe d'ouvriers formé en dehors de toute structure. Au Japon, c'est un cadre de la production qui conseille les cercles. Aux Etats-Unis, ce sont des faciliteurs spécialisés venus de l'extérieur.

La seconde différence tient au mode de sélection des thèmes de réunion et à la conduite des réunions. Aux Etats-Unis, la sélection d'un thème et les méthodes de travail sont proposées par l'encadrement. Au Japon, tout est à l'initiative des membres du groupe.

La troisième différence concerne les heures de réunion. Aux Etats Unis, les cercles QC se réunissent seulement pendant les heures de travail. Au Japon, c'est aussi bien pendant l'heure du déjeuner et après la sortie des ateliers que pendant les heures normales de travail.

Enfin, aux Etats-Unis, des récompenses sont attribuées individuellement pour les meilleures suggestions. Mais au Japon, les bénéfices sont distribués à tous les employés. Le succès du groupe l'emporte sur celui de l'individu.

Le meilleur endroit pour lancer des cercles de qualité en Amérique est certainement parmi les cadres. Par exemple, les responsables des achats ont besoin de suivre sur les chaines de production les matériaux qu'ils achètent. Il serait intéressant de constituer un cercle de qualité associant les achats, la production, le bureau d'études et le commercial. De nombreuses sociétés ont déjà un cercle de qualité d'ingénieurs et cadres sans le nommer ainsi. De même, des cercles de qualité composés de contremaîtres sont excellents. Il suffit d'un petit encouragement pour qu'ils se constituent. Voici une lettre que j'ai reçue de mon ami le Dr. Noriaki Kano, professeur à l'Ecole Supérieure des Télécommunications, à Tokyo :

Au cours de mes séminaires, on m'a posé de nombreuses questions au sujet des cercles QC. J'ai appris par ailleurs que de nombreuses usines dans le monde lancent des cercles QC. Beaucoup de directeurs et de cadres se font de sérieuses illusions en pensant que la création de cercles QC va résoudre des problèmes importants dans leur usine, sans qu'ils commencent eux-mêmes par améliorer la qualité du management. L'ensemble des cercles QC est certainement une force considérable pour résoudre des problèmes de qualité et de productivité au niveau des opérations, mais il faut bien comprendre que ce n'est pas une panacée. Les défauts ne sont pas causés seulement par les erreurs des ouvriers, mais aussi et plus souvent par une mauvaise conception des produits, de mauvaises spécifications, une mauvaise formation professionnelle, une mauvaise maintenance des machines, etc. Il y a des problèmes de management que les cercles QC ne peuvent pas résoudre.

Nous installons la gestion de la qualité. Non. Vous pouvez installer un nouveau bureau, une nouvelle carpette ou un nouveau doyen, mais vous ne pouvez pas installer la gestion de la qualité. Ceux qui proposent d'installer la gestion de la qualité ne connaissent pas beaucoup, malheureusement, la gestion de la qualité. Pour réussir à améliorer la qualité dans une société, il faut un processus d'apprentissage de plusieurs années. C'est le directeur général lui-même qui conduit l'entreprise dans ce sens.

L'ordinateur sans maître. Un ordinateur peut être une bénédiction, mais aussi une malédiction. Nombreux sont ceux qui font un bon usage de l'informatique, mais nombreux aussi ceux qui en font un mauvais usage.

Très peu de gens ont conscience de ses effets pervers. Souvent, dans mes consultations, lorsque je demande des résultats d'inspection pour savoir si le processus est sous contrôle, s'il est hors contrôle, quand il a échappé au contrôle, pourquoi, pour savoir quelles sont les différences entre les inspecteurs, entre les ouvriers, entre les ouvriers et les inspecteurs, pour tâcher de connaître les sources de défauts et d'améliorer l'efficacité, on me répond : "les données sont dans l'ordinateur". Et elles y restent.

Les gens sont intimidés par l'ordinateur. Ils sont incapables de lui dire quelles sont les données et les graphiques dont ils ont besoin. Alors ils prennent tout ce que débite l'ordinateur, c'est à dire des montagnes de chiffres. D'ailleurs, les publicités pour l'informatique utilisent souvent l'argument suivant : "sur une simple instruction, vous obtiendrez les ventes de la veille".

Sur le plan technique, l'informatique est évidemment un immense progrès. Mais sur celui du management, c'est peut-être un nouveau piège. Un simple chiffre (par exemple celui des ventes de la veille) représente très peu d'information. C'est une invitation à faire un contresens. Les chiffres varient de jour en jour, et le management n'a besoin que d'une chose : connaître la nature et la cause de la variation. Les résultats d'une journée de production représentés sur un graphique peuvent indiquer l'existence d'une cause spéciale de variation et conduire à une étude le cas échéant.

L'idée qu'il suffit d'être conforme aux spécifications. Les spécifications ne peuvent pas tout expliquer. Un fournisseur a besoin de savoir quel sera l'usage d'un matériau. Par exemple, pour faire le panneau intérieur d'une portière d'automobile, Il faut une feuille d'acier. Il ne suffit pas de spécifier la composition et l'épaisseur de cette feuille, car le panneau subira un nombre considérable d'opérations de découpe et d'emboutissage. Si le fournisseur connait exactement ces opérations, il pourra fournir le matériau qui convient. Mais si la seule information qu'on lui donne est une norme d'acier plat, le matériau qu'il fournira risque de poser des problèmes au moment de la fabrication du panneau.

Le même problème se rencontre dans la préparation d'un logiciel. A la fin de la programmation, un programmeur apprend que son programme ne convient pas à l'utilisateur. Il était pourtant conforme à la spécification. Celle-ci était insuffisante et le programmeur ne connaissait pas l'usage qui serait fait de son programme.

Un directeur de production m'a dit un jour que la moitié de ses problèmes venaient de matériaux qui étaient conformes aux spécifications.

Le problème n'est pas seulement de trouver de bons fournisseurs pour de bonnes pièces. Deux fournisseurs peuvent avoir tous deux la même possibilité de vous donner satisfaction et réaliser de superbes produits.

Il n'en demeure pas moins que des culasses de moteur fabriquées aux Etats-Unis ne sont pas tout à fait interchangeables avec des culasses de moteur fabriquées en Italie.

Tous deux sont d'excellents produits mais il faut cinq heures de règlage pour passer de l'un à l'autre.

La fabrication d'appareils complexes, tels qu'une liaison téléphonique par fibre optique, pose un problème encore plus sérieux. Il faut non seulement un bon câble, mais aussi des amplificateurs, des circuits d'équilibrage, des filtres, des modulateurs et toute sorte d'autres équipements. Il ne s'agit pas de briques et de mortier qui seront assemblés par un ouvrier qualifié. Ces pièces ont été développées simultanément et subissent des modifications de proche en proche suivant les besoins.

Tous ceux qui ont acheté un système informatique à partir de plusieurs sources peuvent en témoigner ; les problèmes viennent presque toujours de l'adaptation à l'unité centrale d'un élément fait par quelqu'un d'autre.

Mon ami Robert Piketty, de Paris, explique cette situation de la manière suivante : écoutez la cinquième symphonie de Beethoven jouée par le Royal Philharmonic de Londres. Maintenant, écoutez-la jouée par un orchestre d'amateurs. Bien sûr, vous aimez les deux interprétations, car vous appréciez aussi bien le talent des amateurs que celui des professionnels. Mais il n'y a pas à s'y tromper. Et pourtant, ils respectent tous deux les spécifications.

Le propriétaire d'une automobile, qui est le dernier client de la chaîne, ne s'intéresse pas aux spécifications des huit cents pièces détachées de la transmission. Il veut seulement qu'elle marche et qu'elle soit silencieuse.

L'illusion du zéro défaut. Une caractéristique mesurée est-elle conforme lorsqu'elle se trouve entre des limites spécifiées ? Il y a évidemment quelque chose de faux dans cette affirmation. Le concept de conformité ne correspond pas simplement à l'idée que tout ce qui est à l'intérieur des limites est bon et que tout ce qui est à l'extérieur est mauvais.

Une meilleure définition du mot "conformité" est donnée par Taguchi avec le concept de *fonction de perte* . La perte est minimum pour la valeur nominale et croit progressivement quand la valeur mesurée s'en écarte.

Il ne suffit pas d'avoir des clients satisfaits. Les clients mécontents passent à la concurrence, mais un client content peut aussi passer à la concurrence s'il pense qu'il n'a rien à y perdre et tout à y gagner. Dans les affaires, les bénéfices sont le fait des clients fidèles qui vantent vos produits, vos services, et reviennent avec leurs amis. En comptant tous les coûts, nous pouvons constater que le bénéfice réalisé avec un client qui vient de son propre gré est dix fois supérieur au bénéfice réalisé avec celui qui répond à une publicité ou à un démarchage.

Les gadgets et les servomécanismes de toute sorte qui prétendent garantir le zéro défaut détruisent l'avantage d'une distribution normale et étroite. Tout en maintenant les caractéristiques entre les tolérances, ils augmentent les coûts dus à la dispersion. Ils sont des illustrations des règles 2, 3, 4, qui créent des problèmes, dans l'expérience de l'entonnoir. Il vaut mieux les mettre hors service.

Essais médiocres de prototypes. Les ingénieurs ont pour habitude d'assembler un prototype avec des pièces détachées dont les caractéristiques sont très proches des valeurs nominales ou des valeurs souhaitées. Dans ces conditions, les essais réussissent généralement ; le problème est que les caractéristiques vont varier en production. Dans le cas le plus favorable, elles seront distribuées normalement autour de la valeur nominale. En pratique, on ne peut pas prédire la distribution des pièces détachées car on est encore loin d'un état de contrôle statistique. Dans une grande série, il se peut qu'il n'y ait pas plus d'une pièce sur cent mille qui soit identique au prototype.

Les services techniques doivent se poser les questions suivantes à propos des essais :

1. A quoi les résultats serviront-ils ?

2. Seront-ils appliqués à l'essai du lendemain ou à la production future ?

3. Dans quelles conditions donneront-ils une prévision de l'essai du lendemain ou de la production future ?

4. Vont-ils augmenter notre niveau de confiance dans les prévisions utilisées pour le planning ?

5. Comment nous aideront-ils à faire des changements ?

6. Quel est le sens pratique du verbe "apprendre" lorsqu'on étudie un processus afin de l'améliorer ?

Les méthodes de Monte Carlo peuvent être utiles pour faire des essais, en particulier dans le cadre de la C A O. Les dimensions et les contraintes peuvent alors varier dans des limites raisonnables ou non. Dans l'essai d'un matériel d'informatique, ces méthodes sont très utiles également, bien qu'elles réduisent considérablement le nombre de combinaisons qui s'écartent des valeurs nominales.

La science génétique a été retardée de plusieurs années, faute de savoir interpréter les variations dans les essais. Par exemple, les chiffres sur les pois géants et nains variaient fortement autour de la moyenne trouvée dans la nature. Cette variation posait un problème à tous les savants, parmi lesquels le moine Gregor Mendel, qui a été le premier à découvrir le gène simple dominant.

Si quelqu'un vient nous aider, il faut qu'il connaisse tout sur notre activité. Cette idée est, à l'évidence, totalement fausse. A tous les niveaux de l'entreprise, les gens compétents et qui font de leur mieux savent tout ce qu'il faut savoir sur leur travail. Ce qu'ils ne savent pas, c'est comment l'améliorer. Or une aide pour l'amélioration systématique ne peut provenir que d'une autre sorte de connaissance qui ne se trouve pas nécessairement dans la société. Il faut combiner cette connaissance avec celle que le personnel de la société possède déjà mais n'utilise pas.

Vu et entendu

1. Nous avons un jour refusé et renvoyé au fournisseur une livraison de matières premières. Il nous les a expédiées de nouveau, et cette fois notre service d'inspection a accepté le lot. Le fournisseur n'a pas mis longtemps à comprendre ce qu'il fallait faire. En fait, les deux routiers se croisent sur la route et s'arrêtent pour prendre un café. L'un part avec un lot qui vient d'être refusé, l'autre revient avec un lot refusé pour voir s'il sera accepté la deuxième fois.

2. Il y a onze cents pièces détachées sur chaque circuit imprimé. Suivant le cahier des charges de l'Administration, chaque pièce doit être vérifiée par quatre personnes différentes, qui signent chacune un imprimé. Ceci représente quatre mille quatre cents signatures pour un circuit imprimé. Nous avons plus d'ennuis avec les signatures qu'avec les circuits imprimés. Par exemple, si quelqu'un a oublié de signer, il faut aller le chercher pour qu'il vérifie la pièce et signe l'imprimé.

3. Une société a expédié une machine chez un client. Le vendeur qui l'a examinée sur place avant de la mettre en service a observé une fuite de liquide abrasif. Mais il ne veut pas dire au client qu'il y a un défaut, alors il téléphone aussitôt au service après-vente pour que l'on vienne faire la réparation nécessaire. Le chef du service après-vente lui dit qu'il savait qu'il y aurait une fuite, mais qu'il n'y peut rien parce que les ingénieurs du bureau d'étude ne lui ont pas fait confiance quand il le leur a dit. Les ingénieurs, ensuite, ont compris. Mais cette affaire a entraîné un retard de cinq semaines chez le client. Elle a coûté au fournisseur 60 000 francs d'indemnités.

4. *Un ouvrier* (qui conduit quatre tours simultanément) : Avant d'avoir les graphiques de contrôle, je ne savais pas ce que je faisais. Ce n'est qu'après que je comprenais, mais il était trop tard. Notre production avait dix pour cent de produits défectueux. Maintenant, je vois ce que je fais avant qu'il soit trop tard. Nous travaillons en trois équipes et nous utilisons tous les trois les mêmes graphiques. Nous n'avons pas besoin de faire des règlages en arrivant au travail parce que nous voyons où nous en sommes. Maintenant, nous ne faisons plus de pièces défectueuses. Je suis content.

5. Une agence de logement met en chantier cent unités d'habitation à coût modéré. Le gouvernement engage trois inspecteurs pour faire un rapport à la fin des travaux. L'hiver arrive et les locataires reçoivent des factures de chauffage de l'ordre de 2 000 francs par mois, hors de proportion avec leur niveau de vie. Le prix du chauffage était élevé parce que les maisons n'avaient pas d'isolation thermique dans les combles. Les trois inspecteurs étaient conscients de la faute commise par le promoteur, à savoir un manque d'isolation dans les combles, mais chacun décida de son côté de ne pas mentionner cette faute, tant chacun était sûr que les deux autres inspecteurs ne la remarqueraient pas ; et aucun d'eux ne souhaitait discréditer ses collègues.

6. (Entendu chez un fabricant d'appareils électroniques sophistiqués, en réponse à un client qui voulait parler des problèmes rencontrés avec le produit en question, et de la possibilité de travailler en coopération pour une meilleure qualité en utilisant des graphiques de contrôle et en améliorant les processus.) Ici, nous n'avons pas besoin de graphiques de contrôle et de plans d'expériences. Nous avons des ordinateurs qui prennent en charge tous nos problèmes de qualité.

Le management américain n'a pas compris la question. La question, c'est le management lui-même.

Résumé d'un article du Dr. Yoshi Tsurumi dans The dial, septembre 1981.

Les dirigeants américains sont particulièrement impressionnés quand ils visitent des entreprises japonaises. Au Japon, des centaines d'entreprises ont expérimenté des cercles de contrôle de la qualité au cours des dernières années. Pourtant, les sociétés japonaises qui pratiquent intensivement les cercles de contrôle de la qualité ne sont qu'un petit nombre parmi les cinquante plus grandes sociétés japonaises. Les dirigeants japonais savent, pour la plupart, que la mise en place de ces cercles n'est pas la première mais la dernière étape du développement d'une nouvelle culture d'entreprise, fondée sur un engagement total de la société sur la qualité et la productivité.

En Amérique, aucun concept n'a été aussi incompris, parmi les dirigeants, les universitaires et les ouvriers, que la productivité. Pour les ouvriers, tout appel à la productivité va de pair avec une menace de licenciement. Les managers pensent de leur côté que la productivité est un compromis économique entre l'efficacité et la qualité des produits. Enfin les cours de management des *business schools* sont souvent réduits à des récréations mathématiques sur le contrôle des stocks et des flux de production dans lesquelles l'analyse financière est présentée comme un outil extrêmement efficace. Dans les ateliers comme dans les bureaux de la direction générale, le verbiage sociologique a remplacé la compréhension profonde du comportement humain.

Les tentatives faites par les managers américains pour aborder l'aspect humain du travail sont souvent restées superficielles. ils ont proposé des solutions destinées à la fois à calmer les émotions et à stimuler une production languissante. Maintenant, les ouvriers accueillent ces passades du management avec scepticisme ; ils en ont vu passer d'autres. La musique d'ambiance, les boites à idées et les conseillers psychologiques ont été essayés puis abandonnés. Les ouvriers disent que ce ne sont rien que des efforts naïfs pour les faire travailler plus. Les cercles de contrôle de la qualité sont-ils différents ? Ils posent spécialement cette question après qu'une grande entreprise d'électronique qui s'était engagée à fond sur cette idée ait licencié brutalement un certain nombre d'ouvriers afin de réaliser le bénéfice prévu à son budget.

Au Japon, quand une société doit faire face subitement à un grave problème économique tel qu'une chute de 25 % des ventes, les priorités sont clairement établies. D'abord, les dividendes sont réduits. C'est ensuite le tour des salaires et des primes de la direction générale. Ensuite, les salaires des cadres sont réduits à partir de ceux des cadres supérieurs jusqu'à ceux des cadres moyens. Enfin, la base est consultée et choisit entre une réduction générale des salaires et des départs volontaires. Aux Etats-Unis, quand une société se trouve dans la même situation, l'ordre de priorité est probablement l'inverse.

Les cercles de contrôle de la qualité ne pourront jamais remplacer la responsabilité fondamentale du management dans la redéfinition de son rôle et la reconstruction de la culture de l'entreprise. Tant que les dirigeants d'une société s'attribueront les mérites de sa réussite et blâmeront aussi promptement les ouvriers pour ses échecs, les industries de production et de service ne pourront pas espérer trouver, en Amérique, un remède assuré contre la faible productivité.

Les très grandes firmes japonaises traitent leurs ressources humaines comme un potentiel qu'il faut entretenir. C'est l'ensemble de la société qui est responsable du recrutement, de la formation et de la promotion de ses employés et de ses cadres. Le directeur général lui-même ne brandit jamais la menace, même voilée, de renvoyer un subordonné. Au contraire, les dirigeants aident les employés à atteindre les objectifs de l'entreprise, à trouver leur satisfaction dans le travail et à développer leurs capacités professionnelles.

Un directeur japonais installé aux Etats-Unis, qui a transformé en moins de trois mois une usine improductive en une affaire rentable, m'a dit : "C'est simple ; si vous traitez les ouvriers américains comme des êtres humains avec les valeurs et les besoins qui sont normaux chez tout être humain, ils réagissent en êtres humains." Quand les rapports superficiels et conflictuels entre les dirigeants et les ouvriers sont éliminés, il agissent le plus souvent dans le même sens dans les circonstances difficiles. Ils défendent leur intérêt commun qui est la santé de l'entreprise.

Sans une révolution culturelle du management, les cercles de contrôle de la qualité ne pourront pas produire les effets souhaités en Amérique. Personne, bien sûr, ne peut affirmer que la sécurité d'emploi suffit à obtenir une bonne productivité et une bonne qualité, mais en revanche si les dirigeants ne s'engagent pas personnellement à assurer le bienêtre de leurs employés, ils ne parviendront pas à les intéresser à la productivité de l'entreprise et à la qualité des produits. C'est pourquoi, avec la sécurité de l'emploi, la mission des directeurs généraux devient beaucoup plus difficile et stimulante.

Pour la première fois de leur histoire, les Etats-Unis sont confrontés au problème de réaliser la croissance économique alors que les capitaux, les matières premières, les sources d'énergie, les compétences professionnelles et les ouvertures commerciales se font de plus en plus rares. Les relations entre le monde des affaires et le gouvernement sont tendues. Les relations entre les dirigeants et les employés sont hostiles. Décidément, il ne sera pas facile à l'Amérique de s'initier au secret du Japon.

Chapitre 5

Quand ?
Combien de temps ?

Qui lève des pierres se blesse avec ; qui fend du bois peut se faire mal.

L'Ecclesiaste 10:9

Les rattraper ? Les gens se demandent combien de temps il faudra aux américains pour rattraper les japonais. Cette question, sincère, dénote un sentiment de désarroi mais surtout une grande ignorance. Comment peut-on supposer que les japonais vont en rester là et attendre que quelqu'un les rattrape ? Et comment rattraper quelqu'un dont la vitesse augmente sans cesse ? Nous savons qu'il ne suffit pas d'affronter la concurrence, car celui qui veut seulement affronter la concurrence est déjà battu. Nous devons et nous pouvons faire mieux, mais il nous faudra plusieurs dizaines d'années.

Récapitulons quelques problèmes. Nous vivons dans une société consacrée aux dividendes, à l'organisation, à la décision, aux ordres donnés de haut en bas, aux affrontements (chaque idée mise en avant ne peut que gagner ou perdre), et à une guerre sans merci pour détruire un concurrent, qu'il soit national ou étranger. On ne fait aucun prisonnier. Il faut qu'il y ait des vainqueurs et des vaincus. Ce n'est certainement pas le chemin qui mène à une meilleure vie matérielle.

Nous vivons à une époque où tout le monde espère voir augmenter sans fin son niveau de vie. Parfois un peu d'arithmétique aide à clarifier les idées. D'où provient l'afflux toujours plus grand de produits du monde entier qui fait augmenter sans cesse l'approvisionnement de denrées alimentaires, de vêtements, de logements, de transports et d'autres services ? Il est difficile de comprendre comment un développement économique important pourra se réaliser aux Etats-

Unis tant que nos produits ne deviendront pas compétitifs sur notre sol et dans le reste du monde.

Comment peut-il acheter des produits aux autres, celui qui n'est pas capable de leur vendre ses propres produits ? La seule réponse possible, c'est une meilleure conception, une meilleure qualité, une meilleure productivité.

Seul un meilleur management peut apporter l'amélioration nécessaire. La grande question est de savoir combien de temps il faudra pour que le management assume enfin ses responsabilités, et pour que cette nouvelle attitude porte ses fruits. L'industrie américaine ne doit pas se préparer à une restauration, mais à une transformation. La solution au jour le jour des problèmes et l'installation de gadgets ne mettront pas fin à nos difficultés.

Le gros problème du management est certainement la difficulté de faire quelque changement que ce soit. En fait, c'est une véritable paralysie.

Les capitaines d'industrie ont actuellement des revenus et des privilèges étroitement liés aux dividendes trimestriels. C'est pourquoi ils se rendent bien compte qu'en agissant dans l'intérêt de la société ils agissent contre leur propre intérêt. Un pas décisif sera franchi dans une société américaine le jour où le conseil d'administration affirmera son intérêt pour les projets à long terme de la société. Pour aider les administrateurs à suivre cette résolution, il serait nécessaire de voter des lois interdisant les offres publiques d'achat et les opérations boursières en sous-main.

Les retards de la transformation. Combien de temps faudra t-il au management américain pour enlever de sa route les énormes obstacles qui l'empêchent de restaurer son leadership ? Les chapitres 3 et 4 ont passé en revue des maladies mortelles et une multitude d'autre maux. Ils sont tous provoqués par le management américain. Seul le management américain peut les extirper.

D'autres freins de la compétitivité sont invoqués. Qu'ils soient vrais ou faux, ils détournent opportunément l'attention du public loin des responsabilités du management dans cette situation. Ce sont par exemple les distorsions des taux de change, les barrières non-tarifaires dans les échanges commerciaux, l'ingérence des gouvernements. Tous ces obstacles que l'on met en avant sont de peu de poids en réalité, comparés aux obstacles que le management américain a élevés sur sa propre route.

Par exemple, la direction générale d'une société est-elle capable d'adopter comme principale raison d'être de la société la résolution de maintenir le cap de sa mission concernant les produits et les services futurs, et de rester en place tout le temps qu'il faudra pour s'engager dans cette voie ?

Comme nous l'avons expliqué dans les pages précédentes, pour rester présent sur le marché, pour créer des emplois, il est vital de maintenir fermement le cap de la mission. Il faut planifier dès maintenant les produits et les services qui auront un marché dans l'avenir. Toutefois, il n'est pas facile d'adopter une telle politique. Celui qui s'engage dans cette voie risque d'être révoqué, licencié, pour avoir utilisé les fonds de la société de façon non orthodoxe, au détriment des dividendes. Un article de *Business Week* le 15 mars 1982 cite le cas paradoxal d'un cadre supérieur qui a été licencié d'une société alors qu'il avait été embauché pour diriger la planification à long-terme. La seule raison était que les dividendes du quatrième trimestre de 1981 avaient fléchi.

Les directeurs généraux ont réussi à faire croire aux actionnaires que les dividendes sont une mesure de la performance du management. Certaines écoles de commerce apprennent à leurs étudiants comment on peut augmenter au maximum les profits à court-terme. Il se pourrait bien que les actionnaires soient plus astucieux que les directeurs généraux. C'est à dire qu'il se pourrait bien que les actionnaires et notamment les responsables des fonds communs de placement soient plus intéressés par la croissance interne et la préparation des dividendes futurs que par les dividendes présents. Quand les dirigeants de l'industrie apprendront-ils qu'ils ont l'obligation morale de protéger l'investissement ?

Combien de temps ? Combien de temps faudra t-il pour modifier cet état d'esprit ? Il a fallu dix ans à une agence de publicité pour modifier le comportement de toute une nation à l'égard d'une marchandise. Une agence de publicité peut-elle modifier l'attitude d'une nation face aux profits rapides ? donner au management de nouvelles perspectives ? lui donner une chance de tenir le cap de sa mission ? Dans ce cas, combien de temps faudra t-il ? dix ans ? vingt ans ?

Combien de temps faudra t-il pour que les économistes apprennent la nouvelle science économique et qu'ils l'enseignent ? dix ans ? vingt ans ?

Que penser des blocages du gouvernement ? Combien de temps faudra t-il pour que certains fonctionnaires fédéraux apprennent que la concurrence des prix ne résout pas les problèmes de qualité et de service ? que la concurrence n'est pas un bon moyen de régulation quand elle détruit le service ? vingt ans ? trente ans ?

Ces fonctionnaires, victimes de décrets obscurs ou périmés, ne sachant pas comment prendre en compte l'intérêt du public, continuent cependant à freiner l'amélioration de la productivité industrielle. Le Bureau Antitrust, qui fait partie du Ministère de la Justice, a déjà saboté notre système de télécommunications et notre système de transport en vertu du dogme que la concurrence des prix est faite pour le plus grand bien de notre cher public. La leçon risque d'être dure.

Il est ridicule et coûteux, par exemple, que des responsables de Ford et de Pontiac ne puissent pas étudier ensemble un projet technique consistant à réduire le nombre d'appareils de mesure utilisés à l'inspection des pare-chocs. Comment l'industrie américaine peut-elle soutenir la concurrence alors qu'elle est victime des règlements administratifs ?

Les banquiers, les investisseurs, les fonctionnaires, vont-ils relever le défi et sauver l'industrie américaine ou continuer d'adorer leurs idoles ?

L'histoire américaine des dernières années est pleine d'exemples de nouvelles dispositions administratives partant de bons sentiments, mais qui se sont avérées beaucoup plus mortelles que les maladies qu'elles étaient supposées guérir.

Mais les problèmes des lois antitrust dépassent largement celui d'un changement d'environnement. Ceux qui appliquent la loi perdent souvent de vue ce qui doit être la question essentielle. Comment rendre l'Amérique plus productive ? Dans la question des lois antitrust, il est nécessaire de mettre encore plus d'intelligence et moins de muscle.

> *Un facteur supplémentaire, bloquant la productivité, est la législation qui fait dépenser des sommes énormes et des milliers d'heures de travail pour se conformer à des programmes de garantie ou de sécurité. Tous ces règlements ont coûté environ 30 milliards de dollars à l'économie américaine en 1976. Pour les banques, ils se traduisent par des tonnes de documents inutiles. Nous avons embauché une armée de juristes pour s'occuper de toute cette paperasserie. (Déclaration du PDG de la Bank of America à Atlanta en janvier 1982.)*

Réfléchissons encore. Même lorsque le management d'une société se lance sérieusement dans l'application des 14 points pour l'amélioration de la qualité, de la productivité et la position compétitive de l'entreprise, les progrès paraissent lents. Par exemple, il faut cinq ans pour que le département des achats apprenne son nouveau métier et le mette en pratique. Il doit changer notamment ses critères de choix et d'évaluation d'un fournisseur. De même, il faut plusieurs années pour que le département de production cesse de dépendre d'une inspection de masse.

Les sociétés qui ont déjà un bon management mettront cinq ans pour éliminer tout ce qui empêche les ouvriers d'être fiers de leur travail. Un grand nombre d'autres mettront dix ans.

Quand ? En examinant les obstacles que nous avons vus, il est bien évident que l'industrie américaine a devant elle une route longue et douloureuse – probablement 10 à 30 ans – avant de retrouver une position compétitive reconnue. Cette position, ainsi que le niveau de vie qui sera le nôtre, nous placeront peut-être au deuxième rang dans le monde, peut-être même au quatrième.

A ce moment-là, les produits qui forment maintenant l'épine dorsale de nos exportations se seront peut-être réduits ou auront peut-être disparu, alors que de nouveaux produits, créés par des sociétés qui ont confiance en leur avenir, envahiront le marché.

La question n'est pas de savoir quand nous redeviendrons compétitifs, mais si nous y arriverons jamais.

Les produits agricoles ont apporté une aide appréciable à notre balance des paiements au cours des dernières années ; sans eux, le déficit serait bien plus grand. La terre et l'eau vont-ils tenir bon ? Sommes-nous en train de devenir une société agraire ?

Il est intéressant de noter que l'activité agricole est devenue de plus en plus efficace au point qu'aujourd'hui, aux Etats-Unis, la production moyenne d'aliments par agriculteur permet de nourrir 78 personnes. Les agriculteurs n'ont jamais laissé passer une seule chance d'adopter immédiatement les méthodes et les produits capables d'améliorer l'efficacité. Nous remarquerons incidemment que l'innovation dans l'agriculture provient en majeure partie de stations agricoles réparties dans le monde entier ; elles utilisent des méthodes statistiques pour optimiser l'efficacité et la fiabilité de leurs essais.

Malheureusement, les agriculteurs ne pensent qu'à la production et comptent sur des tarifs majorés, des quotas et des aides du gouvernement pour les protéger. Si l'agriculture américaine consacrait les mêmes efforts à la recherche de nouvelles applications et au marketing de ses produits dans le monde, plutôt que de laisser le gouvernement s'occuper de les vendre, elle verrait ses revenus augmenter et trouverait de nouveaux débouchés. Si toute aide du gouvernement était supprimée, l'agriculture deviendrait encore plus productive.

La survie des espèces les mieux adaptées. Qui survivra ? Les sociétés qui maintiennent fermement le cap sur la qualité, la productivité et le service, qui travaillent avec intelligence et persévérance, ont une chance de survivre. Elles doivent évidemment offrir des produits et des services qui ont un marché. La loi de la survie des espèces les mieux adaptées, inventée par Charles Darwin, est applicable au domaine de la libre entreprise. C'est une loi cruelle, implacable.

Le problème finira par se résoudre tout seul. Les seuls survivants seront ceux qui maintiennent fermement le cap sur la qualité, la productivité et le service.

Chapitre 6

Questions
pour aider les directeurs

*Je me suis tu, silence et calme. A voir sa
chance, mon tourment s'exaspéra.*

Psaumes 39:3

But de ce chapitre. Ce chapitre comporte des questions simples dont
le but est d'aider les directeurs à mieux comprendre leurs responsabilités.

Les questions

10.
11. Votre société a t-elle mis fermement le cap sur sa mission ?
12. Dans l'affirmative, quelle est la mission ? Dans le cas contraire,
     quels sont les obstacles ?
13. Cette mission est-elle invariable, ou risque t-elle de changer avec
     l'arrivée d'un nouveau président ?
14. Tous les employés de votre société connaissent-ils la raison d'être
     de la mission, si vous en avez formulée une ?
15. Combien d'employés y croient-ils au point qu'elle a une influence
     sur leur travail ?
16. Devant qui votre président est-il responsable ? Devant qui votre
     conseil d'administration est-il responsable ?

20.
21. Que voudriez-vous que votre activité devienne dans cinq ans ?
22. Comment pensez-vous que vous réaliserez ces objectifs ? par quelle
     méthode ?

30.

31. Comment savez-vous, pour une caractéristique donnée, que vous avez un processus ou un système stable ?

32. S'il est stable, qui est le principal responsable des améliorations futures ? Pourquoi est il vain de demander au directeur d'usine, aux chefs d'ateliers, aux contremaîtres et aux ouvriers de faire une meilleure qualité ?

33. S'il n'est pas stable, quelle est la différence ? En quoi vos tentatives d'amélioration seront-elles différentes ?

40.

41. Avez-vous constitué des équipes pour travailler sur chacun des points du chapitre 3 et sur les maladies mortelles et les obstacles du chapitre 4 ?

42. Comment marche l'action concernant le point 14 ?

43. Que faites-vous pour établir un esprit d'équipe entre les achats et la production ?

50. Processus stables dans votre société :

51. L'absentéisme ?

52. Les accidents ?

53. Les incendies ?

54. Si ces processus sont stables, qui est chargé de les améliorer ?

60.

61. Pourquoi la transformation du management est-elle nécessaire à la survie ?

62. Etes-vous en train de constituer une masse critique de gens qui vous aideront à faire les changements ?

63. Pourquoi cette masse critique est-elle nécessaire ?

64. Tous les niveaux d'encadrement de votre société participent-ils à la nouvelle philosophie ?

65. Les cadres de n'importe quel niveau peuvent-ils faire des propositions ? En font-ils ?

70. Si vous dirigez une société de service ;

71. Dans quelle proportion vos employés savent-ils que vous avez un produit, que ce produit est un service ?

72. Chaque employé sait-il qu'il a un client ?

73. Comment définissez-vous la qualité ? Comment la mesurez-vous ?

74. Votre service est il meilleur qu'il y a un an ? Pourquoi ? Comment le savez-vous ?

75. Avez-vous plus d'un fournisseur pour chaque article que vous achetez régulièrement ? Pourquoi ?

76. Si vous n'avez qu'un fournisseur par article, avez-vous avec ces fournisseurs des relations loyales et durables ?

77. L'absentéisme est-il un chiffre stable ?

80. Si vous dirigez une société manufacturière ;
81. Les services que vous rendez à vos clients sont-ils meilleurs qu'il y a deux ans ?
82. Dans quel sens ?
83. Qu'avez-vous fait pour essayer de les améliorer ?

90. Que faites-vous pour créer un esprit d'équipe entre :
91. Les services d'étude et de production ?
92. Les services d'étude et commercial ?
93. Les services d'étude et des achats ?

100. Que faites-vous pour combler le fossé entre les services d'étude et de production ? En d'autres termes, pour améliorer les essais de vos produits et de vos services avant de passer en production ?

110. Quelles actions faites-vous pour améliorer la qualité :
111. Des produits entrant dans la production ?
112. Des outils, des machines, ainsi que des articles n'entrant pas dans la production ?
113. De la communication interne (courrier, téléphone, etc.) ?

120.
121. Votre service des achats s'adresse t-il toujours aux fournisseurs les moins chers ? Pourquoi ? Que vous coûte cette pratique ?
122. Le coût d'utilisation entre t-il en ligne de compte ? Comment ?

130.
131. Quel est votre programme de réduction du nombre des fournisseurs ?
132. Pour quatre articles importants que vous utilisez régulièrement, quel est actuellement pour chacun d'entre eux le nombre de vos fournisseurs ?
133. Quel était ce nombre il y a un an ?
134. Quel était ce nombre il y a deux ans ?
135. Quel était ce nombre il y a trois ans ?
134. Quel programme avez-vous mis en place pour développer des relations loyales, confiantes et durables avec vos fournisseurs (dont les prestataires de services) ?

140. Les cadres de votre entreprise sont ils notés d'après une évaluation annuelle de leurs performances ? Dans l'affirmative, comment allez-vous remplacer ce système ?

150.
151. Connaissez-vous le coût des changements techniques ?
152. Quelle est la cause essentielle de ces changements ?
153. Vos ingénieurs ont-ils le temps de faire correctement leur travail ?
154. Comment vos ingénieurs sont-ils notés ?

155. Le système de notation des ingénieurs vous pose t-il quelques problèmes ? Dans l'affirmative, quel changement prévoyez-vous ?

160. Dans le cadre de la formation permanente du personnel de votre entreprise, chaque employé apprend-il quelles sont les exigences de l'opération suivante ?

170. Quelle est la proportion des ouvriers qui ont la possibilité de comprendre les exigences de l'opération suivante ? Pourquoi tous ne comprennent-ils pas les exigences de l'opération suivante ?

180. Comment pouvez-vous calculer la perte financière qui résulte du fait que les exigences des opérations suivantes ne sont pas toutes comprises par le personnel ?

190. Quel est votre programme pour éliminer les normes d'activité (quotas journaliers de production dans les ateliers) et les remplacer par la connaissance du métier et le leadership ?

200.
201. Pratiquez-vous la direction participative par objectifs ?
202. Dans l'affirmative, savez-vous combien vous coûte ce mode de management ? Comprenez-vous ce qui est faux dans cette pratique ? Comment la remplacerez-vous par un meilleur management ?
203. Avez-vous un management par les chiffres ? (demandez-vous au personnel d'augmenter la productivité ou les ventes dans une proportion déterminée, de réduire les rebuts ou les dépenses inproductives dans une proportion déterminée ?)
204. Montrez qu'un chiffre imposé (par exemple un atelier doit faire X... articles par jour, un vendeur doit prendre X... dollars de commandes par semaine) rend généralement le système instable ; que cette pratique provoque la crainte et la falsification des rapports.

210. Avez-vous entrepris de transformer le commandement en leadership, au moins dans certains secteurs de votre organisation ?

220.
221. Comment choisissez-vous les contremaîtres ?
222. Quelle est leur connaissance du métier ?
223. Savent-ils déterminer par le calcul ceux qui ont besoin d'une aide individuelle (étant en dehors du système) ?
224. Savent-ils déterminer par le calcul ceux dont la performance est exceptionnelle (étant en dehors du système) ?

230. Quels sont vos projets pour :
231. L'élimination du salaire à la pièce ?
232. L'élimination des primes ?

240.

241. La motivation de vos distributeurs augmenterait-elle si vous adressiez chaque mois une lettre de félicitations à ceux qui ont fait un chiffre d'affaires supérieur à la moyenne ?

242. Comment pouvez-vous connaître ceux qu'il faut féliciter ?

243. Comment pouvez-vous connaître ceux qu'il faut aider spécialement ?

244. Que faut-il écrire à ceux qui sont en dessous de la moyenne ?

250. Que prévoyez-vous et que faites-vous pour éliminer les obstacles qui privent les ouvriers de la fierté de leur travail ?

260. Couvrez-vous les murs d'objectifs et d'exhortations ? Dans ce cas, comment prévoyez-vous de les remplacer ? Donnerez-vous des informations sur votre travail de déblaiement des obstacles qui privent les ouvriers de la fierté de leur travail ?

270. Quelles mesures comptez-vous prendre pour réduire la paperasserie ?

280.

281. Quels sont vos plans pour réduire à une le nombre de signatures demandées pour les notes de frais, le règlement des factures, etc. ?

282. Quels sont vos plans pour rembourser rapidement les notes de frais du personnel en déplacement ?

290. Quelles ont été vos pertes financières résultant d'erreurs administratives au cours des dernières années ?

300.

301. Quel est votre programme de développement de nouveaux produits et de nouveaux services pour les années à venir ?

302. Comment prévoyez-vous de tester vos nouveaux projets et vos nouvelles idées ?

310.

311. Que connaissez-vous des problèmes rencontrés par vos clients dans l'utilisation de vos produits ? Quels tests de vos produits en service faites-vous ?

312. Comment vos clients considèrent-ils votre produit par rapport à des produits concurrents ? Quelles données avez-vous à ce sujet ?

313. Pourquoi achètent-ils plutôt vos produits ? Quelles données avez-vous à ce sujet ?

314. Quels sont les problèmes reprochés par vos clients à vos produits ? Quelles données avez-vous à ce sujet ?

315. Quels sont les problèmes reprochés par vos clients aux produits concurrents ? Quelles données avez-vous à ce sujet ?

320. Vos clients d'aujourd'hui seront-ils toujours vos clients dans un an ? dans deux ans ?

330.

331. Vos clients pensent-ils que vos produits répondent à leur attente ? Que font espérer à vos clients votre publicité et les promesses de vos vendeurs ? Plus que vous ne pouvez donner ? Comment le savez-vous ?

332. Vos clients sont-ils satisfaits des services fournis par vous-mêmes ou vos distributeurs ? Qu'est-ce qui leur plait dans ce cas ? La qualité de la prestation ? Le délai entre l'appel et l'arrivé de l'employé ? Comment le savez-vous ?

340.

341. Comment faites-vous la différence entre la qualité telle que votre client la perçoit et la qualité telle que vous-même, votre directeur d'usine et vos ouvriers la perçoivent ?

342. Quel est le rapport entre la qualité de votre produit telle que votre client la perçoit et celle que vous aviez l'intention de lui donner ?

350.

351. Comptez-vous sur les réclamations des clients pour apprendre ce qui ne va pas dans vos produits et vos services ?

352. Comptez-vous sur le coût de la garantie ?

360.

361. Pourquoi tel ou tel client passe t-il à la concurrence ?

362. Où réside votre principale chance de faire des bénéfices ?

363. Que devez-vous faire pour garder un client ?

370.

371. Qui prend la décision d'acheter ou non votre produit ?

372. Quel serait le projet le plus utile pour dans quatre ans ?

380. Sur quoi portent vos inspections et vos vérifications ?

381. Sur les matériaux à l'entrée ?

382. Sur le processus ?

383. Sur le produit fini ?
(Ne répondez à cette question que pour trois produits importants.)

390.

391. Quelle est la fiabilité de vos inspections sur ces trois points ? Comment le savez-vous ?

392. D'après quelles données pouvez-vous dire que vos inspecteurs ont un comportement uniforme ?

393. Est-il fait un bon usage des instruments de mesure ? Avez-vous la preuve du fait que votre système de mesure est en état de contrôle statistique ?

400.

401. Quels sont les points où vous procédez à une inspection ? Si cette inspection n'avait pas lieu, le coût total s'en trouverait-il réduit ?

402. Quels sont les points où vous ne procédez pas à une inspection ? Si cette inspection avait lieu, le coût total s'en trouverait-il réduit ?

410.

411. Comment enregistrez-vous vos résultats d'inspection ? Sont-ils présentés sous la forme de graphiques de contrôle, ou de graphiques de tendance ?

412. Quel autre usage faites-vous des résultats d'inspection ?

413. Si vous n'enregistrez pas ces résultats, avez-vous une raison ?

414. Si vous n'enregistrez pas les résultats en un point, pourquoi ne supprimez-vous pas l'inspection en ce point ?

420.

421. Quelle est la quantité de matériaux impropres à l'usage qui est utilisée en production parce que le directeur d'usine ne peut pas faire autrement ?

422. Quelle est la quantité de matériaux qui est jugée totalement inutilisable par le directeur d'usine ?

423. Quelle est votre méthode pour résoudre ces problèmes ?

430.

431. Comment vous entendez-vous avec vos fournisseurs pour obtenir la preuve de la stabilité de leurs processus et réduire ainsi votre inspection entrante ?

432. Comment coopérez-vous avec vos fournisseurs pour être sûrs de l'équivalence de vos méthodes d'essais ?

440.

441. Que faites-vous pour que la qualité et la productivité soient la mission de chaque membre de votre organisation ?

442. Connaissez-vous la perte financière qui résulte d'un article défectueux ou d'une erreur sur une chaine de production ?

450. Utilisez-vous encore des tables de contrôle statistique de réception ? Pourquoi ?

460. Quelle proportion de vos dépenses est-elle imputable à des défauts provenant d'opérations précédentes ?

470. Quelle proportion des problèmes que vous rencontrez avec la qualité et la productivité est-elle imputable (i) aux ouvriers ? (ii) au système ? (ne répondez que pour quelques produits importants.)

480. Quelle perte financière attribuez-vous à une mauvaise manutention (i) sur la chaine de production ? (ii) en cours d'emballage, de transport, d'installation ? Quelles données avez-vous au sujet de ces problèmes ? Que faites-vous pour les résoudre ?

490. Que faites-vous pour améliorer la formation des nouveaux employés ? Que faites-vous pour donner au personnel concerné une formation sur les nouveaux produits et les nouvelles machines ?

500.
501. Pourquoi chaque effort de mise au point d'un produit ou d'un service est-il seul de son espèce ? (Quand la réalisation a commencé, la modification des plans coûte du temps et de l'argent.)
502. Pourquoi des leçons pour apprendre un métier ou apprendre à jouer d'un instrument sont-elles seules de leur espèce ? (Lorsqu'un élève a reçu un enseignement d'une certaine façon, le résultat ne peut pas être modifié.)

510. Si vous dirigez une fabrication :
511. Vos clients sont-ils plus satisfaits maintenant qu'il y a deux ans ? Pourquoi ?
512. Les matériaux et les machines conviennent-ils ? Combien de fournisseurs avez-vous par article ?
513. Si vous en avez plusieurs, quelle est la raison ? Quelles mesures prenez-vous pour en réduire le nombre ?
514. Améliorez-vous la maintenance des machines ?
515. Améliorez-vous la performance des postes de travail ?
516. Améliorez-vous la stabilité de la main-d'œuvre ?
517. Enregistrez-vous les résultats des opérations répétitives sur des graphiques ?
518. Avez-vous des problèmes stables ? Dans ce cas, qui est responsable de l'amélioration ?

520.
521. Vos collaborateurs qui font de la formation comprennent-ils quand un employé est formé et quand il ne l'est pas ?
522. Savent-ils qu'ils n'ont qu'une chance de réussir ? Qu'un employé ne peut pas être formé à nouveau aux mêmes procédures ?

530. Etes-vous de ceux qui font l'erreur de donner des objectifs numériques au personnel d'atelier ?

540. Si vous avez un statisticien compétent :
541. Utilisez-vous ses compétences au maximum ?
542. Enseigne t-il le mode de pensée statistique aux ingénieurs, cadres, contremaîtres, chefs d'équipe, vendeurs ?
543. L'envoyez-vous à des conférences sur la statistique ?
544. Travaille t-il dans toute la société pour mettre au jour les problèmes, leurs causes et les résultats des actions correctives ?
545. Travaille t-il sur tous vos problèmes de conception, d'achats, de spécifications, d'appareils de mesure ?
546. Est-il libre d'observer tous les problèmes dans la société et de les étudier ? Sinon, pourquoi ?

550.
551. Essayez-vous vraiment de mettre votre activité statistique au service de la société ?

552. Si vous n'avez pas de statisticien compétent, quels efforts faites-vous pour en trouver un ?

560. Encouragez-vous le perfectionnement individuel ? Comment ?

570. Avez-vous un programme de formation au sein de l'entreprise ?

580. Informez-vous vos employés sur les cours donnés à l'extérieur ?

590.
591. Dirigez-vous votre société seulement sur des chiffres visibles ?
592. Dans l'affirmative, pourquoi ?
593. Quelle mesures prenez-vous pour que les cadres supérieurs aient conscience de l'importance des chiffres inconnus et inconnaissables ?

600. Votre société participe-t-elle à des comités de normalisation ?

610. Que fait votre société pour la communauté industrielle et commerciale ?

620. Vous débarrassez-vous des problèmes des gens des ateliers en créant des groupes d'expression ou des cercles de qualité ? Ensuite, les laissez-vous en panne, sans participation de la part du management ?

630.
631. Toutes les activités de la société prennent-elles part à l'amélioration ?
632. Quelles mesures prenez-vous pour découvrir les endroits où il ne se passe rien, et pour les aider ?

640.
641. Comment concevez-vous un système stable ?
642. Avez-vous un problème de qualité ou de productivité qui vous ennuie et qui est stabilisé ? Comment le savez-vous ? Pourquoi les premiers efforts pour le résoudre ont-ils été efficaces ? Ensuite, pourquoi la qualité est-elle devenue stable ?
643. Quand un processus est stabilisé, qui a la possibilité de faire des innovations et des changement pour l'améliorer ?

650. Pour obtenir la qualité, comptez-vous sur des groupes d'expression, des cercles de qualité, des affiches ou des exhortations, plutôt que de faire votre travail de dirigeant ?

660. Parmi les actions que vous faites pour la qualité, quelles sont celles qui, à votre avis, vous amèneront des clients dans quatre ans ?

Chapitre 7

La qualité
et le consommateur

Les problèmes que nous avons rencontrés au début avec ce matériel provenaient d'un mode d'emploi traduit de l'allemand par quelqu'un qui ignorait non seulement l'allemand mais aussi sa propre langue.

Bulletin de l'Association
des Cinéastes de Washington, 1967

But de ce chapitre. Nous allons étudier certaines questions concernant la qualité : d'abord ce que c'est, puis qui la définit, qui s'en charge, qui prend la décision d'acheter votre produit ou non. Nous verrons que la perception de la qualité n'est pas statique, qu'elle varie. De plus, le client n'est pas à même de bien définir les produits et les services qui lui seront utiles dans l'avenir. Le producteur est en bien meilleure position que le client pour imaginer des innovations. Si vous aviez demandé à un automobiliste en 1905 ce dont il avait besoin, aurait-il exprimé le désir d'avoir des pneumatiques sur son véhicule ? Moi-même, à l'époque où je portais une excellente montre de poche avec une chaine, aurais-je été capable de suggérer l'étude d'une petite montre à quartz ?

La qualité a plusieurs faces

1. C'est le management qui décide des spécifications des caractéristiques des pièces détachées, des produits finis, des performances, des services offerts au client. Le directeur de l'usine et tout le personnel de production s'intéressent aux spécifications actuelles ; c'est leur métier.

2. C'est le management qui décide si des produits et des services futurs doivent être mis en chantier.

3. C'est le client qui juge votre produit ou votre service. Pour certaines sortes de produits, il faut plusieurs années pour que le
client puisse porter son jugement. Par exemple, l'acheteur d'une
nouvelle automobile peut vous donner une opinion plus valable
sur sa qualité au bout d'un an qu'au bout de quelques jours.

Au printemps, votre voisin vous montre avec enthousiasme sa
nouvelle tondeuse à gazon. Mais il n'aura une réelle influence sur les
ventes du produit l'année prochaine que si son enthousiasme persiste
jusqu'à la fin de l'été.

Qu'est-ce que la qualité ? La qualité ne peut se définir que dans les
termes de celui qui la fait. Qui est le juge de la qualité ?

Dans l'esprit de l'ouvrier ou de l'employé de bureau, produire de la
bonne qualité, c'est pouvoir être fier de son travail. La mauvaise
qualité, pour lui, signifie de mauvaises affaires et peut-être la perte
de son emploi. Il pense que la bonne qualité amènera de bonnes affaires
à sa société.

Pour le directeur d'usine, la qualité signifie la réalisation de la
production demandée et le respect des spécifications. Sa mission
comporte aussi, qu'il le veuille ou non, l'amélioration continuelle des
processus et l'amélioration continuelle du leadership.

Concernant la publicité, voici une observation judicieuse de mon
ami Irwin Bross dans son livre *Design for Decision :*
> *Le but des études sur les préférences des consommateurs est
> d'ajuster le produit au public, et non pas, comme dans la publici-
> té, d'ajuster le public au produit.*

Le même problème est associé à la définition de la qualité de tous
les produits, ou presque. Celui qui fut mon professeur, Walter A.
Shewhart, le résume ainsi : Pour définir la qualité, la difficulté est de
traduire les besoins futurs de l'utilisateur en caractéristiques
mesurables, afin que le produit puisse être mis au point et donner
satisfaction pour un prix acceptable. Ce n'est pas facile, et dès que l'on
a l'impression d'avoir assez bien réussi, on constate que les besoins du
client ont changé, que de nouveaux concurrents ont fait leur apparition,
qu'il faut travailler avec de nouveaux matériaux, les uns meilleurs, les
autres moins bons, les uns plus chers, les autres moins chers.

Par exemple, que veut-on dire quand on parle de la qualité d'une
chaussure ? Supposons qu'il s'agit d'une chaussure d'homme. Veut-on
dire qu'elle va durer longtemps ? Qu'un coup de chiffon la fera bril-
ler ? Qu'elle sera confortable ? Qu'elle résiste bien à l'humidité ? Que
le prix est intéressant eu égard à ce qui est considéré comme la qualité ? Mais prenons le problème autrement, et supposons qu'il s'agit
d'une chaussure de femme. Quelles caractéristiques sont importantes
pour la cliente ? Quel est le principal défaut ? Un clou dans la
semelle ? Un talon qui casse ? L'apparition de taches ? Quels incidents

font naître un sentiment de mécontentement chez la cliente ? Le sait-on ?

La qualité d'un produit ou d'un service a de nombreuses échelles de référence. Un même produit sera peut-être très apprécié pour une raison et pas du tout pour un autre. Le papier sur lequel je suis en train d'écrire a un certain nombre de caractéristiques :

1. C'est du papier sulfaté, 80 grammes.

2. Il n'est pas brillant. Il prend bien le crayon ; l'encre aussi.

3. L'encre ne traverse pas quand on écrit.

4. Il a la dimension standard. Il rentre dans mon classeur.

5. On en trouve dans toutes les papeteries.

6. Le prix est correct.

Le papier que j'examine répond bien à ces six conditions. J'ai aussi besoin de mettre des en-têtes, mais les en-têtes doivent être sur du papier à base de chiffon. Alors je commande dix rames de papier sulfaté pour faire du brouillon, et je recherche un autre papier à base de chiffon pour imprimer mes en-têtes.

Celui qui met un produit sur le marché aujourd'hui ne doit pas se contenter d'attirer le client pour le lui vendre : il doit aussi faire un produit qui résiste à l'usage. La satisfaction du client qui achète aujourd'hui ne pourra pas être évaluée avant quelque temps, malheureusement trop tard pour le fabricant. Il n'a qu'une chance de réussir le produit. C'est au moment de sa mise au point.

Qu'est ce que la qualité d'un livre ? Pour l'imprimeur, la qualité est déterminée par le style des caractères, la lisibilité, la dimension, le papier, l'absence d'erreurs de typographie. Pour l'auteur et le lecteur, la qualité exige la clarté du message. Pour le lecteur, c'est aussi le style ou la fantaisie. La qualité sera peut-être bonne aux yeux de l'auteur et de l'imprimeur, mais mauvaise aux yeux de l'éditeur et du lecteur.

Qu'est-ce que la qualité de cassettes vidéo pour la formation ? Les clients apprécient-ils les images ou le message ? Pour celui qui prépare des diapositives, pour une conférence, la qualité est une association de couleurs : lettres orange sur fond rouge. Si le texte est illisible, ce n'est pas son affaire. Mais en revanche c'est le seul problème de l'auditoire.

Les escalators et les guichets automatiques du métro de Washington sont une source constante d'irritation. Ils fonctionnaient très bien quand ils ont été inaugurés, mais une fois en service, les problèmes de conception et de maintenance en ont donné une autre image. La direction de l'Administration du Métropolitain de Washington avait donné comme objectif un taux d'immobilisation de 5,7 pour cent. A votre avis, où la direction avait-elle été chercher ce taux ? Pourquoi donc ne pas faire une amélioration continue avec des méthodes adéquates ? Que signifie la qualité pour cette administration ?

La qualité des soins médicaux. Le problème de trouver une définition convenable de la qualité des soins médicaux, malgré sa simplicité
aux yeux du public, est un problème permanent pour les administrateurs et les chercheurs. La qualité des soins médicaux a été définie de
différentes façons, chacune est applicable à un type de problème :

1. Le confort des malades en cours de traitement (mais comment
   mesurer le confort ?)
2. La proportion de personnes en cours de traitement, hommes et
   femmes, par tranches d'âge.
3. (Applicable à un centre de soins pour personnes âgées.) La
   proportion de personnes inscrites qui restent chez elles parce
   qu'elles sont bien soignées.
4. Les équipements (laboratoires, scanners etc.).
5. La santé publique.
6. La durée de vie moyenne des personnes ayant quitté l'hôpital,
   par tranche d'âge.
7. La somme moyenne dépensée par l'hôpital, par patient.

Il est évident que certaines de ces définitions sont ambigües. Par
exemple, si le nombre de patients en cours de traitement est élevé, ce
chiffre peut être le signe d'un bon service médical, qui prend en charge
un grand nombre de personnes. Mais il peut aussi bien indiquer le
contraire. Ce chiffre peut être élevé en raison de mauvaises mesures
concernant la santé publique, ou bien il peut être élevé parce que les
dispensaires de jour ne font pas leur travail.

Le nombre de personnes âgées qui sortent des maisons de repos, s'il
est grand, peut indiquer que les soins qu'ils reçoivent sont excellents.
Les malades ne restent que peu de temps à la maison de repos et
retrouvent vite une santé suffisante pour vivre chez eux. Mais ce
chiffre peut indiquer aussi que la direction de l'établissement a pour
principe de se débarrasser d'un malade quand il arrive à un état
critique et serait un fardeau pour une maison de repos. Les sommes
dépensées par une institution ne donnent presque aucune indication sur
la qualité des soins. Le nombre des équipements disponibles est une
chose, la manière de les utiliser efficacement en est une autre.

J'ai assisté un jour à une conférence internationale sur les soins médicaux. Un médecin mesurait les soins médicaux en termes d'équipements
de test. Un autre les mesurait en termes de formation des médecins et
des infirmières.

Une autre fois, arrivant dans une ville européenne, je rencontrai des
responsables du service national de santé qui avaient un problème.
Leur pays avait un excellent système hospitalier et leurs médecins
avaient fait les meilleures études, mais la population n'utilisait pas
ce système hospitalier. Comme chacun sait, une maladie mal soignée
peut devenir sérieuse, et c'est ce qui arrivait. Ces personnes avaient en
tête de faire une enquête afin de savoir pourquoi les gens n'utilisaient

pas mieux leur système hospitalier. Ainsi, de l'avis des responsables, la qualité des soins médicaux était excellente du point de vue des équipements et de la compétence professionnelle, mais elle était médiocre du point de vue du service rendu.

Voici un autre exemple de la difficulté de définir la qualité des soins médicaux (d'après David Owen dans la revue *Harper's*).

> *Combien de dentistes font du bon travail ? Il est impossible de répondre à cette question pour la bonne raison qu'il n'y a jamais eu la moindre étude approfondie sur la qualité de la profession dentaire. C'est en partie parce qu'ils travaillent plutôt seuls que les dentistes résistent à l'idée de se faire évaluer, ou simplement observer, par d'autres. C'est aussi parce qu'il faut attendre plusieurs années pour découvrir qu'un travail dentaire avait été mal fait. Les patients sont rarement bien placés pour en juger.*

Remarques sur la qualité de l'enseignement. Nous ne parlerons ici que de l'enseignement supérieur. Comment pouvons-nous définir la qualité de l'enseignement ? Qu'est-ce qu'un bon professeur ? La première condition est d'avoir quelque chose à enseigner. Un professeur doit toujours chercher à donner aux étudiants l'envie d'étudier, et les guider dans la bonne voie. Pour cela, il faut qu'il ait une bonne connaissance du sujet. Le concept de connaissance doit être défini en termes clairs pour tout le monde ; je pense que la recherche est une condition indispensable de connaissance pour l'enseignement. La recherche ne consiste pas à tout remettre en cause mais seulement à faire progresser une connaissance ou des principes établis antérieurement. La publication de travaux de recherche dans une revue sérieuse est une mesure bien imprécise de cette connaissance, mais c'est la meilleure que l'on ait trouvé jusqu'à présent.

Dans ma carrière, j'ai vu un professeur tenir cent cinquante étudiants sous son charme. Ce qu'il enseignait était faux, mais ses étudiants le considéraient comme un grand professeur. Au contraire, deux des plus grands professeurs que j'ai connus pendant mes études universitaires n'avaient rien de ce qui fait généralement apprécier un professeur par une classe. Alors pourquoi tant de jeunes gens, dont je faisais partie, venaient-ils du monde entier pour faire des études sous leur conduite ? C'est simplement que ces hommes avaient quelque chose à enseigner. Ils donnaient à leurs étudiants l'envie de poursuivre des recherches. Ils étaient des maîtres à penser. Leurs noms étaient : Sir Ronald Fisher, Professeur de Statistique au University College, et Sir Ernest Brown, Professeur de Théorie Lunaire à l'Université de Yale. Leurs travaux resteront classiques pendant des siècles. Leurs étudiants ont eu l'occasion d'observer ce à quoi ces grands hommes réfléchissaient et de quelle manière ils élargissaient l'horizon de nos connaissances.

Exemple : Un éditeur préparait la nouvelle édition d'un livre de classe très connu (niveau élémentaire). L'un d'entre-nous, auquel on demandait conseil, critiqua la niaiserie des histoires qui étaient proposées. Le rédacteur en chef reconnut qu'il partageait ce point de vue, et que ces histoire n'auraient aucun intérêt pour les jeunes lecteurs. Mais ce ne sont pas les élèves et les maîtres qui choisissent les livres de classe : ce sont les proviseurs et les conseils d'administration des lycées.

Une reconnaissance tardive. William R. Dill, quand il était doyen de l'Ecole de Commerce de l'Université de New York, m'invita vers 1972 à travailler avec lui sur une étude. Nous avons interrogé d'anciens étudiants, diplômés depuis plus de cinq ans, sur leur activité, sur ce qu'ils pensaient être des conditions de succès. L'une des questions était :
Un professeur a t-il influencé votre vie ? Lequel ?

En observant les réponses, nous avons identifié un groupe de six professeurs. Chaque étudiant qui avait eu un cours avec l'un d'entre eux répondait affirmativement. De plus, l'étudiant se souvenait généra-lement du nom. Presque aucun professeur n'était mentionné en dehors de ce groupe de six.

Malheureusement, cette reconnaissance était trop tardive. Aucun effort particulier ne fut entrepris par l'administration de l'école pour retenir ces six personnes - c'est pourtant le type de professeur qui fait la renommée d'une école - et aucune d'elles n'a reçu du bureau des élèves le prix du "Professeur de l'Année".

Le consommateur est la partie la plus importante de la chaine de production. S'il n'y a personne pour acheter le produit, vous n'avez plus qu'à fermer l'usine. Mais de quoi le client a t-il besoin ? Comment pouvez-vous lui être utile ? Personne ne connait toutes les réponses. Heureusement, il n'est pas nécessaire d'avoir toutes les réponses pour faire du bon management.

La nécessité d'étudier les besoins du consommateur et de leur fournir un service avec le produit fut l'une des principales doctrines que j'ai enseignées aux japonais dès 1950.

Le premier principe est qu'une étude de marché a pour but de comprendre les besoins et les désirs du consommateur, et de concevoir ainsi des produits et des services qui amélioreront son mode de vie.

Un second principe est que personne ne peut imaginer la perte commerciale résultant du mécontement d'un consommateur. Le coût du remplacement d'un article défectueux sur la chaine de production est assez facile à estimer. Mais le coût d'un article défectueux qui va chez le consommateur défie toute mesure.

C'est Oliver Beckwith qui remarquait en 1947, au cours d'une réu-nion de l'American Society for Testing and Materials, qu'un consommateur mécontent ne se plaint pas, il change de marque. De même, mon ami Robert W. Peach, de Sears, Robuck & Co disait :

"Les produits reviennent, mais le consommateur ne revient pas."

Qui est le consommateur ? On peut supposer que la personne qui paye la facture est le client, et que la personne qui utilisera le produit est le consommateur. Il faut satisfaire les deux, si possible. Mais il y a de curieuses exceptions. Considérons par exemple le tambour d'une machine de reprographie ; le client est le technicien de maintenance. C'est lui qui décide que le tambour est de bonne qualité. Une rayure sur le côté n'a aucun effet sur la performance du tambour, pourtant dans ce cas le technicien le refusera ; il décidera peut-être de prendre une autre marque. Ni la personne qui paye les factures de la machine et du contrat de maintenance, ni les personnes qui utilisent cette machine, ne prennent part à cette décision.

Qui décide de la qualité d'une étiquette fixée sur un morceau de viande à l'étal d'un boucher ? Ce n'est pas la personne qui achète la viande ; l'étiquette lui importe peu pourvu que le prix soit lisible. Au contraire, le patron de la boutique sait qu'une étiquette imperméable à l'air fait légèrement noircir la viande. L'acheteur ne remarquerait pas une tache plus foncée sur le morceau de viande ; d'ailleurs elle disparaîtrait quelques instants après le déballage.

Ainsi, le fabricant de tambours pour la reprographie doit donner satisfaction aux techniciens de maintenance et le fabricant d'étiquettes pour la viande doit donner satisfaction aux patrons bouchers.

Le fabricant de vos verres de lunettes ne vous a jamais vu. Son client est l'opticien chez qui vous êtes allé avec une ordonnance du médecin. Un éditeur de livres scolaires doit plaire, nous l'avons vu, non pas aux élèves et aux maîtres, mais aux proviseurs et aux conseils d'administration des lycées.

Le triangle d'interaction. Ni la construction d'un produit, ni les essais en laboratoire ne suffisent à décrire sa qualité et à prévoir son comportement. La qualité doit être mesurée par l'interaction entre trois participants, comme le montre la Fig. 18 : (1) le produit lui-même ; (2) l'utilisateur, comment il se sert du produit, comment il l'installe, comment il en prend soin, ce qu'il en attendait ; (3) le mode d'emploi, la formation du client et du personnel de maintenance, le service de réparation, la disponibilité des pièces de rechange. Le point supérieur du triangle ne détermine pas la qualité par lui-même. Je me souviens du vieux poème japonais :

Kane ga naru ka ya
Shumoku ga naru ka
Kane to shumoku no ai ga naru

Est-ce la cloche qui sonne,
Est-ce le marteau qui sonne,
Ou est-ce l'ensemble des deux qui sonne ?

Le produit. Vos propres essais du produit en laboratoire et par simulation. Test du produit en service.

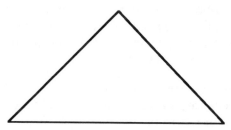

Formation du client. Manuel d'utilisation. Formation des réparateurs. Service. Remplacement des pièces défectueuses. Publicité de garantie. Qu'avez-vous fait espérer au client ? Que lui a fait espérer votre concurrent ?

Le client et la façon dont il utilise le produit. La façon dont il l'installe et l'entretient. Pour de nombreux produits, ce que le client pensera de votre produit dans un an, trois ans, est important.

Fig. 18 : Le triangle de la qualité.

Ce que nous apprend le consommateur. Le principal intérêt d'une étude de marché est le retour des réactions des consommateurs vers la conception des produits, de telle sorte que le management puisse anticiper un changement d'exigences et mettre au point des niveaux de production économiques. Les études de marché prennent le pouls des réactions et des exigences du consommateur, et cherchent des explications.

Une étude de marché est un processus de communication entre le fabricant et les utilisateurs, réels et potentiels, de son produit.

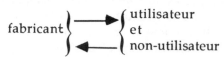

C'est un processus qui peut fonctionner aujourd'hui d'une manière fiable et économique quand on utilise les procédures d'échantillonnage, les procédures d'essai et les procédures statistiques qui conviennent. Grâce à ce système de communication, le fabricant découvre comment son produit se comporte en service, ce que les gens en pensent, pourquoi certains veulent l'acheter, pourquoi d'autres ne le veulent pas, ou ne le veulent plus. Il devient capable de redéfinir son produit, d'en faire un produit mieux adapté aux besoins des utilisateurs et au prix qu'ils sont disposés à payer.

Qualité de service. Une bonne question est : qu'entendez-vous par qualité de service (lavage et nettoyage à sec, banque, poste, station service) ?

Comme nous le verrons au prochain chapitre, certaines caractéristiques de la qualité de service sont aussi faciles à quantifier et à mesurer que les caractéristiques de la qualité des produits manufacturés. Comme avec les produits manufacturés, la satisfaction résulte aussi de forces et d'interactions qui sont difficiles à comprendre.

Pour un service, nous pouvons tracer un triangle de forces et d'interactions qui conduisent à la satisfaction et à l'insatisfaction du consommateur, semblable au triangle de la Fig. 18. Nous étudierons plus en détail ces remarques au chapitre suivant.

Les réclamations arrivent trop tard. Nous avons appris au chapitre 4 qu'il ne suffit pas d'avoir des clients qui sont simplement satisfaits. Les clients qui sont mécontents et certains qui sont simplement satisfaits changent de marque. Les bénéfices proviennent des clients fidèles, ceux qui font l'éloge de votre produit et de votre service.

La qualité est déjà incorporée au produit quand vous recevez une réclamation d'un client. L'étude des réclamations est certainement nécessaire dans l'étude des performances d'un produit ou d'un service, mais elle en donne une image déformée. L'étude des coûts de la garantie présente évidemment les mêmes inconvénients. Ces principes s'appliquent aussi bien aux services qu'aux produits manufacturés.

L'ancienne et la nouvelle manière. Autrefois, avant l'ère industrielle, le tailleur, le charpentier, le cordonnier, le laitier, le forgeron connaissaient leurs clients par leur nom. Ils savaient s'ils étaient contents du produit et du service, ils savaient ce qu'il fallait faire pour améliorer leur satisfaction.

> *Les épiciers étaient très exigeants en ce qui concerne le fromage. Le cheddar était fait et vendu par des centaines de petites fabriques. Les patrons de ces fabriques avaient des clients particuliers, et le fromage était préparé à la main pour répondre aux besoins des épiciers, qui connaissaient avec précision ce que demandaient leurs habitués. Certains l'aimaient plus fort, certains l'aimaient plus jaune. Certains l'aimaient avec des graines d'anis ou de cumin. (Philip Wylie, "La science a gâché mon diner", Atlantic, avril 1954.)*

Avec l'expansion de l'industrie, il est difficile de garder cette touche personnelle. Le grossiste, le revendeur et le détaillant sont entrés dans le nouveau système et ils ont dressé une barrière entre le fabricant et le consommateur. Mais l'échantillonnage, une nouvelle science, passe à travers cette barrière.

Dans l'esprit des producteurs, la production comportait autrefois trois étapes, comme l'indique la Figure 19. Le succès dépendait d'opinions fondées sur des apparences, les hypothèses de vente d'un nouveau modèle. Avec l'ancienne manière, les trois étapes de la Fig. 19 étaient indépendantes.

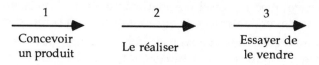

Fig. 19 : L'ancienne manière

Avec la nouvelle manière, le management introduit une quatrième étape (voir Fig. 20). Elle se fait habituellement à l'aide d'études de marché :
1. Concevoir le produit.
2. Réaliser le produit. Le tester en production et en laboratoire.
3. Mettre le produit sur le marché.
4. Tester le produit en service ; découvrir ce qu'en pensent les utilisateurs, et savoir pourquoi les non-utilisateurs ne l'ont pas acheté.

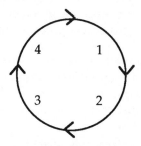

Fig. 20 : La nouvelle manière. Une quatrième étape a été introduite : tester le produit en service.

La continuation des quatre étapes se traduit par une hélice (Fig. 21). Cette hélice représente l'amélioration permanente de la satisfaction des consommateurs à des coûts de plus en plus bas.

Les fabricants ont toujours voulu découvrir les besoins et les réactions des utilisateurs, réels ou potentiels ; mais jusqu'à l'arrivée des méthodes statistiques modernes, ils n'avaient aucun moyen fiable et économique de mener cette étude.

Il ne faudrait pas supposer que les trois premières étapes sont les mêmes dans l'ancienne et dans la nouvelle manière. Considérons par exemple la conception, étape n° 1. Aujourd'hui, une bonne conception ne signifie pas seulement le soin de la couleur, la forme, la dimension, la dureté, la résistance et le fini, mais aussi la recherche d'un degré suffisant d'uniformité. Paradoxalement, avec l'amélioration de la qualité, guidée par les études de marketing, le résultat final n'est pas seulement l'amélioration de la qualité mais aussi la réduction des coûts et l'amélioration de la position compétitive.

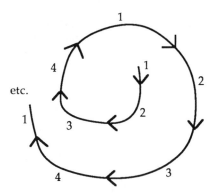

Fig. 21 : La spirale. Continuer le cycle, indéfiniment, en améliorant constamment la qualité, pour des coûts de plus en plus faibles.

La communication entre le fabricant et l'utilisateur, réel ou potentiel, donne au public un moyen de s'exprimer dans la conception d'un produit et la préparation d'un service. Ceci lui donne des produits et des services moins chers et mieux adaptés à ses besoins. La démocratie dans l'industrie en quelque sorte.

Un mot sur les études de marché. Je lance un avertissement. Toute tentative de réduire les coûts en acceptant une conception bâclée ou une réalisation bâclée conduit à une perte économique incalculable. Cette perte découle d'une information fausse ou d'une information dont les erreurs et les limitations n'ont pas été appréciées. Malheureusement, de nombreux cours de marketing ne font pas la distinction entre (a) les études pour découvrir des problèmes tels que des motifs d'insatisfaction ; (b) les études pour évaluer le nombre des utilisateurs, en particulier des ménages, qui ont ces problèmes ; (c) les études pour obtenir des informations conduisant à des prévisions sur les réactions des consommateurs devant un changement de produit, même s'il ne s'agit que de changer la couleur de l'emballage.

Les études de type (a) et (c) sont analytiques ; les études de type (b) sont des dénombrements.

Un nouveau produit et un nouveau service. Un consommateur est rarement capable de dire aujourd'hui quels nouveaux produits, quels nouveaux services, lui seraient utiles et agréables dans trois ans, dans dix ans. Ce n'est pas en interrogeant les consommateurs que l'on parvient à réaliser de nouveaux types de produits et de services, mais par la connaissance, l'imagination, l'innovation, le risque et la persévérance du producteur. Ces efforts doivent être financés par un capital suffisant pour développer le produit et pour rester présent sur le marché pendant les mois ou les années de vaches maigres qui précèdent le lancement.

D'après mon expérience, c'est toujours l'innovation et la connaissance qui conduisent à inventer de nouveaux produits et de nouveaux services.

Chapitre 8

La qualité et la productivité dans les organisations de service

Aucun ministre anglais chargé des Etats-Unis n'a été si populaire. La médiocrité de ses talents était parmi les causes principales de son succès.

Agenda de John Quincy Adams,
à propos du départ de l'Honorable
Sir Charles Bagot, ministre anglais, 1819.

But de ce chapitre. Tout ce que nous avons appris sur les 14 points et les maladies du management s'applique aux organisations de service aussi bien qu'aux industries manufacturières. Dans ce chapitre, nous mettons l'accent sur les organisations de service.

Remarques sur les industries de service

Qui a besoin d'améliorations ? Un système d'amélioration de la qualité est utile à tous ceux qui réalisent un produit, un service ou une étude, et veulent améliorer la qualité de leur travail. Cette amélioration leur permet en même temps d'augmenter le rendement, de dépenser moins d'énergie et de réduire les coûts. Les services ont besoin d'être améliorés tout comme les fabrications. Je suis sûr que tous ceux qui ont séjourné dans des hôtels aux Etats-Unis seront de mon avis. Comme en fabrication, l'inefficacité d'une organisation de service fait augmenter les prix à la consommation et abaisse le niveau de vie. Les principes et les méthodes d'amélioration sont les mêmes pour les services que pour les fabrications. Les applications réelles diffèrent évidemment d'un type de service à un autre, tout comme les problèmes de fabrication diffèrent d'un produit à un autre.

L'importance économique de l'emploi dans le service. Qu'est-ce qu'une organisation de service ? Voici une liste non exhaustive de telles organisations :
- Restaurants
- Hôtels
- Banques
- Hopitaux et cliniques
- Dispensaires pour enfants et personnes âgées
- Poste, services municipaux
- Education nationale, enseignement privé
- Etablissements de vente en gros et au détail
- Transport de marchandises et de passagers
- Compagnies d'assurances
- Expertise comptable
- Imprimerie, presse
- Services en informatique
- Télécommunications
- Promotion immobilière
- Agences immobilières
- Syndics d'immeubles
- Plomberie et électricité
- Peinture en bâtiments
- Blanchisserie, nettoyage à sec
- Sécurité des biens et des personnes
- Distribution d'énergie électrique

Les chiffres publiés par l'institut de statistique des Etats-Unis montrent que 75 % de la population active est employée dans les organisations de service. Si nous ajoutons à ce chiffre les personnes qui sont employées dans les services appartenant à l'industrie manufacturière, nous arrivons au total de 86 %. Il reste 14 % de la population, dont les agriculteurs, pour participer directement à la production des objets que nous consommons, utilisons, maltraitons, cassons, jetons.

Bien que peu de personnes soient engagées dans la production industrielle et dans l'agriculture, ce sont ces personnes qui sont essentiellement responsables de l'équilibre de notre balance des paiements.

Si nous observons les chiffres ci-dessus, étant donné le grand nombre de personnes engagées dans le secteur tertiaire aux Etats-Unis, il est évident que l'amélioration de notre niveau de vie dépend considérablement de la qualité et de la productivité de ce secteur. Si le coût de la vie est élevé, c'est parce que nous payons plus que nécessaire pour ce que nous obtenons.

C'est le phénomène inflationniste par excellence.

La qualité du service. La satisfaction des clients qui ont une opinion à exprimer sur un service ou un article déterminé, quel que soit le critère de jugement, a une distribution très étendue, depuis l'extrême mécontentement jusqu'à la plus grande satisfaction.

Une même personne peut invectiver le petit commerçant qui lui a vendu un citron et ne pas prêter attention à la détérioration du service postal américain depuis plusieurs années.

La plupart des abonnés d'une compagnie téléphonique américaine n'ont pas conscience d'une anomalie quand il y a un fil usé, un combiné fendu ou un cadran de travers. Tant qu'ils peuvent échanger une conversation, ils pensent que l'appareil était en bon état. Mais il y a au contraire des abonnés qui demandent le remplacement du poste dès qu'il a une rayure.

Parmi les clients des sociétés de transport, nombreux sont ceux qui ne s'inquiètent pas du délai d'acheminement des marchandises. Mais au contraire, certains font une réclamation pour une heure de retard.

Certaines caractéristiques de la qualité d'un service sont aussi faciles à quantifier et à mesurer que des caractéristiques de la qualité d'un produit manufacturé. La précision de la documentation, la rapidité du service, la fiabilité du délai, le soin apporté à la manutention et au transport sont des caractéristiques importantes et faciles à mesurer.

La réaction du client à ce qu'il pense être un bon ou un mauvais service est généralement immédiate, alors que sa réaction devant la qualité d'un produit est plus lente. Ce que le client pensera d'un service dans un ou deux ans n'est pas certain aujourd'hui. Le jugement du client à l'égard d'un service peut changer aussi facilement qu'à l'égard d'un produit manufacturé. Ses besoins peuvent changer. Des services comparables peuvent apparaître sur le marché. Les services, comme les produits, peuvent se détériorer et révéler des défauts cachés.

Les problèmes des vendeurs. Les réunions avec des vendeurs montrent que leurs problèmes sont à peu près toujours les mêmes, quel que soit le type de produit ou de service :
– Mauvaise qualité du produit ou du service qu'ils essayent de vendre
– Erreurs de quantité
– Erreurs de commande
– Retards de livraison

Il est difficile pour un vendeur de vendre la qualité qui ne correspond pas aux exigences du client ou au prix annoncé. Les vendeurs promettent des délais impossibles parce que c'est ce que demande le client et c'est ce que promet la concurrence.

Les services qui contribuent à équilibrer notre balance des paiements. Pour pouvoir payer les produits importés, il faut d'abord encourager l'exportation des produits manufacturés, des produits agricoles et des matières premières (charbon, bois, coton). Mais certaines industries de service, bien organisées, pourraient aider à réduire le coût des produits manufacturés et améliorer ainsi la compétitivité des produits américains sur le marché intérieur comme à l'étranger.

Bien sûr, un hôtel ne met pas en vente de nouveaux biens de consommation, mais en améliorant ses services et en abaissant ses coûts il aide les entreprises à réduire leurs dépenses. Il contribue ainsi à améliorer la position compétitive de l'industrie américaine. Dans certains pays, par exemple la Suisse, la Yougoslavie, les hôtels et d'autres installations de loisirs attirent les touristes et font rentrer des monnaies fortes.

L'amélioration de la qualité des transports et la réduction des tarifs qui en résulte pourraient favoriser aussi les produits américains en réduisant leurs coûts de fabrication. Les banques, en mettant l'accent sur les gains à long terme, en prêtant de préférence aux sociétés qui ont adopté les 14 points du chapitre 3, plutôt que de mettre l'accent sur les résultats à court terme, pourraient aider l'industrie américaine comme les banques japonaises ont aidé l'industrie japonaise.

L'enregistrement et la transmission des données, de la parole et de l'image pour un prix modique, avec une qualité qui nous aurait fait rêver il y a quelques années, est un service qui contribue à abaisser les coûts de fabrication et améliorer notre balance des paiements.

Nous pourrions citer bien d'autres exemples de services qui pourraient améliorer notre balance des paiements à long terme : la poste, les messageries, le National Bureau of Standards, les Instituts Nationaux de Santé, etc.

Différences et ressemblances entre un service et une fabrication. Une différence importante vient de ce qu'un ouvrier dans une usine n'a pas seulement une tâche : il est conscient de prendre part à la construction de quelque chose que quelqu'un va voir, sentir et utiliser de différentes façons. Quelle que soit l'importance des problèmes illustrés au Chapitre 3, il a une certaine idée de la nature de sa tâche et de la qualité du produit fini. Il visualise le consommateur final, satisfait ou mécontent des produits de son entreprise. Au contraire, dans de nombreuses organisations de service, les employés n'ont qu'une tâche. Ils n'ont pas conscience de travailler sur un produit, qui est en fait un service. Ils ne savent pas qu'un bon service, qui rend les clients heureux, est source d'activité et crée des emplois, alors qu'un client mécontent risque au contraire d'être une source de perte pour son organisation.

Une autre différence entre les sociétés manufacturières et les sociétés de service tient au fait que la plupart de ces dernières ont un marché captif. Les organisations de service s'affrontent rarement à des firmes étrangères. Notre choix de restaurants, blanchisseries, transports, est restreint.

Une organisation de service ne crée pas de nouveaux matériaux pour le marché mondial. Par exemple, un transporteur routier ne peut transporter que le produit de quelqu'un d'autre. Il ne fabrique pas le produit qu'il transporte. Quand l'industrie est en déclin, son seul moyen de progresser consiste à prendre des marchés à ses concurrents, avec le risque de déclencher une guerre meurtrière. Les transporteurs routiers ont plutôt intérêt à améliorer leur service et à réduire ainsi leurs coûts. Les économies qu'ils feraient faire aux industriels américains aideraient ceux-ci à mieux vendre leurs produits à l'exportation et donneraient, par la suite, plus de travail aux transporteurs routiers.

Dans la plupart des industries de service, nous trouvons :

1. Des contacts directs avec un grand nombre de personnes, particuliers ou représentants d'une entreprise.
2. Un gros volume de transactions, notamment dans le domaine de la vente, de l'assurance, de l'épargne et du prêt.
3. Un grand nombre de transactions pour de petites sommes.
4. Beaucoup de travaux administratifs : devis, factures, chèques, cartes de crédit, comptes clients, réclamations, correspondance commerciale.
5. Beaucoup de traitements de données. Par exemple : transcription, codage, calcul de charges, calcul d'intérêts, construction de tables.
6. Un très grand nombre de possibilités de se tromper.
7. Beaucoup de petits articles font l'objet de nombreuses opérations successives, par exemple dans les services des postes et des télécommunications, les services des achats et les services du personnel.

Un commun dénominateur à la fabrication et aux services est le fait que les erreurs et les défauts sont coûteux. Plus loin se propage une erreur, plus grand est le coût de la correction. Le coût d'un défaut qui va chez le consommateur est le plus élevé, bien que personne ne puisse le chiffrer avec exactitude.

Demandez à un employé d'une compagnie aérienne qui connait ces chiffres combien coûte la recherche et le retour d'une valise égarée. Les principales causes de perte d'un bagage ne sont pas la négligence et l'inattention des employés mais les retards des vols et l'installation des aéroports. Un nouvel aéroport de la côte ouest, qui a coûté des millions de dollars, ne permet pas le transfert de bagages entre les lignes internationales et les lignes intérieures. Ceci coûte très cher aux compagnies aériennes et gêne beaucoup les passagers.

Demandez à quelqu'un qui est au courant combien coûte la réparation d'une erreur de facture ou d'une erreur de livraison par un grand magasin. Les coûts directs sont déjà effrayants, mais les coûts à long terme, causés par le mécontentement des clients, sont peut-être encore plus grands.

De nombreuses sociétés ont pris comme règle de ne pas s'occuper des erreurs de facture d'un montant inférieur à mille francs, car le coût d'une recherche dépasserait ce montant. Si ces erreurs sont nombreuses, une étude pourrait être intéressante.

Quand une banque crédite par erreur une autre banque ou une société, l'erreur sera finalement rectifiée. L'un des coûts, mis en tête des dépenses engagées pour essayer de savoir ce qui s'est passé, est celui des intérêts payés par la banque jusqu'à ce que l'erreur soit réparée.

Une banque qui cause des ennuis à un client en l'informant de façon inexacte que le montant de son compte courant ne suffit pas à couvrir un chèque encourt des dépenses considérables pour rectifier les choses et risque de perdre le client en question.

Il est étonnant de voir le nombre d'erreurs concernant les chèques dans les opérations de comptes courants et le nombre de chèques portés sur le compte de quelqu'un qui n'est pas créditeur, même si le montant total débité est pratiquement exact. Le coût de la réparation de ces erreurs n'est pas mince, et la dépense est encore plus grande pour expliquer comment l'erreur s'est produite.

Participant à un séminaire, un fonctionnaire de la Chancellerie dont le département garantit au nom de l'Etat le transfert des titres de propriété m'a dit que 40 % des actes notariés présentent des erreurs si importantes qu'il faut refaire le document. Ce travail augmente les coûts et les délais des actes notariés.

Dans les organisations de service, comme dans les fabrications, on trouve des procédures mal définies. La plupart de ces organisations ont érigé en postulat que les procédures sont totalement définies et totalement suivies. Ceci parait tellement évident que les bons auteurs évitent d'en parler. Mais les choses se passent autrement. Peu d'organisations ont des procédures mises à jour. Par exemple, une société qui a des spécifications pour fabriquer son produit ne donne pas d'instructions à ses commerciaux pour prendre des commandes. J'ai vu de nombreuses opérations de service fonctionner sans procédures.

Il n'est pas toujours facile de décrire des procédures, notamment celles qui définissent les défauts et les erreurs. Mais il est nécessaire de donner une définition opérationnelle des erreurs aussi bien dans un service que dans une fabrication. Les fonctionnaires qui travaillent au codage doivent suivre plusieurs mois de formation. Mais certaines personnes se trouvent parfois en désaccord sur la manière d'interpréter un code. Ceci peut provenir d'une simple différence de formation entre celui qui fait le code et celui qui le vérifie. Par exemple, deux employés d'une administration chargée de répartir des revenus entre deux sociétés de transport ferroviaire peuvent interpréter un même code différemment, et trouver des résultats différents.

Contact avec le client. Pour un produit manufacturé, pour un appareil ménager comme pour un camion, il n'y a pratiquement que que le vendeur et le réparateur qui voient le client. Ces personnes ne participent pas à la fabrication du produit qu'elles vendent et réparent. Elles sont dans une organisation de service, indépendante ou non du fabricant.

Parmi les nombreux employés d'une banque, il n'y a que la direction et le personnel des guichets qui voient le client ; les autres ne le voient pas. Dans les grands magasins, hôtels, restaurants, compagnies de transport, il n'y a que peu d'employés qui voient le client ; les autres ne le voient pas.

Chacun, qu'il soit ou non au contact du client, a la possibilité d'introduire la qualité dans le produit ou dans le service offert. Le rôle joué par ceux qui voient le client n'est généralement pas apprécié à sa juste valeur par les chefs de service et les directeurs. Beaucoup de clients se forment une opinion sur le produit ou le service uniquement d'après leur contact avec les personnes qui, à leurs yeux, représentent la société ; et c'est le client qui permet à la société de rester présente sur le marché.

L'aptitude à plaire au client doit être, dans un bon système de management, la première priorité pour embaucher et former des employés. J'ai l'impression que beaucoup d'employés qui sont au service du client dans les restaurants, les hôtels, les ascenseurs, les banques et les hôpitaux auraient beaucoup plus de plaisir à travailler s'il n'y avait pas des clients pour venir les interrompre dans leurs conversations. Je pense à ce conducteur de bus de Washington qui, de toute évidence, était un bon conducteur et connaissait bien l'itinéraire. Mais il y avait des gens qui montaient et descendaient. Son métier aurait été tellement plus agréable sans ces fichus clients dont certains allaient jusqu'à lui demander des renseignements.

En fait, le travail serait peut-être plus agréable pour lui s'il comprenait qu'une certaine proportion de ceux qui lui demandent un renseignement est une source de revenus potentiels pour sa société, et qu'en aidant sa société à rester présente sur le marché il conforte son propre emploi. De même dans les hôtels, restaurants, banques, trains, grands magasins et une multitude de services où le marketing est fait par les employés qui voient les clients. Le savent-ils ? La direction de la compagnie de bus explique t-elle à ses conducteurs, au cours de leur formation, qu'ils ne sont pas seulement des conducteurs mais aussi des agents de promotion des ventes ? Sélectionne t-elle ceux qui sont capables de s'adapter à ce rôle ?

Le machiniste d'un ascenseur dans un grand magasin joue un rôle important dans l'opinion formée par le client sur la qualité de tout ce qui se trouve dans le magasin. Les japonais le savent. Une femme qui a la charge d'un ascenseur dans un grand magasin au Japon reçoit une formation de deux mois sur la façon de guider les gens, de répondre à leurs questions, de s'occuper d'eux quand l'ascenseur est plein.

Les transports routiers. Dans le terminal de la compagnie *Roadway Express* à Baltimore, quand un chauffeur descend les escaliers pour aller chercher au bureau son ordre de route, il se voit dans une grande glace surmontée de l'inscription :

VOUS VOYEZ ICI LA SEULE PERSONNE
DE LA COMPAGNIE QUE LE CLIENT VOIT.

Cette inscription n'est pas une exhortation inutile (point 10). Elle fait penser au chauffeur qu'il peut faire perdre des affaires à l'entreprise en se montrant désagréable ou en étant habillé comme un clochard. Elle l'incite à un minimum de courtoisie envers le client. Il ne peut rien faire pour les défauts du système (concernant par exemple les retards de chargement ou les erreurs de manutention) mais il peut aider la compagnie à rester présente sur le marché.

Le directeur d'une compagnie de transport à Winnipeg a adressé un jour un questionnaire à ses 35 chauffeurs dans l'un des terminaux. Il comportait une seule question : "comment expliqueriez-vous notre activité en une phrase ?" Les 35 réponses étaient différentes et aucun chauffeur n'expliquait l'activité telle que la direction la concevait. Voici deux réponses et les commentaires du directeur :

1.*The truck business.*

Ceci pourrait vouloir dire que nous faisons l'achat et la vente de camions, et non du transport routier. Aucune indication des contraintes de notre métier, qui est un service. (ndt : le terme américain utilisé par ce chauffeur désigne aussi bien la fabrication de véhicules poids lourd que le service de transport routier.)

2.*Transport business.*

Ceci pourrait vouloir dire que nous transportons des personnes par voie ferrée, par route, par air, ou que nous vendons des autobus.

Quand il a commencé à regarder les choses de plus près au cours d'une réunion avec les chauffeurs, il leur a d'abord décrit le service comme un processus. Pour qu'un service soit complet, a t-il dit, il faut que chaque secteur d'activité soit complet. Par exemple, si nous expliquons que nous faisons le transport routier des marchandises, nous devons préciser que nous le faisons entre la côte est et la côte ouest du Canada.

La direction a la responsabilité d'aider les employés à comprendre qu'ils jouent un rôle important dans l'activité totale, qui est un service. Ce directeur a travaillé pendant quelques semaines avec ses chauffeurs de la côte ouest du Canada. Il a découvert que les frustrations des chauffeurs concernant différents problèmes disparaissaient au fur et à mesure que le processus s'améliorait. Au contraire, les frustrations restaient si l'on essayait de résoudre les effets sans s'attaquer aux causes.

A Vancouver, le directeur du terminal routier avait l'habitude de voyager chaque jour avec un chauffeur différent. Il téléphona un jour au directeur général avec beaucoup de conviction au sujet d'un chauffeur qui semblait avoir une mauvaise productivité depuis plusieurs mois. En voyageant avec un chauffeur, le directeur avait remarqué que sa radio ne marchait pas bien. Vancouver est une région très vallonnée, et ce chauffeur desservait plusieurs clients dans des vallées où la réception était mauvaise ou même nulle. Il avait appris aussi que le chauffeur s'était plaint plusieurs fois à son terminal de ce que la radio fonctionnait mal, mais sans résultat. Le chauffeur devait souvent faire des détours de plusieurs kilomètres pour sortir de l'ombre des montagnes, à la recherche d'une réception audible, pour parler à son chef d'un problème de ramassage ou de livraison.

Comment augmenter les coûts facturés par les transporteurs routiers. Un transporteur envoie à l'expéditeur une facture pour chaque expédition. Les charges portées sur la facture sont déterminées par des employés d'après la description des marchandises embarquées, du poids, de l'origine et de la destination. Ils consultent la feuille de route et différents documents qui donnent les tarifs.

Les employés font parfois des erreurs, ce qui conduit les expéditeurs à envoyer leurs factures à une société d'audit qui travaille à la commission sur les erreurs par excès qu'elle découvre. Le transporteur est obligé de rembourser son client si l'erreur est confirmée. Dans ce système, le transporteur ne peut que perdre.

Le transporteur pourrait aussi envoyer la copie de ses factures à son propre cabinet d'audit pour découvrir des erreurs par défaut, celui-ci travaillant aussi à la commission. Pour une erreur assez importante, le transporteur enverrait à son client une facture de régularisation. En principe, cela ne se fait pas ; le client est libre de ne pas payer.

Pour un transporteur, le seul moyen d'éviter ces pertes consiste à réduire la fréquence des erreurs de facturation, suivant les principes exposés dans ce livre, jusqu'à ce que l'audit ne présente plus aucun intérêt.

Le client peut vous aider. Une circulaire envoyée en 1984 par une société de Detroit, spécialisée dans le traitement de pièces métalliques, expliquait aux clients de cette société certaines fautes commises et les moyens par lesquels les clients pouvaient l'aider à rendre un meilleur service. Les suggestions contenues dans la lettre étaient faites d'après l'étude de 35 000 lots provenant des clients. La liste suivante est un résumé de celle qui a été envoyée.

Problèmes causés par la société

Mauvais contrôle de température
Mauvaise sélection de température pour le traitement
Commandes en retard, conséquence de commandes en urgence
Surcharges de travail
Pannes de matériel

Problèmes causés par le client

Spécifications de dureté trop étroites, dépassant l'aptitude du processus
Mélange de lots
Mélange de variétés d'acier
Grande variabilité de la teneur en manganèse dans un même lot
Identification de l'acier fausse ou inexistante
Mauvais choix d'acier pour une application donnée
Trop faible teneur en carbone.

Applications administratives chez Ford Motor Company

Les caractéristiques suivantes sont mesurées chez Ford afin d'améliorer la qualité du service (d'après W. W. Scherkenbach, directeur des méthodes statistiques).

Laboratoire central
– Délai d'exécution d'une commande du client
– Erreurs au laboratoire

Etudes moteur et chassis
– Temps mis par les fournisseurs pour signaler un défaut à la société
– Nombre de défauts par mois

Division pièces détachées
– Erreurs dans la rédaction des commandes des revendeurs

Comptabilité
– Délai de paiement des notes de frais

Bureau d'étude
– Délai de réalisation des changements techniques

Direction des fabrications
– Délai d'examen des rapports sur la productivité des usines

Conception assisté par ordinateur
– Variation du temps d'utilisation des disques

Bureau des méthodes
– Nombre d'appels sur terminal qui donnent un message d'occupation

Contrôle de gestion
–Nombre de modifications en traitement de texte
– Heures de travail perdues parce que les réunions commencent en retard
– Erreurs de comptabilité résultant de retards de paiement

Service central des achats
– Temps de transport ferroviaire des usines de pièces détachées aux usines d'assemblage

Division transmission et chassis
– Erreurs dans l'expédition des composants aux usines d'assemblage.

Une anecdote sur le bâtiment. Un chauffeur de poids lourd manœuvrait son camion en marche arrière pour entrer dans une cour où un immeuble était en construction. Où décharger sa cargaison ? c'était pour lui toute la question. Il ne devait pas s'arrêter de rouler. Quand on ne roule pas, on ne gagne pas sa vie. Personne n'avait idée de ce qu'il fallait faire, mais deux hommes ont aidé le conducteur à décharger le camion et ils ont mis la marchandise dans un coin quelconque.

Le lendemain, un chef d'équipe a découvert que la cargaison était posée à l'endroit où son groupe devait travailler. Avec le groupe, il a déplacé la cargaison. Le scénario s'est répété trois fois avant que la cargaison arrive à la bonne place et y reste. Les coûts ont augmenté.

L'action du gouvernement doit être jugée en fonction de son équité comme de son efficacité. Un laxisme profondément incrusté aux Etats-Unis fait que l'on y considère la productivité d'un point de vue très étroit, très mécaniste. Nous avons oublié que la fonction du gouvernement doit être orientée beaucoup plus vers la justice que vers l'efficacité. L'idée que nous devons être "efficaces" de la même manière dans tous les secteurs est fallacieuse. Pour un gouvernement, la justice doit précéder l'efficacité.

Si nous ne laissons pas la justice au premier rang des préoccupations du secteur public, nous allons détruire notre société. Il est malheureux que l'on dise tant de bien de certains spécialistes du management qui vantent l'application des techniques du secteur privé au secteur public. Beaucoup de ces techniques sont bonnes, mais la privatisation des affaires publiques est dangereuse si nous oublions qu'elles doivent être orientées vers la justice et la vraie responsabilité. En fait, nous avons besoin des deux techniques. Le secteur public doit tenter d'appliquer les techniques de management du privé pour améliorer son analyse et son évaluation des résultats. Mais d'autre part, certaines politiques du secteur privé telles que l'implantation d'usines dans les banlieues, bien qu'elles donnent à l'entreprise des bénéfices à court terme, sont nuisibles à long terme pour la société comme pour l'entreprise.

Adaptation des 14 points au service médical. Les 14 points du chapitre 3 s'appliquent à une organisation de service avec peu de modifications. C'est ainsi que deux médecins du Centre de Recherches du Service de Santé de Minneapolis ont écrit les 14 points pour un service médical.

1. Garder fermement le cap sur la mission.

a. Définir en termes opérationnels le service fourni aux patients.

b. Spécifier des normes de service révisées annuellement.

c. Définir les patients que vous recevez.

d. Innover pour obtenir un meilleur service pour un coût donné. Créer de nouvelles compétences, améliorer la formation du personnel et la satisfaction des malades, trouver de nouveaux traitements, de nouvelles méthodes.

e. Allouer des ressources suffisantes pour la maintenance des équipements, du matériel et du mobilier. Améliorer le cadre du travail administratif.

f. Déterminer à qui le président et les dirigeants doivent rendre compte de leur mission et savoir comment ils garderont fermement le cap de cette mission.

g. Traduire cette fermeté en termes de service aux malades et à la collectivité.

h. Le conseil d'administration doit adhérer totalement à la mission.

2. Adopter la nouvelle philosophie. Nous sommes entrés dans une nouvelle ère économique. Nous ne pouvons plus vivre avec les taux d'erreur communément admis, des matériaux qui ne conviennent pas à l'usage qui en est fait, des gens qui ne savent pas ce qu'ils doivent faire et qui ont peur de le demander, des directeurs qui ne comprennent pas leur mission, des méthodes périmées de formation sur le tas, un commandement inadapté et inefficace. Le conseil d'administration doit allouer des ressources à la mise en œuvre de cette nouvelle philosophie, et s'engager à promouvoir la formation du personnel.

3. Préparer la qualité sans dépendre de l'inspection.

a. Demander la preuve statistique de la qualité des matériaux entrants, tels que médicaments, sérums, équipements. L'inspection n'est pas une bonne réponse ; elle vient trop tard et n'est pas fiable. L'inspection ne produit pas la qualité. La qualité est déjà intégrée au produit et nous avons payé pour cela.

b. Demander des actions correctives, quand elles sont nécessaires, pour tous les travaux effectués dans l'hôpital et ses annexes. Instituer un programme rigoureux de retour d'information à partir des patients sur la question de savoir s'ils sont satisfaits de la façon dont ils sont traités.

c. Recenser les cas où le travail a dû être refait, les défauts ainsi que les augmentations de coût qui en résultent.

4. Traiter avec des fournisseurs qui peuvent donner la preuve statistique de leur contrôle. Revoir le principe de l'achat au plus bas prix. Ceci nous conduira vraisemblablement à réduire le nombre des fournisseurs. Nous poser aussi des questions plus précises au sujet de nos futurs collègues. Quel est leur comportement avec leurs patients et avec leurs collègues ? Dans quelle mesure ont-ils eu, dans le passé, un bon comportement ?

Nous devons garder clairement présent à l'esprit que le prix des services n'a aucun sens tant que nous n'avons pas une mesure adéquate de la qualité. Sans cette exigence d'une mesure rigoureuse de la qualité, l'activité dérive vers les offres les moins chères et, conséquences inévitables, une qualité médiocre et des coûts élevés. C'est la situation que nous observons dans toute l'administration et l'industrie des Etats-Unis, à cause des lois qui veulent qu'un contrat aille au moins disant.

L'exigence de mesures convenables de la qualité nous conduira vraisemblablement à réduire le nombre des fournisseurs. Le problème est de trouver un fournisseur qui peut donner la preuve statistique de la qualité. Il nous faut travailler avec des fournisseurs qui nous montrent des procédures compréhensibles de maîtrise de la qualité.

5. Améliorer constamment le système de production et de service.

6. Restructurer la formation.
a. Développer le concept de patron de stage.
b. Donner au personnel une meilleure formation à l'intérieur du service.
c. Apprendre aux employés les méthodes de contrôle statistique adaptées à leur tâche.
d. Donner des définitions opérationnelles de toutes les tâches.
e. Donner une formation telle que l'activité de chaque stagiaire parvienne à un état de contrôle statistique. La formation doit aider chaque stagiaire à atteindre cet état.

7. Améliorer l'encadrement. L'encadrement appartient au système et c'est la direction qui en est responsable.
a. Les cadres ont besoin d'un temps suffisant pour aider les employés dans leur travail.
b. Les cadres doivent traduire en des termes adaptés à chaque employé le cap de la mission fixée par la direction.
c. Les cadres doivent être formés aux méthodes statistiques simples pour aider les employés, avec le but de détecter et d'éliminer les causes spéciales de défauts et de réparations. Les cadres doivent trouver les causes de désordre, et ne pas se contenter

d'anecdotes. Ils ont besoin d'informations qui montrent quand et comment il faut agir, et non pas de chiffres qui montrent seulement l'activité passée et les taux d'erreurs.

d. Surveiller les personnes qui sont hors contrôle statistique, et non pas celles qui ont une performance faible. Si les membres d'un groupe sont en état de contrôle statistique, il y aura forcément des performances hautes et basses.

e. Enseigner aux cadres et agents de maîtrise comment utiliser les résultats d'enquêtes auprès des patients .

8. Faire disparaître la crainte. Nous devons supprimer les distinctions de classe entre les personnes qui travaillent dans l'organisation. Mettre fin aux commérages. Cesser de réprimander les employés pour des problèmes provenant du système. Le management est seul responsable des fautes du système. Les gens ont besoin de se sentir en sécurité pour faire des suggestions. Le management doit tenir compte des suggestions. Les employés ne peuvent pas travailler efficacement s'il n'osent pas demander quel est le but de leur travail, et s'ils n'osent pas faire des suggestions pour simplifier et améliorer le système.

9. Supprimer les barrières entre les départements. Apprendre à chaque département quels sont les problèmes des autres départements. Un bon moyen consiste à encourager les échanges de personnel.

10. Eliminer les objectifs chiffrés et les exhortations. Supprimer les affiches qui demandent au personnel de faire de son mieux. Afficher, au contraire, les réalisations du management pour aider les employés à améliorer leurs performances. Les gens ont besoin d'informations sur l'action que mène le management à partir des 14 points.

11. Eliminer les normes d'activité. Ne plus fixer de quotas qui prétendent mesurer l'activité journalière. Les normes de travail doivent fixer la qualité, pas la quantité. Il faut aider les gens à faire un meilleur travail. Il est nécessaire qu'ils comprennent les objectifs de l'organisation et le rapport qui existe entre leur activité et ces objectifs.

12. Instituer un programme massif de formation aux techniques statistiques. Amener les techniques statistiques jusqu'au niveau d'exécution. Aider les employés à recueillir de façon systématique les informations concernant leur travail. Cette formation pendant le service doit être liée à la fonction administrative plutôt qu'à la fonction de gestion du personnel.

13. Instituer un programme énergique pour donner au personnel de nouvelles compétences. Les gens doivent se sentir en sécurité pour la suite de leur vie professionnelle et savoir que l'acquisition de nouvelles compétences augmente la sécurité.

14. Créer une structure au niveau de la direction générale. Elle maintiendra une attention constante pour faire avancer les 13 points précédents. La direction générale pourra organiser un groupe de travail ayant pouvoir et obligation d'agir. Il aura besoin d'être guidé par un consultant expérimenté, mais celui-ci ne pourra pas endosser la responsabilité de la direction générale.

Suggestions pour étudier les performances dans un hôpital

Un graphique de tendance, ou dans certains cas un histogramme, appliqué à chacune des caractéristiques suivantes, montrera au management les domaines où une formation et une aide particulière sont nécessaires. Il montrera ensuite si les changements apportés au système ont été suivis d'effet.

Liste de caractéristiques
– Temps d'enregistrement des résultats de laboratoire
– Dosage des médicaments
– Administration des médicaments
– Surveillance des patients pendant un traitement
– Réactions d'intolérance à un médicament
– Instruction des dossiers médicaux
– Taux de mortalité en salle d'opération
– Taux de mortalité en salle des urgences
– Nombre d'interventions chirurgicales par type
– Nombre de transfusions
– Nombre de réactions aux transfusions
– Réclamations de patients
– Temps moyen de séjour à l'hôpital
– Nombre moyen de patients en observation
– Nombre d'examens aux rayons X
– Nombre de tests de laboratoire
– Erreurs de laboratoire
– Ruptures de stock, par article
– Excès de stock, par article
– Nombre de produits périmés
– Nombre d'heures supplémentaires
– Nombre d'employés absents.

Suggestions pour étudier les performances dans une compagnie aérienne

Des enregistrements tenus de façon régulière, par vol, par lieu et par semaine, permettent de tracer des graphiques de tendance et des distributions. Il sera possible ainsi de détecter l'existence de causes spéciales, et de mesurer les résultats des tentatives d'amélioration du système.

Liste de caractéristiques
– Nombre de passagers pris en liste d'attente sur chaque vol
– Nombre d'incidents matériels pendant chaque vol
– Taux de remplissage des vols
– Distribution des retards au décollage et à l'atterrissage
– Nombre de cas où on a frôlé l'accident
– Distribution du temps passé par les passagers à l'achat des billets
– Distribution du temps d'attente des bagages
– Nombre de bagages égarés et retardés

Suggestions pour étudier les performances dans un hôtel

Liste des caractéristiques
– Temps moyen pour ramasser les plateaux vides du petit déjeuner
– Coût de l'énergie
– Coût de la blanchisserie
– Objets volés
– Coût des litiges
– Erreurs de réservation
– Fréquence des jours pleins
– Taux de rotation des cadres
– Taux de rotation des employés

Exemples

Le Bureau du Recensement des Etats-Unis. L'un des premiers efforts d'amélioration de la qualité et de la productivité pratiqué sur une grande échelle, avec succès, par une grande organisation a commencé vers 1937 au Bureau du Recensement, le *Census*, sous la direction de Morris H. Hansen. Des millions d'opérations ont lieu sur la chaine de production entre (a) les enquêtes sur le terrain ou les réponses par la poste, et (b) la publication des tables sur la population des Etats-Unis.

Des enquêtes mensuelles et trimestrielles faites par le Census sur le chômage, la construction de logements, la mortalité, et bien d'autres caractéristiques de la population et de l'activité économique, sont de toute première importance pour les entreprises et le gouvernement américain. Pour que le résultat soit efficace, il faut que la précision de ces enquêtes ne soit jamais sujette à caution.

La rapidité est nécessaire, parce que les chiffres sont vite obsolètes ; mais la précision ne doit pas être sacrifiée. L'amélioration de la rapidité et de la précision est obtenue par de nouvelles méthodes de formation et d'encadrement, avec le secours de méthodes statistiques.

Des articles et des ouvrages importants parus sous la plume de Morris H. Hansen et de ses collègues ont permis d'améliorer l'échantillonnage et de réduire les erreurs dans les sondages, ainsi que de déterminer un équilibre économique entre les erreurs d'échantillonnage et les autres erreurs.

Nous ne pouvons pas passer ici en revue les articles et les livres qui ont été publiés entre 1939 et 1955 et que nous devons au Census. Qu'il nous suffise de mentionner le livre *Sampling Survey Methods and Theory* par Hansen, Hurwitz et Madows, en 2 volumes (Wiley, 1953).

Les contributions du Census à la qualité et à la productivité n'auraient pas eu lieu sans la conduite et l'assistance de sa direction générale et de ses conseillers. Il s'est agi là d'un long travail d'équipe, notamment avec la participation de messieurs Hauser, Capt, Dedrick, Stephan et Stouffer.

Les membres des services de recensement, dans le monde entier, forment un groupe fraternel et apprennent constamment les uns des autres. Notre propre *Census* a joué un rôle important pour le développement de la qualité et de la productivité dans la plupart des pays.

Il convient de remarquer que les services de recensement sont des organisations gouvernementales.

Qualité et productivité au Service des Douanes. Le Service des Douanes des Etats-Unis calcule le poids des cargaisons de balles de laine, de tabac, de rayonne, etc. à bord d'un navire ou d'un avion en pesant seulement un petit échantillon. Le poids total est calculé, en utilisant des tables statistiques, d'après le résultat trouvé sur l'échantillon. Dans le cas de la laine, le Service des Douanes calcule aussi la composition des balles en prélevant des échantillons de matière. Le fait de peser des échantillons réduit beaucoup le coût du pesage et permet aux bateaux de reprendre la mer beaucoup plus tôt que s'il fallait peser les balles une par une, comme on le faisait autrefois, avant d'utiliser des méthodes statistiques. Le gain n'est pas seulement un gain de temps et une économie, pour le Service des Douanes comme pour l'armateur, mais aussi une plus grande précision de mesure.

Problèmes dans un service de paie. Une société avait des ennuis provenant d'erreurs sur les cartes de présence. Il y avait neuf cents personnes au tableau des effectifs, elles faisaient un total de quinze cents erreurs par jour (une assez jolie production). Le service de paie, étant donné qu'il y avait beaucoup d'erreurs, ne donnait le chèque aux employés que quatre jours après la fin de la semaine, et au prix de beaucoup d'efforts. Pour y voir plus clair, regardons la carte de présence, reproduite sur la Fig. 22. Nous remarquons que deux signatures sont nécessaires, celle de l'employé et celle du contremaître. Pourquoi deux personnes doivent-elles signer la carte ? Qui est responsable de la précision de la carte ? L'exigence d'une double signature veut dire que personne n'est responsable. Les ennuis sont garantis. J'avais suggéré (1) de n'exiger que la signature de l'employé, de le rendre responsable de la carte ; (2) de ne pas demander à l'employé d'enregistrer ou de calculer le total journalier ; le service de paie s'en chargerait.

J'avais prévu que les problèmes s'évaporeraient en trois semaines. En réalité, ils ont totalement disparu en une semaine.

Problèmes administratifs aux achats. Dans un autre exemple, le service des achats se plaignait de ce que les trois quarts des demandes d'achat lui parvenaient incomplètes ou inexactes. Il y avait des numéros d'article faux, des numéros périmés, des fournisseurs inconnus, des noms écorchés, des noms manquants et bien d'autres erreurs fort gênantes. J'ai suggéré de renvoyer la feuille immédiatement à l'acheteur quand il manquait quelque chose. Ma prévision était que le problème s'évaporerait en trois semaines. En réalité, au bout de deux semaines il n'y avait plus que 3 % d'irrégularités. La plupart des problèmes résiduels peuvent être éliminés par un bon encadrement, par exemple en donnant aux acheteurs une information à jour.

Notes de frais. L'administration du Ministère de l'Education à Washington se rendit compte un jour qu'il fallait plusieurs signatures sur chaque demande de remboursement des frais de voyage. Chaque personne qui signait une demande essayait de corriger les fautes avant de la remettre dans le circuit pour un nouvel examen et une nouvelle signature. Un simple changement de procédure a éliminé la plupart des problèmes et hâté le remboursement : (1) de nouvelles instructions, plus claires, ont été rédigées ; (2) Quand le demandeur a omis une information, il ne faut pas compléter la feuille mais la renvoyer au demandeur pour correction, en lui expliquant que cette omission retardera le remboursement. Le problème a disparu en peu de temps. Les nouvelles vont vite.

De nombreuses sociétés font également la faute d'accumuler de la paperasserie. Ma suggestion est de payer à vue toutes les demandes de remboursement pour de petites sommes, et de vérifier soigneusement un échantillon, de l'ordre de 2 pour cent des demandes. Vérifier aussi toutes les demandes suspectes. Le résultat de ce sondage vous dira comment fonctionne le système. Il y aura quelques erreurs, mais leur influence sera négligeable si vous la comparez à l'économie que vous avez réalisée en supprimant les vérifications et en donnant aux vérificateurs des tâches plus utiles.

Date			jour	mois	année	
Immatriculation						Signature

Heure		Temps passé	Code travaux	Code paye	Somme due
début	fin				
Somme due pour la journée					

Visa du contremaître

Fig. 22 : Bordereau d'affectation de temps passé. Trop de signatures. Trop d'arithméti - que pour l'employé.

Procédures comptables : valeur réelle de l'établissement physique et de l'inventaire. Les procédures comptables demandent maintenant que le rapport d'audit comporte une évaluation de l'établissement physique, des stocks circulants et de l'inventaire. Pour une grande société, cette évaluation peut se faire avec précision en utilisant des méthodes statistiques d'échantillonnage qui mesurent (a) les conditions physiques de chaque catégorie, et (b) les coûts unitaires ; la valeur réelle s'obtient par multiplication. Cette étude ne demande pas l'inspection d'un très grand nombre d'articles (quatre mille au total pour une compagnie téléphonique de l'Illinois dont l'actif du bilan est environ deux milliards de dollars). Un tel travail se fait en quelques semaines avec des inspecteurs compétents. L'utilisation d'échantillons improvisés ne pourrait qu'aboutir à de grossières et peu fiables estimations.

Avec les informations obtenues pour évaluer l'actif, on trouve facilement celles qui permettent d'évaluer le coût des réparations et des remplacements dans chaque établissement au cours des cinq dernières années. Cette prévision est beaucoup plus objective que celle obtenue à partir des comptes-rendus des directeurs de division. Comme chacun sait, c'est celui qui crie le plus fort qui a le plus d'argent pour faire des réparations et des remplacements. Une autre application intéressante de cette technique consiste à estimer la proportion de conduites souterraines inutilisées.

Réduction de stock par l'étude du temps de transit. Aux Etats-Unis et au Canada, des pièces détachées d'automobile sont livrées chez les constructeurs par transport ferroviaire puis par transport routier. L'étude du temps de transit des pièces entre l'usine du fournisseur et celle du constructeur montre que certains couloirs de trafic sont parfaitement en état de contrôle statistique, à l'exception de quelques pannes en cours de route. Un calcul simple donne alors la limite supérieure du temps de transit.

Voyons, par exemple, le couloir de trafic qui va de Buffalo à Kansas City. Le stock de pièces en cours de transport et le stock à Kansas City constituent un investissement non négligeable. Le stock maximum avait été fixé par la direction à 5 jours de consommation. Après avoir constaté que le temps de transit était en état de contrôle (sauf pour les pannes) nous avons calculé que cette valeur pouvait être réduite à 4,2 jours. La différence se traduit par une réduction de stock de 500 000 dollars, pour les articles considérés.

Ce calcul et des calculs similaires pour d'autres itinéraires ont réduit le stock de 25 millions de dollars. Avec le taux d'intérêt actuel, l'économie réalisée est d'environ 100 000 dollars par jour.

Le temps de réparation d'un wagon de chemin de fer est rarement inférieur à 24 heures. Un stock suffisant pour couvrir les ruptures de stock occasionnées par des pannes coûterait cher. Mais on a trouvé une meilleure solution. Chaque wagon est localisé en permanence sur la voie par une liaison télégraphique avec le quartier général. Si un wagon est en panne, des camions sont rapidement envoyés sur l'usine qui attend la cargaison pour la ravitailler, soit à partir du wagon en panne, soit à partir d'une autre usine.

L'hôtellerie. Quand les plans sont faits, il est trop tard pour introduire la qualité dans le produit. Un hôtel est une parfaite illustration de ce principe. Il se compose d'un bâtiment, avec chauffage, air condi-tionné, ascenseurs. Ensuite vient le mobilier. La plupart des hôtels (du moins aux Etats-Unis) étaient des monstruosités avant même que la construction ait commencé. La seule place possible pour le lit, dans beaucoup d'hôtels, est dans l'axe du courant d'air chaud et froid de la climatisation. Le mobilier d'un hôtel coûte peut-être un million de dollars, mais trouve t-on dans une seule chambre quelque chose qui ressemble à un bureau ? Dans un hôtel neuf où j'ai fait un séminaire, les ascenseurs sont incroyablement lents et il en faudrait deux fois plus pour assurer le trafic.

On demande aux clients d'éteindre les lumières quand ils quittent leur chambre. Pour satisfaire cette demande, il faut aller vers chaque lampe allumée, chercher l'interrupteur, essayer de trouver comment l'éteindre. Chaque lampe constitue une devinette. Cependant trois ar-chitectes au moins ont fait travailler leur matière grise sur ce problè-me. Il y a un interrupteur général près des portes de chambres à l'hôtel Sofitel à Paris, à l'hôtel Constellation à Toronto et au Mandarin Hôtel à Singapour.

Les hôtels s'améliorent-ils ? Chaque nouvel hôtel est-il meilleur que ceux qui ont été mis en service l'année précédente ? Si le directeur d'un hôtel a hérité d'une bévue, il n'y peut rien. Qu'arriverait-il au directeur d'un hôtel s'il disait au directeur général de la chaine qu'il veut vendre les meubles aux enchères pour racheter un mobilier fonctionnel ? Il serait renvoyé immédiatement. Le même sort l'attend s'il suggère de reconstruire les gaines d'air conditionné, d'améliorer l'installation électrique dans les chambres, ou d'ajouter un ascenseur. Il n'y peut rien. Il peut seulement essayer de faire oublier l'inconfort des chambres à ses clients en leur faisant valoir que le bar, le service et la musique sont magnifiques.

Pour un hôtel, il est simple de mettre dans les chambres de bons porte-vêtements. Certains hôtels le font, et les clients l'apprécient beaucoup. Exemples : le Broadway Inn à Columbia, Missouri ; le Loews Paradise Inn, près de Phoenix ; le Travelodges en Nouvelle Zélande ; le Drury Lane Hotel à Londres ; l'Imperial Hotel à Tokyo.

Des observations sur la base d'un plan statistique peuvent informer constamment la direction de performances dont voici quelques exem-ples :
– Proportion de chambres qui sont en ordre avant l'arrivée du client
– Proportion de clients qui ont besoin d'un bureau
– Proportion de chambres sans un éclairage convenable du bureau
– Proportion de chambres sans fournitures de bureau convenables
– Proportion de chambres où le téléphone fonctionne mal
– Proportion de clients qui se plaignent du bruit de l'air conditionné
– Temps nécessaire pour faire le ménage après le départ du client.

Le lecteur peut y ajouter d'autres problèmes qu'il a trouvés lui-même dans des hôtels. Le livre de Philip B. Crosby, *La qualité, c'est gratuit* (Economica, 1986), explique comment, dans l'hôtellerie, on peut perdre de l'argent et faire faillite.

Dans un système qui est en état de contrôle statistique (voir chapitre 2), la responsabilité des améliorations est entièrement aux mains du management.

Le service postal. Il est surprenant de constater que le service postal de première classe des Etats-Unis est pratiquement le plus mauvais de tout le monde industrialisé. Mais il est peut-être aussi, en un sens, étant donnés les tarifs, le plus efficace du monde. La médiocrité du service postal aux Etats-Unis est responsable d'une perte économique énorme, déplorable sur le plan national. Un meilleur service postal nécessiterait évidemment des tarifs postaux plus élevés.

Les services de messagerie privée, c'est à dire les personnes qui transportent des enveloppes d'une société à une autre, dans la même ville ou entre, par exemple, New York et Philadelphie, sont devenus aux Etats-Unis une industrie florissante, en raison du peu de fiabilité de la poste.

Le problème réside évidemment dans l'organisation de la poste, dont la direction générale n'a jamais eu le privilège de décider quelle doit être la fonction d'un service de première classe. Doit-il être lent et bon marché, ou bien rapide et cher ? Les deux solutions sont possibles avec un système de priorité.

Les problèmes de réservation. Beaucoup de compagnies aériennes enregistrent plus de passagers que le vol n'en autorise, en misant sur une certaine proportion de défections. C'est la pratique de *l'overbooking.* Ceci nécessite une étude statistique permanente pour optimiser les gains et minimiser les pertes. Deux types de pertes sont à considérer : (1) les sièges vides, qui sont un manque à gagner ; (2) les sièges vendus deux fois, pour lesquels la compagnie verse une indemnité à l'un des passagers et lui propose en outre un vol sur une autre ligne.

Le problème statistique consiste à minimiser la perte nette résultant de ces deux types de situations. Il n'y a pas besoin de théorie statistique pour ne jamais vendre le même siège à deux personnes et ne jamais payer d'indemnités. Il suffit de bien s'organiser et ne pas faire d'*overbooking.*

Il y a cependant des passagers enregistrés qui ne viennent pas, et c'est un manque à gagner. Un bon management comporte donc un plan statistique conçu pour minimiser les deux sortes de risques. La première étape consiste à tenir un historique des réservations sur chaque vol, avec une étude des variations hebdomadaires et saisonnières. C'est une base de calcul pour prévoir la demande dans les jours qui viennent, avec une limite de confiance déterminée. Le nombre de sièges que l'on peut réserver s'en déduit automatiquement.

Les machines de reprographie. En analysant les enregistrements d'un service de reprographie, tout comme d'autres installations analogues, il est possible de noter le temps qui s'écoule entre (a) la demande d'intervention du client et (b) l'arrivée du dépanneur. Un graphique de cette caractéristique donne un signal statistique qui indique les causes spéciales de retard et montre clairement la performance du service. Par des moyens appropriés, la société qui fait la maintenance peut connaître la proportion de problèmes dont la cause est la machine, le client ou le réparateur.

Quels réparateurs ont besoin d'une nouvelle formation, ou doivent être affectés à une autre tâche ? Dans le cas des machines de reprographie, certains clients se contentent de copies lamentables. D'autres clients au contraire appellent le réparateur pour la moindre petite tache. Les enregistrements tenus par le réparateur permettent de distinguer entre les deux catégories de clients et indiquent quelles améliorations peuvent être apportées au service ou à la conception de la machine. Ils peuvent indiquer aussi quels sont les clients qui ont besoin d'une formation sur l'utilisation et l'entretien de leur machine. Certains clients peuvent aussi avoir besoin d'une autre machine, plus simple ou plus perfectionnée.

Un restaurant. Je me suis souvent demandé, en attendant ma commande ou en attendant l'addition, alors que des gens font la queue devant des tables où d'autres gens, assis, attendent qu'un employé s'occupe d'eux, quelle est la capacité perdue par les restaurants à cause d'un mauvais encadrement. Si les clients pouvaient être servis avec diligence (mais sans précipitation), et recevoir la note dès qu'ils la demandent, la productivité augmenterait, les bénéfices augmenteraient et les clients seraient plus heureux.

Combien de clients, ceux qui sont assis, essayent vainement de faire des signes à un serveur ou une serveuse ? Combien de serveurs, à la même minute, restent plantés, les yeux au ciel ? Combien de plats, prêts depuis dix minutes, arrivent froids sur la table ? Quel genre de plats ne sont qu'à moitié consommés ? Des observations instantanées réparties au hasard suivant la méthode de Tipett donneraient les réponses à peu de frais.

Sur la carte, quels sont les plats qui font double emploi ? Quels sont ceux qui sont pris rarement ? quels sont ceux qui font beaucoup de perte ? Peut-on les éliminer sans perdre trop de clients ?

Peut-on proposer certains plats une fois par semaine en y gagnant au lieu de les offrir tous les jours en y perdant ? Des différents coûts, quel est le plus lourd ? Comment le réduire ? On peut être amené à prévoir de servir une nourriture différente en vue d'une vague de chaleur annoncée par la météorologie nationale.

Un système de transit urbain. Aux Etats-Unis, les systèmes de transit urbain sont gênés par l'habitude que l'administration a prise de donner la préférence à l'offre de service la moins chère.

Des observations, faites suivant un plan statistique approprié, pourraient indiquer où se trouve le maximum d'activité à chaque moment de la journée, afin de satisfaire les besoins du public. Des horaires placés aux arrêts de bus, et soigneusement respectés, conduiraient à un accroissement de l'activité. Il suffit de se promener dans n'importe quelle ville d'Europe, Londres, Milan ou Paris, pour découvrir tout ce qui pourrait être fait pour améliorer ce service aux Etats-Unis.

D'autres exemples sur le transport routier. Quelques factures émises par des sociétés de transport routier de marchandises aux Etats-Unis et au Canada donnent des informations intéressantes. Elles ont été sélectionnées et traitées suivant des procédures fondées sur le calcul des probabilités (afin d'avoir le maximum d'information pour un coût déterminé). Ces études ont été faites :

1. Pour une audition de la Commission du Commerce entre Etats, à la demande des transporteurs routiers qui souhaitent augmenter et restructurer leurs tarifs. Les mêmes données servent aussi de base de négociation avec les expéditeurs.
2. Pour une utilisation professionnelle. Les transporteurs observent, d'après les résultats de l'étude, les itinéraires, les poids, les distances et les catégories de marchandises qui sont les plus rentables et les moins rentables.

Aucune autre industrie ne dispose d'informations si détaillées, si précises et si pertinentes pour conduire ses affaires et pour fixer ses tarifs.

Ces études permanentes sur le trafic routier sont faites par les transporteurs eux-mêmes (non par une agence gouvernementale) suivant des procédures statistiques conçues et suivies par l'auteur du présent ouvrage.

D'autres types d'études conduisent à la réduction des erreurs de chargement, de ramassage et de distribution, à la réduction des avaries, à la réduction des erreurs de facturation.

Une autre étude indique l'efficacité de différentes actions pour réduire la consommation de carburant, augmenter la charge, installer des ventilateurs débrayables, modifier le réglage du moteur, trouver une vitesse économique.

Une compagnie de chemin de fer. Des résultats ont été obtenus à partir de plans statistiques appropriés. Leur étude a fourni des informations pour :

1. Réduire les erreurs dans les règlements entre compagnies comme dans les factures locales.
2. Réduire les temps d'immobilisation des wagons, ce qui permet de réduire leur prix de location. Les clients recevraient plus vite les avis de déchargement des wagons.
3. Chercher à voir si les temps de transit constituent un système statistique. S'il y a des points aberrants, en trouver les causes. Si elles ne sont pas éliminées, pourquoi ?

Que peut-on faire pour comprimer l'étendue de la distribution du temps de transit ? Cette compression se traduirait (1) pour le client, par un meilleur service ; (2) pour les chemins de fer, par des performances plus fiables et plus uniformes et des économies.

La compagnie de chemin de fer construit-elle, afin de l'exploiter, la distribution statistique des temps passés par les wagons dans les ateliers de réparation, par types d'incidents ? Cette compagnie paye une location pour chaque heure qu'un wagon passe dans un atelier, quel que soit le propriétaire du wagon. Elle possède les relevés des réparations, sinon elle a la possibilité se les procurer.

Pour un terminal important, où est la distribution des heures écoulées entre l'instant où un client informe la compagnie qu'il est prêt à charger un ou plusieurs wagons et l'instant où un ou plusieurs wagons vides lui arrivent ? Combien de wagons reçus étaient du modèle voulu ? Combien étaient sales ? Où est la distribution des heures écoulées entre l'instant où le wagon est prêt et l'instant où il est accroché au train ?

Il serait possible, avec des méthodes d'échantillonnage statistique, de faire périodiquement des essais sur le matériel roulant, les équipement de signalisation, les magasins, les camions, afin de déterminer le nombre d'articles en mauvais état. L'identification de ceux qui ont besoin d'être réparés ou immédiatement remplacés permettrait d'estimer les coûts de maintenance et de remplacement pour l'année suivante. L'examen des voies, des ballasts et des pentes en des points sélectionnés par des méthodes statistiques donneraient des informations pour faire les réparations nécessaires. Les méthodes d'échantillonnage statistique appliquées à de telles études constituent pour l'administration un outil puissant.

Les clients font-ils attention au service rendu ? Même s'ils ne s'en soucient pas, l'amélioration des performances permet d'augmenter les bénéfices avec les voies et les équipements existants, et permet de revendre éventuellement quelques équipements excédentaires.

Dans une enquête que j'ai faite pour une compagnie de chemin de fer, il est apparu que les mécaniciens passaient les trois quarts de leur temps à faire la queue pour obtenir les pièces détachées dont ils avaient besoin.

Etudes de l'exploitation d'une compagnie téléphonique. Avec des plans statistiques appropriés, une grande compagnie téléphonique des Etats-Unis a fait les études suivantes.

1. Estimer l'usage des circuits et des équipements de transmission. Pendant quelle proportion du temps les circuits et les équipements de transmission sont-ils utilisés pour la parole, la presse, la transmission de données, les télégrammes privés, les télégrammes publics, etc. ? Les résultats sont utilisés pour fixer les taxes pour les divers services.

2. Estimer le rapport de l'usage des équipements d'un central téléphonique entre le trafic local et le trafic interurbain. Ces résultats sont utilisés dans le calcul des taxes.

3. Estimer la dépréciation physique des divers équipements - circuits électroniques, relais, commutateurs, répartiteurs, cables souterrains, cables aériens.

4. Réduire les erreurs de facturation, pour un coût déterminé.

5. Faire régulièrement des essais sur les centraux. Les performances sont-elles satisfaisantes ? Quelles erreurs nécessitent une action ?

6. Aider à l'usage d'installations communes, telles que les poteaux pour les lignes aériennes, téléphoniques et électriques. Des études statistiques permettent de déterminer avec assez de précision la répartition des dépenses entre les deux compagnies.

7. Etudier l'efficacité de la publicité pour développer le trafic interurbain.

8. Conduire des simulations du service manuel. Des psychologues ont proposé certaines solutions pour enrichir la tâche des opératrices. Les changements proposés pouvant avoir des effets considérables sur la productivité, un groupe d'étude pourra faire l'essai d'un modèle avec une simulation.

9. Conduire des études pour diminuer le temps de travail des opératrices, qui peuvent travailler moins en travaillant mieux. Une analyse automatique à distance, utilisant des techniques d'échantillonnage, donnera des résultats sur une longue période.

10. Etudier des itinéraires optima pour les messageries entre les compagnies téléphoniques dans une même ville. Une compagnie a un ou plusieurs systèmes de desserte pour échanger le courrier avec d'autres compagnies et de nombreux itinéraires pour ramasser et distribuer le courrier. Les Bell Laboratories ont développé un logiciel intégré pour aider à déterminer le nombre optimum d'itinéraires et les arrêts sur chaque itinéraire.

11. Déterminer l'emplacement optimal des nouveaux sites. Le remplacement des centraux électromécaniques par des centraux élec-

troniques permet d'abaisser les coûts d'exploitation. Les Bell Laboratories ont développé un logiciel pour aider à déterminer où et quand il faut installer des centraux électroniques. D'autres chercheurs des compagnies téléphoniques ont développé des logiciels pour étudier les besoins des usagers.

12. Etudier constamment les dépenses d'exploitation et l'utilisation des équipements, suivant les procédures du Dr. Robert J. Brousseau, de l'American Telephone and Telegraph, (AT&T), pour mieux répartir les dépenses et les recettes communes à plusieurs compagnies.

13. Faire l'inventaire des cables souterrains, des cables aériens, des répéteurs et des équipements d'immeubles en cherchant à rapprocher les résultats provenant des services techniques et de la comptabilité.

14. Estimer le coût unitaire des matériaux et de la main-d'œuvre dans les travaux de raccordement.

15. Développer des aides à la formation des opérateurs.

16. Estimer le coût des soins dentaires pour les employés.

17. Etudier comment une compagnie téléphonique peut réduire le risque de non-encaissement des redevances des usagers qui ont changé d'adresse sans régler leur note de téléphone (plusieurs millions de dollars perdus chaque année par la Compagnie Illinois Bell, à elle seule).

18. Estimer l'usage qui est fait des pages jaunes et essayer de les rendre plus utiles.

19. Etudier le problème des abonnés essayant de déchiffrer leur note de téléphone afin d'améliorer la présentation de ce document.

Un grand magasin. Des observations sur le temps d'attente des clients aux différents rayons et sur le nombre de gens qui vont et viennent sans pouvoir se faire servir pourraient constituer la base de calcul d'une fonction de perte. Le management pourrait alors décider où et quand un service supplémentaire serait rentable.

Il est très regrettable que les grands magasins ne fassent pas usage, en pareil cas, d'une fonction de perte. Personne ne peut dire combien coûte à un magasin l'irritation des gens qui attendent et s'en vont. Un client mécontent peut influencer quantité d'autres personnes ; un client content aussi.

Il est utile de faire des observations à l'improviste sur :
– l'attitude de l'employé envers le client ;
– l'attitude du client envers l'employé.

Les automobiles et le client. Nous marquons ici une pause pour une brève remarque susceptible de s'étendre à de nombreux domaines. Un grand constructeur automobile, convaincu qu'il a besoin de s'instruire sur les problèmes de l'acheteur d'une voiture, envoie à chaque acheteur un an après la date d'achat un questionnaire pour connaître ses problèmes et ce qu'il pense, à l'usage, de la voiture.

La moitié des questionnaires reviennent. La moitié ne reviennent pas. Tous les statisticiens ne sont pas conscients du danger auquel ils s'exposent en tirant une conclusion à partir d'un retour d'information incomplet, même pour un retour de 90 % . Minimiser le risque d'erreur qui se cache sous un retour d'information incomplet n'est qu'un refuge commode.

Une amélioration bien connue consiste à envoyer des questionnaires à un millier d'acheteurs seulement, des acheteurs qui forment un échantillon sélectionné de manière appropriée ; ensuite, il faut compléter l'enquête par un entretien personnel avec ceux qui n'ont pas répondu. Cette amélioration diminue beaucoup le coût de l'étude et conduit à des résultats qui peuvent être utilisés avec un degré de confiance connu à l'avance.

La même procédure peut s'appliquer à tout autre produit pour lequel il existe une liste d'acheteurs. En fait, cette méthode est pratiquée régulièrement dans certaines sociétés ; ceux qui font des études de marché le savent bien.

Réduction des erreurs dans une banque
par William J. Latzko

Une banque. Des amis que j'ai dans le secteur bancaire reconnaissent que leurs directions générales ont une moins bonne connaissance de la clientèle que dans tout autre secteur. Ils commencent à mieux s'informer en analysant les comptes de tous leurs clients - comptes courants, comptes d'épargne, actions et obligations, crédits. Cette étude est grandement facilitée par l'informatique moderne. Mais elle est loin de faire apparaître les besoins des clients et les insuffisances du service bancaire à cet égard. Pourquoi un client de la banque va t-il ailleurs demander un prêt pour l'achat d'une voiture ou d'une maison ? Les fichiers n'indiquent ni le fait, ni son explication. Des études de marché seraient en mesure de donner une réponse à cette question et à bien d'autres concernant les clients.

La grande méprise. Dans une banque, comme dans toute autre activité, on rencontre l'éternel problème de la réduction des erreurs. L'inspection a deux buts. L'un est de découvrir les erreurs avant qu'elles n'atteignent un client, l'autre est de prévenir la fraude. La recherche de la qualité dans une banque n'est absolument pas nouvelle ; elle remonte au temps des pharaons. Traditionnellement, la seule vérification de la qualité pratiqué par les banquiers consiste à placer des rangées successives d'inspections en partant de l'hypothèse que la seule erreur coûteuse est celle qui crée des ennuis au client. Le temps et l'argent qui sont dépensés pour éviter un tel désastre sont considérés comme une simple routine administrative. Les coûts de l'inspection, dilués dans les coûts des opérations, peuvent rarement être détectés par la direction générale. Il y a quatre sortes de coûts de la qualité :

1. Le coût de l'évaluation, de la vérification et de l'inspection du travail. C'est le système d'inspection traditionnel, l'armée des employés qui ne font que vérifier, vérifier encore et toujours.

2. Le coût des défauts internes, qui joue certainement un rôle essentiel dans les ennuis de la banque. Les erreurs qui sont détectées sont réparées à grands frais.

3. Le coût des défauts externes. Ce sont les erreurs qui sont arrivées jusqu'au client, qui obligent à faire des enquêtes coûteuses et à payer des indemnités.

4. Le coût de la prévention. L'analyse et le contrôle systématique de la qualité. La théorie est simple ; il faut détecter et corriger les erreurs le plus en amont possible pour réduire les coûts de toute la chaine de production et améliorer la qualité.

Dans une banque comme dans une usine, il faut distinguer la qualité dans la conception et la qualité dans la production. Pour les atteindre, on utilise des programmes spécifiques et des procédures, dont le but est de fournir au client ce qu'il demande. La gestion de la qualité travaille à la fois sur la production et sur la conception du service. C'est sur ce dernier point que la gestion de la qualité diffère du système traditionnel. Il ne suffit pas de trouver l'erreur. Il est nécessaire de trouver la cause de l'erreur et de concevoir un système qui réduit au minimum les erreurs futures.

Amélioration des performances. Le programme d'amélioration de la qualité est réalisé au niveau des cadres moyens. Il a produit les résultats indiqués sur la Fig. 23, et il a aussi amélioré l'état d'esprit. En effet les employés savent maintenant qu'ils ne seront pas inquiétés pour des erreurs qui ne sont pas de leur ressort.

Un enregistrement, édité régulièrement sur ordinateur, donne l'aptitude statistique du processus de chaque employé. La performance de l'employé peut alors être comparée avec celle du groupe. On aide ceux dont la performance est en dehors des limites de contrôle du groupe.

Le moral des employés. Auparavant, quand les taux de refus étaient en hausse, les employés du service informatique s'accusaient tout de suite les uns les autres de faire des erreurs. La méfiance s'établissait entre les équipes et entre les départements. Et puis, à la fin, tout le monde s'accordait à accuser "la machine". Il en résultait un climat de discorde et le moral des employés était au plus bas. Avec les méthodes statistiques, la raison d'un taux de refus anormal a pu être localisée automatiquement et imputée à l'équipe, au département, à la machine, à l'employé, et finalement à la chose essentielle, le problème. Avec cette philosophie, tout le monde travaille dans le même sens pour montrer du doigt le vrai coupable : le problème.

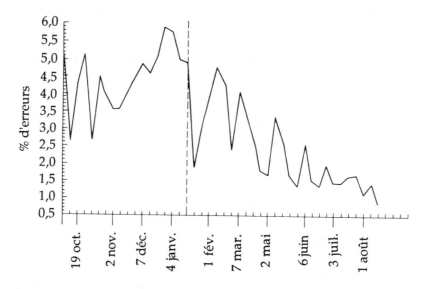

Fig. 23 : Résultats d'un programme d'amélioration de la qualité, relatif aux erreurs de dactylographie au service des télégrammes. Maintenant, les problèmes sont détectés bien avant de devenir critiques.

Certains experts du secteur bancaire déclarent que 40 à 60 pour cent des employés de banque font à un moment ou à un autre la vérification du travail d'autres employés. Les méthodes statistiques permettent de réduire la fréquence des erreurs. Elles auront à long terme un impact formidable sur le secteur bancaire. En concentrant l'inspection sur les points critiques et en faisant sur les autres points une simple vérification par échantillonnage, on obtient une meilleure précision et un coût plus faible.

Dans l'application du programme d'amélioration, chaque unité considérée, un employé, une machine ou un système, est observée pendant un certain temps pour savoir si le processus est stable et, dans ce cas, pour déterminer son aptitude statistique. Cette étude préalable dure environ trois mois.

Si la direction décide que l'aptitude du processus n'est pas dans les limites acceptables, c'est la direction seule qui peut modifier le processus ou le système. Ce n'est pas l'inspection qui peut introduire la qualité dans un produit ou un service. La chose ne peut se faire qu'au moment de leur conception.

Suggestions pour d'autres études
permanentes dans une banque

But
Amélioration permanente de l'économie et réduction des erreurs.

Techniques
Graphiques de tendance, graphiques de contrôle, méthode de Tippett.

Généralités :
1. Taux de refus des chèques triés à grande vitesse sur machine MICR
2. Maintenance et disponibilité des machines MICR
3. Mesure des performances des fournisseurs
4. Coût du traitement manuel des chèques
5. Temps entre la réception et l'exécution de l'ordre du client
6. Nombre de clients attendant au guichet
7. Distribution des temps des opérations des caissiers
8. Nombre de clients à l'heure par caissier
9. Taux d'erreur des caissiers
10. Temps de correction des erreurs
11. Nombre total de comptes
12. Nombre de demandes d'ouverture de compte
13. Nombre de nouveaux comptes
14. Nombre de comptes à découvert
15. Taux d'erreur calculé à partir des réclamations des clients
16. Nombre de chèques refusés parce que mal remplis
17. Taux d'indisponibilité du système informatique
18. Taux d'erreur associé aux transferts de fonds
19. Pourcentage d'erreurs sur les emprunts
20. Taux d'intérêt moyen des emprunts
21. Ancienneté des emprunts
22. Nombre d'emprunts classés

Rentabilité des comptes.
1. Erreurs sur les relevés d'analyse DDA
2. Erreurs sur les relevés de compensation
3. Erreurs sur les charges de service
4. Corrections sur le grand livre et le livre de caisse

Ajustements
1. Emission d'un bulletin de différence
2. Demande d'information d'un client
3. Arriéré de différences non résolues
4. Ariérés de demandes de clients non satisfaites
5. Accumulations d'erreurs

6. Temps de correction de erreurs
7. Règlement des différences

Immeubles
1. Réclamations des occupants de l'immeuble au sujet de la tempé-
    rature, de l'humidité, de la propreté, des ascenseurs, etc.

Portefeuilles
1. Erreurs sur les titres reçus
2. Equipements en panne
3. Coût du non-respect des dates limites
4. Erreurs de clavier dans les opérations
5. Erreurs de solde
6. Erreurs de calcul de fonds fédéraux
7. Nombre d'opérations anti-datées
8. Découverts dus aux entrées de titres
9. Ajustements sur les comptes DDA dus aux entrées de titres en
    retard

Prêts commerciaux
1. Documents manquant dans le dossier de prêt
2. Refus de prêts
3. Rappels d'échéances
4. Renouvellements de prêts
5. Corrections du dossier de prêt

Informatique
1. Délai d'acheminement du courrier
2. Délai d'émission des rapports depuis le centre
3. Délai de transmission de la banque au centre
4. Temps d'arrêt du système
5. Temps d'attente de la ligne
6. Evaluation des services du centre informatique par les usagers

Traitement des comptes clients
1. Chèques manquants dans la préparation des relevés
2. Refus d'application DDA et épargne
3. Paiements sur contrefaçons
4. Paiements non stoppés
5. Erreurs dans la préparation des relevés
6. Problèmes matériels dans la préparation des relevés

Opérations clients
1. Refus de DDA et dépôts, suite à retards dans traitement d'infor-
    mation
2. Erreurs d'entrée CRT
3. Départs
4. Perception de la qualité par le client
5. Délai de règlement des réclamations

6. Epuisement des comptes courants
7. Erreurs d'ordre sur les chèques

Caissiers
1. Différences entre caissiers
2. Temps d'arrêt des équipements
3. Opinion du client sur la qualité de service
4. Nombre de dépassements du temps de présence
5. Effectifs insuffisants aux guichets
6. Ruptures de charge
7. Attente à la caisse
8. Erreurs sur les bulletins de caisse
9. Inscriptions manquantes ou illisibles

Une compagnie électrique

par John Francis Hird

Quelques précisions sur la production et la distribution d'énergie électrique. L'une des plus grandes compagnies électriques de Nouvelle Angleterre a lancé un programme d'amélioration de la qualité et de la rentabilité en utilisant des techniques bien connues. Chaque opération avec un client doit être traitée par ce système.

La production, la transmission et la distribution d'énergie électrique est un processus continu. Il faut que les besoins des clients soient satisfaits chaque jour à chaque minute. Ni les quartiers résidentiels ni les quartiers industriels ne peuvent se passer d'électricité. Le pain, la santé, la sécurité et le bien-être en dépendent.

Toute défaillance, tout retard et toute erreur peuvent être une cause d'ennuis pour les clients et augmenter le coût de l'énergie électrique.

Un diagramme d'Ishikawa nous aide à trouver notre voie dans la multitude d'activités qui sont nécessaires aux opérations journalières d'une compagnie électrique. Les charges du service sont examinées par les clients et par la commission des services publics de l'Etat. La Fig. 24 fait apparaître les coûts du service. Quelques commentaires :

Combustible. Une compagnie électrique achète du charbon, du pétrole, du gaz, et du combustible nucléaire. C'est une bonne partie des dépenses.

Site et installations. Les machines s'usent ou deviennent obsolètes. Les revenus de la compagnie doivent être suffisants pour les renouveler.

Coût de l'argent. Les intérêts versés par la compagnie aux investisseurs qui lui ont prêté de l'argent.

Main-d'œuvre et administration. Le salaire des employés.

Taxes. Les impôts locaux, ceux de l'Etat et du Gouvernement fédéral.

Autres frais d'exploitation. Fournitures, matériaux et services extérieurs.

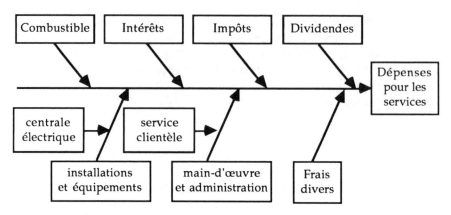

Fig. 24 : Composition des dépenses d'une compagnie électrique.

Certains de ces éléments sont déterminés par une autorité extérieure. Ils ne sont donc pas pris en compte dans la discussion. D'autre part, à coté de ceux que nous avons cités, il y a bien d'autres éléments qui peuvent être suivis et améliorés par la direction et par tout le personnel.

Service client. L'une de ces activités est connue sous le nom de Service Client. Elle est assurée par un département dont la mission est de relever les compteurs, d'envoyer les factures, de recevoir les paiements, de traiter des problèmes par téléphone, et d'accueillir les clients dans des agences. Il se tient informé de toutes les avances technologiques dans le domaine de l'informatique et des télécommunications. Quand il y a une panne prolongée, la compagnie arrête momentanément le service client et ne traite plus que les appels téléphoniques urgents. Le Centre Service Client devient alors un centre de communication entre les clients et l'équipe chargée de rétablir le courant.

Chaque groupe de travail utilise des diagrammes d'Ishikawa, des graphiques de Pareto et des graphiques de contrôle au cours de ses réunions.

Si l'on veut qu'une centrale électrique donne le maximum de puissance électrique pour une quantité donnée de combustible, un grand nombre de facteurs doivent être maîtrisés. Ceci nécessite l'étude de nombreux systèmes qui sont en interaction dans la centrale. La Fig. 25 est un diagramme d'Ishikawa qui montre les composantes du coût du service client. La Fig. 26 montre des graphiques de contrôle utilisés pour une chaudière et la Fig. 27 un graphique de contrôle du service client.

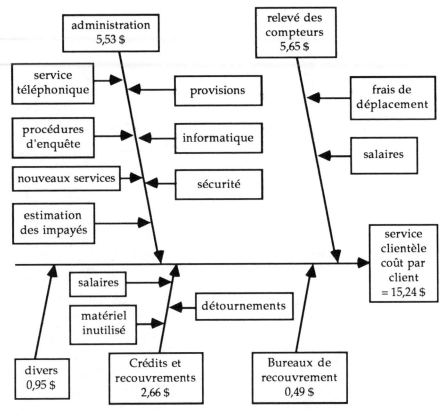

Fig. 25 : Composition du coût du service clientèle d'une compagnie électrique.

Réduction des pannes dans le transport souterrain. Un autre exemple est celui du transport souterrain. Notre compagnie a été confrontée à une augmentation alarmante de la fréquence des incidents sur une ligne souterraine de 115 000 volts, vieille de 33 ans. Quand il y avait un problème sur le câble, les réparations coûtaient cher et gênaient beaucoup les clients. Le remplacement du câble existant par un nouveau câble, qui aurait suivi ou non le même chemin, aurait coûté très cher.

Des personnes du département technique et du département du transport souterrain ont formé un groupe de travail qui a trouvé une autre approche pour résoudre ce problème de façon plus économique. Ils ont mis au point un système qui prévoit, un certain temps à l'avance, les incidents sur les soudures du câble. On sait que les pointes d'intensité électrique produisent des contraintes mécaniques sur les soudures. L'analyse des données montrait que ces contraintes modifiaient la composition chimique de l'huile qui circule autour du câble pour le refroidir et l'isoler. La réaction produisait de l'oxyde de carbone. Le taux d'oxyde de carbone dans l'huile était en bonne corrélation avec les mouvements mécaniques du câble dans la galerie.

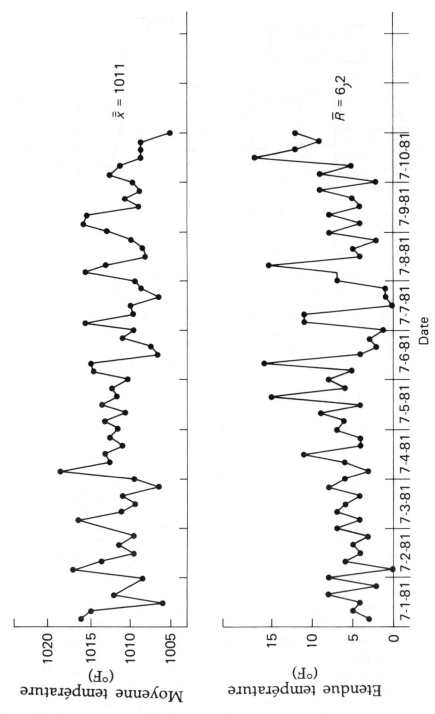

Fig. 26 : Graphiques de contrôle ($\overline{x}$ et R) pour la chaudière n° 3, en juillet 1981. Les points hors contrôle ont fait l'objet d'une étude immédiate.

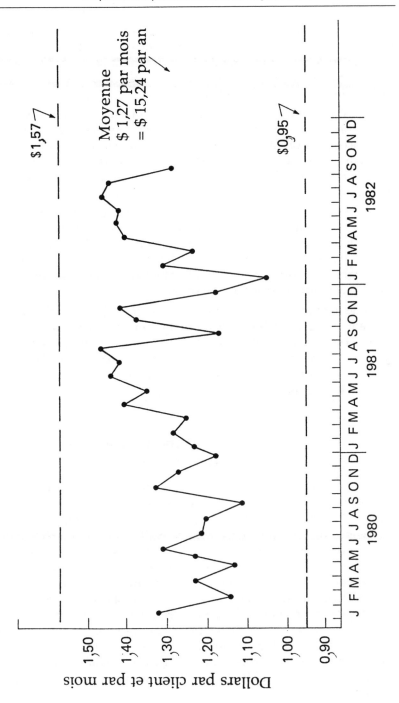

Fig. 27 : Coût moyen du service client (dollars par client). Le calcul des limites de contrôle est fait d'après l'étendue moyenne mobile des trois derniers mois.

Cette information est utilisée pour planifier un programme de remplacement de 10 soudures chaque année, celles dont la probabilité de défaillance est la plus grande. Ce programme se poursuivra jusqu'à ce que toutes les soudures soient fiables. Nous avons ainsi une meilleure maintenance qui nous coûte moins cher.

Le groupe de travail, composé de deux ingénieurs, huit réparateurs et six contrôleurs, a développé ensuite de nouvelles méthodes pour remplacer plus rapidement les soudures dans les regards, en travaillant dans des conditions plus confortables et plus sûres. L'étude comprenait une nouvelle conception du camion et des appareils utilisés pour faire ce travail.

Maintenant, des échantillons d'huile sont analysés chimiquement chaque année sur une base statistique pour diminuer les défaillances des soudures de câble. Il y a eu seulement une défaillance en trois ans. Le programme de remplacement des soudures a économisé à la compagnie électrique plusieurs centaines de milliers de dollars et a réduit à zéro les interruptions de service.

Cette aventure n'est pas simplement le récit d'une amélioration de la qualité et de la productivité, un programme avec un commencement et une fin, mais la présentation d'une philosophie qui oriente les efforts de la compagnie, à tous les niveaux de responsabilité, vers un usage plus efficace des ressources disponibles pour satisfaire les besoins des clients.

L'amélioration d'un service municipal
par William G. Hunter

La Division Equipement Automobile de la Ville de Madison (Wisconsin) fait la réparation et l'entretien de tous les véhicules municipaux, les voitures de la police et les camions de ramassage des ordures ménagères par exemple. En 1984, il y avait beaucoup de réclamations au sujet de la qualité du service et le moral des mécaniciens était très bas. Le maire, Joseph Sensenbrenner, décida de modifier profondément le management de la division. L'amélioration de la qualité voulait que la Division Equipement Automobile satisfasse les besoins et les attentes de ses clients (et fasse encore mieux si possible). Alors les mécaniciens se sont mis à rassembler des informations sur les réclamations particulières et les suggestions de leurs clients, c'est à dire des autres services municipaux comme la police, la voirie. Ils l'ont fait en discutant avec des représentants de ces groupes et en diffusant des questionnaires.

L'une des principales sources de mécontentement était le temps d'immobilisation excessif des véhicules. Alors les mécaniciens ont tracé un diagramme de flux du processus de réparation. Ils ont rassemblé des données afin de déterminer quel était le temps nécessaire pour chaque étape. Ils ont étudié ces résultats et ont commencé à faire des changements pour réduire le temps d'immobilisation.

Les mécaniciens ont fait une comparaison entre le coût de certains travaux de réparation et le coût d'une opération de prévention du même défaut. Par exemple, la réparation d'une jeep coûtait 4 200 dollars. C'est une voiture qui était utilisée pour répandre du sel en hiver. On sait que le sel provoque de la corrosion. Une procédure de maintenance préventive coûtant moins de 200 dollars par an aurait protégé la jeep.

La principale conclusion à laquelle les mécaniciens sont parvenus en analysant l'information qu'ils avaient collectée était qu'il fallait mettre en place un programme complet de maintenance préventive. Ils présentèrent ce projet devant le maire et le conseil municipal le 14 septembre 1984. Ils organisèrent une visite dans les ateliers pour montrer des exemples d'amélioration. A cette occasion, ils offrirent au maire un presse-papier. C'était un gros piston cassé. Après que le maire les eut remerciés, ils lui expliquèrent que le remplacement de ce piston sur un camion en panne avait coûté 3 200 dollars. Ils lui montrèrent ensuite un ressort coûtant deux dollars. "Si nous avions eu un bon programme de maintenance préventive", lui dirent-ils, "nous aurions remplacé seize ressorts de ce type sur le moteur du camion et nous n'aurions pas pu vous offrir ce presse-papier."

Le maire fut convaincu par les mécaniciens de la nécessité d'un programme complet de maintenance préventive. "Vous savez comment trouver les problèmes, vous savez comment les résoudre, et vous avez la volonté de les résoudre. Ce que vous nous avez montré aujourd'hui nous a beaucoup impressionnés. Nous vous donnerons les moyens de réaliser ce projet, et nous pensons étendre vos méthodes à d'autres services municipaux. Et je ne vois pas pourquoi elles ne seraient pas utilisées également par l'Etat et par le Gouvernement fédéral."

Post scriptum. Les mécaniciens, tous syndicalistes, ont été invités à participer à l'Université du Wisconsin à un séminaire sur le contrôle statistique de la qualité. Ils sont venus en dehors des heures de travail. Ils ont travaillé pendant leur temps libre. La municipalité leur a offert de les payer en heures supplémentaires, mais ils ont répondu : "Non, merci. Nous avons adopté la méthode de Deming parce que nous sommes vraiment intéressés. C'est important pour nous. Nous ne le faisons pas pour être payés.

Les mêmes principes d'amélioration, élaborés par le Dr. Hunter avec l'aide de Peter Scholtes et les hommes de la Division Equipement Automobile de la ville de Madison, s'appliquent à n'importe quel parc de voitures et de camions, dirigée par une municipalité, un grand magasin, une société de transport ou toute autre entreprise.

Chapitre 9

Nouveaux principes
de formation et de leadership

Le bon sens est source de vie pour celui qui le possède, la folie des sots est leur châtiment.

Proverbes 16:22

Le but du leadership. Comme nous l'avons expliqué au chapitre 3 (point n° 7), il est à peu près impossible de trouver un mot français qui désigne ce type d'action. Le but du leadership est d'améliorer la qualité, d'augmenter la production et de rendre les gens fiers de leur travail. En d'autres termes, le leadership ne consiste pas à surveiller les gens pour trouver leurs défauts et les noter, mais à supprimer les causes de leurs défauts, à les aider à faire du meilleur travail avec moins d'efforts. En fait, la majeure partie de ce livre est consacrée au leadership. De la première page à la dernière, le lecteur peut trouver des principes du leadership des hommes et des machines, des exemples de bon et de mauvais leadership. Ce chapitre résume les principes que nous avons appris jusqu'ici, et ajoute quelques exemples.

Il est essentiel qu'un leader sache si tous les membres de son personnel se situent à l'intérieur du système et connaisse ceux qui se situent en dehors. Il l'apprend par un calcul chaque fois qu'il a en main des informations significatives, sinon il se fie à son jugement. Quand une performance est inférieure à la limite de contrôle, l'employé a besoin d'une aide individuelle ; quand elle est supérieure, l'employé mérite d'être officiellement reconnu.

Le leader a également la responsabilité d'améliorer le système, c'est à dire de donner continuellement la possibilité à ses employés de faire un meilleur travail et d'en tirer une plus grande satisfaction.

Une troisième responsabilité du leader consiste à réaliser une uniformité de plus en plus grande des performances dans le système, de telle sorte que les différences apparentes entre les gens diminuent continuellement.

Faut-il dire à un ouvrier qu'il s'est trompé ? Pourquoi pas ? Un ou - vrier ne peut améliorer son travail que si quelqu'un lui fait remarquer des défauts dont il est responsable sur les articles qu'il a réalisés et lui explique comment il fallait faire. Les contremaîtres expliquent rarement comment il faut faire. Quand les ouvriers leur posent des questions, leur réponse est habituellement : "dans cet atelier, tout le monde doit savoir que les défauts et les erreurs ne sont pas tolérés" ; comme si la façon de bien travailler allait de soi.

Importance de la formation. Lorsqu'un opérateur a mis son activité en état de contrôle statistique, il tombe dans la routine quel que soit son niveau de formation. Son apprentissage de cette activité est terminé ; il sera sans intérêt d'essayer de pousser plus avant sa formation dans le même domaine. En revanche, si vous lui donnez une bonne formation dans un autre domaine, cet opérateur est certainement capable de mener d'autres activités.

De toute évidence la formation des nouveaux opérateurs est très importante pour qu'un travail soit bien fait. Quand la courbe d'apprentissage a atteint le niveau voulu, un graphique de contrôle indiquera si une personne a atteint l'état de contrôle statistique (voir Chapitre 2). Quand cet état est atteint, il ne sert à rien de continuer la formation avec la même méthode.

Bien que cela paraisse surprenant, tant que le travail d'une personne n'a pas atteint l'état de contrôle statistique, tout supplément de formation l'aidera vraiment.

Quand une unité est dans un état de chaos (mauvais commandement, mauvaise organisation, aucun contrôle statistique), il n'y a pas la moindre possibilité qu'un employé mette en valeur sa capacité de faire du bon travail.

Combien d'ouvriers ont vu le poste de travail qui suit le leur ? Combien d'ouvriers ont vu le produit fini dans sa boite, prêt à être vendu ? Après avoir passé un certain temps à examiner le fonctionnement d'une usine, j'ai écrit à la direction la lettre suivante :

> *Dans votre société, tout le monde sait que votre but est la perfection, que vous ne pouvez pas tolérer des défauts et des erreurs. Vous rendez chaque ouvrier responsable des articles défectueux qu'il a réalisés. Pourtant, d'après les résultats que vous m'avez montrés, il est évident que vous tolérez une proportion très élevée de produits défectueux, et ceci depuis des années. En fait, le niveau des différents types d'erreurs n'a pas baissé ; il est à peu près constant et prévisible. Avez-vous une*

quelconque raison de croire que ce niveau diminuera dans un proche avenir ? Avez-vous jamais pensé que le problème pouvait provenir du système ?

La théorie du Chapitre 2 nous a appris que, lorsqu'un ouvrier a atteint le contrôle statistique de son activité, si on le maintient à une tâche sans le payer jusqu'à ce qu'il ait réparé les défauts détectés par l'inspection, on lui fait supporter injustement les fautes du système.

Un autre exemple de mauvaise administration est l'attitude d'une direction qui pénalise les employés arrivant en retard quand le mauvais temps a paralysé les transports.

Une meilleure méthode. La bonne manière de procéder est en totale opposition avec la doctrine et les recommandations des ouvrages classiques sur la gestion et et l'administration. Il faut considérer deux cas :

1. L'opérateur a atteint le contrôle statistique de son activité.

2. L'opérateur n'a pas encore atteint le contrôle statistique de son activité.

Commençons par examiner le premier cas. En état de contrôle statistique, la réponse à la question posée au début est : non, il ne faut pas montrer à un opérateur un article défectueux et ne pas lui en parler, tant que son graphique de contrôle n'a pas détecté l'existence d'une cause spéciale. Dans ce cas, il a probablement déjà noté cette information et cherché la cause pour la supprimer.

Nous appliquons ici un principe fondamental : personne ne doit être blâmé ou puni pour une performance qu'il n'a pas les moyens de maîtriser. Toute violation de ce principe ne peut conduire qu'à des frustrations, des déceptions dans le travail et des pertes de productivité.

Il y a une meilleure méthode, qui est de découvrir les personnes qui sont hors contrôle par rapport à leur groupe. Nous allons examiner maintenant le deuxième cas. Si quelqu'un est hors contrôle, dans le sens d'une mauvaise performance, il faut étudier toutes ses conditions de travail et entreprendre les actions correctives nécessaires. C'est peut-être une question d'acuité visuelle, d'outils, de formation incomplète, de mauvaise formation, ou bien, plus simplement, il n'est pas fait pour ce type de travail. D'autre part, si quelqu'un est hors contrôle dans le sens d'une bonne performance, il est important d'étudier la question. Il utilise certainement des méthodes ou des gestes qu'il serait utile d'apprendre aux autres pour améliorer leurs performances.

La politique qui consiste à mettre à la porte les gens qui n'atteignent pas une certaine norme de production n'est pas bonne. Il faut utiliser la théorie statistique pour atteindre une rentabilité maximum en considérant :

1. la distribution des capacités dans le réservoir des employés qui n'ont pas été mis à l'épreuve ;

2. le coût de la formation d'un employé lorsque vous devez choisir de le garder ou de le renvoyer ;
3. le profit escompté si vous gardez un employé qui donne satisfaction.

Exemple d'utilisation de graphiques de contrôle pour la formation. La Fig. 28 montre les scores moyens d'un joueur de golf débutant. Avant les leçons, manifestement, ses scores n'étaient pas en état de contrôle : il y a des points en dehors des limites de contrôle. Après les leçons, au contraire, ses scores montrent un état de contrôle et un score moyen très amélioré.

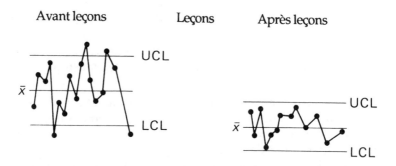

Fig. 28 : Scores moyens hebdomadaires d'un débutant au golf qui a pris des leçons et atteint un état de contrôle statistique. Les scores de quatre jeux successifs constituent un échantillon pour le calcul de la moyenne et de l'étendue. Les limites de contrôle ont été calculées à partir du graphique des étendues, qui n'est pas montré ici. D'après W. Edwards Deming, Elementary Principles of the Statistical Control of Quality (Union of Japanese Science and Engineering, Tokyo, 1950), p.22. UCL et LCL sont les limites de contrôle supérieure et inférieure de la moyenne.

Application à l'administration d'un hôpital japonais. (D'après Hirokawa et Sugiyama, de la Faculté des Sciences d'Osaka,1980). Après une opération, certains patients doivent réapprendre à marcher. Des séances de rééducation ont lieu dans une unité spéciale d'entrainement à l'hôpital d'Osaka. La Fig. 29 montre un relevé des améliorations obtenues par un patient particulier. Le temps de déplacement du pied gauche du sol au sol à chaque pas est enregistré par un signal électrique. Dix pas successifs pris parmi cinquante pas donnent une moyenne et une étendue. Vingt séries d'observations des résultats du patient pendant une période de 5 à 10 jours donnent 20 valeurs de la moyenne et de l'étendue. Seule la moyenne est montrée sur la Fig. 29. Les limites de contrôle sont calculées de la manière habituelle avec les étendues.

Le lecteur peut observer que le patient est largement hors contrôle avant le commencement des leçons, qu'il est en meilleur état de contrôle le dixième jour, et prêt à quitter l'hôpital le vingtième jour.

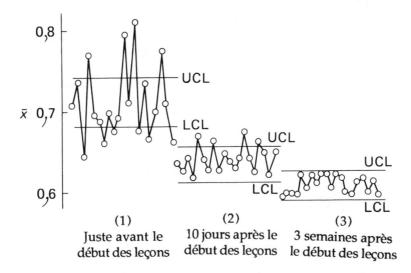

Fig. 29 : Scores journaliers moyens pour un patient qui réapprend à marcher après une opération. Les limites de contrôle proviennent de l'ensemble du groupe de patients. D'après Hirokawa et Sugiyama.

Les graphiques de contrôle utilisés de la sorte sont des outils importants pour l'administration d'un hôpital. Le thérapeute donne des leçons au patient tant que les leçons peuvent l'aider, mais il cesse quand elles ne l'aident plus. En d'autres termes, le graphique de contrôle protège le patient et ménage le temps du thérapeute. Les bons kinésithérapeutes sont rares, quel que soit le pays.

Contrôle statistique réalisé, mais mauvais résultats. Dans ce cas, la première chose à faire est de regarder attentivement, comme toujours, les résultats de l'inspection. Un opérateur qui est en état de contrôle mais dont le travail ne donne pas satisfaction présente un problème. Il n'est généralement pas bon d'un point de vue économique d'essayer de le former à nouveau sur le même travail. Il est préférable de lui donner une autre activité avec une bonne formation.

La Fig. 30 est une bonne illustration de ce phénomène. Un joueur de golf expérimenté espérait améliorer son score en prenant des leçons. Le graphique montre que les leçons n'ont absolument rien changé. Le professeur n'a pas réussi à chasser les mauvaises habitudes du joueur pour lui en inculquer de bonnes.

Un autre exemple classique est celui d'un étranger qui s'est installé aux Etats-Unis il y a quelques années déjà et qui a appris l'anglais par urgente nécessité à son arrivée. Son vocabulaire et sa grammaire sont splendides, mais son accent est déplorable. Ou bien il a peut-être appris l'anglais dans son pays, alors qu'il était l'élève attentif et admiratif d'un professeur qui ne savait pas bien parler anglais. Les orthophonistes que j'ai consultés m'ont dit qu'ils pouvaient adoucir quelques points trop rugueux, mais que le résultat ne serait pas à la hauteur des efforts du maître et de l'élève. Autrement dit, cet homme s'est constitué il y a longtemps un langage à lui, et il est trop tard maintenant pour en changer.

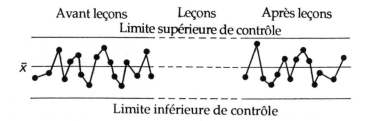

Fig. 30 : Scores moyens d'un joueur de golf expérimenté, avant et après des leçons. Ici le joueur a déjà atteint l'état de contrôle statistique avant de prendre des leçons. Par conséquent les leçons sont inefficaces. Les scores de quatre jeux successifs constituent un échantillon de 4 pour le calcul de la moyenne et de l'étendue. D'après W. Edwards Deming, Elementary Principles of the Statistical Control of Quality (Union of Japanese Science and Engineering, Tokyo, 1950).

Un autre exemple classique est celui d'une femme qui a appris elle-même à chanter, sans professeur ou bien avec un professeur incompétent, et qui chante depuis des années à sa manière, pour le plaisir de quelques personnes et peut-être le sien ; mais combien d'autres sont horrifiées !

La lettre suivante, que m'a adressée l'un de mes étudiants à l'Ecole de Commerce de l'Université de New York, illustre ce principe.

> *Je suis chef du service comptable dans une entreprise. J'ai souvent pensé que je devrais mieux surveiller le bureau, mettre à la porte un ou deux employés médiocres et les remplacer par des gens de tout premier ordre. Mais dans l'une de vos conférences, vous nous avez montré que les chances de trouver mieux sur le marché du travail sont minces, et qu'il ne faut pas risquer de démoraliser tout un service en licenciant un employé pour le remplacer par quelqu'un venant de l'extérieur.*
>
> *Quand j'ai commencé à suivre vos cours, j'avais un problème dans mon service. L'un des comptables faisait constamment des*

erreurs sur une opération de routine. Or l'une de nos procédures interdit de donner une promotion à un employé s'il n'a pas une bonne performance dans l'opération dont il est chargé. En écoutant votre conférence sur les nouveaux principes dans l'administration des affaires, j'ai compris que cet employé était probablement en état de contrôle statistique, bien que je ne puisse pas prouver cet état par des méthodes statistiques. Alors j'ai décidé de le former pour une autre activité. J'ai le plaisir de vous annoncer que cette idée a donné d'excellents résultats. L'employé maîtrise son nouveau travail au point que j'ai. l'impression que j'ai recruté quelqu'un de meilleur niveau.

Avertissements et exceptions. Aucun problème n'est simple dans l'administration des affaires. Il faut se méfier des exceptions apparentes et des changements qui surprennent les opérateurs.

1. Même si quelqu'un est parvenu à l'état de contrôle statistique, il peut le perdre. Un point peut sortir des limites de contrôle, ce qui indique l'existence d'une cause spéciale qui n'a pas été rencontrée jusque là. L'employé doit alors cesser sa production et éliminer cette cause spéciale de son travail futur. Tant qu'il ne l'a pas fait, il est hors contrôle.
2. Il arrive malheureusement que les gens deviennent négligents et se reposent sur leurs lauriers. C'est pourquoi les graphiques de contrôle et d'autres tests statistiques doivent être remis en service périodiquement pour savoir si les opérations sont toujours en état de contrôle.
3. Un nouveau produit, une nouvelle spécification ou éventuellement un nouveau contrat peuvent conduire à de nouvelles sortes de défauts avec lesquels il faut compter. Chaque opérateur doit alors se mettre lui-même en état de contrôle statistique sur un nouvel ensemble d'opérations.
4. Il peut arriver que le département d'inspection (nommé improprement en France service de contrôle) mette au point une nouvelle mesure pour une caractéristique importante. Ce sera en fait, pour l'ouvrier, un nouveau produit.

Exemple de leadership : d'où viennent les défauts ? Il y a 12 soudeurs sur un ouvrage. Le nombre de défauts sur 5 000 soudures est calculé pour chaque soudeur. (tableau 1 et Fig. 31). Ils ont tous le même temps pour faire 5 000 soudures.

Moyenne = 105/11 = 9,55 défauts pour 5 000 soudures

$$\left.\begin{array}{l} \text{UCL} \\ \text{LCL} \end{array}\right\} = 9{,}55 + \sqrt{9{,}55} = \left\{\begin{array}{l} 19{,}0 \\ 0 \end{array}\right.$$

Tableau 1 :

Soudeur	Nombre de défaut	Soudeur	Nombre de défaut
1	8	7	8
2	15	8	8
3	10	9	10
4	4	10	3
5	7	11	8
6	24	Total	105

Le soudeur N° 6 se place en dehors du système. Il a besoin d'une attention particulière, c'est à dire de toute observation et de toute action de nature à l'aider.

1. Examiner les lots d'articles qui sont arrivés. Le N° 6 a peut-être reçu un lot relativement difficile . Si l'hypothèse se vérifie, ne plus s'intéresser particulièrement à cet opérateur.
2. Examiner son matériel, vérifier sa vue et chercher d'autres handicaps possibles (santé, problèmes familiaux).

Et puis, il faut constamment songer à améliorer le travail de tous les soudeurs. Pourquoi ne pas les envoyer tous chez l'oculiste, pas seulement le N° 6 ? Il est utile aussi de s'intéresser aux opérations précédentes, afin d'obtenir une meilleure uniformité des matériaux entrants, et d'étudier la possibilité d'obtenir des matériaux plus faciles à souder.

L'amélioration totale (réduction du nombre moyen de défauts par personne sur 5 000 soudures) dépendra entièrement des modifications que l'on apportera au système, c'est à dire aux équipements, aux matériaux, à la formation.

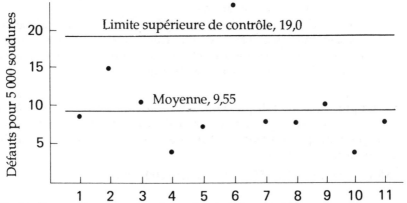

Fig. 31 : Onze soudeurs. En ordonnée, nombre de défauts sur 5 000 soudures. Les soudeurs sont numérotés de 1 à 11 afin de pouvoir suivre leur travail. La moyenne est de 9,55 défauts sur 5.000 soudures. La limite supérieure de contrôle est 19,0 la limite inférieure est nulle. Le soudeur N° 6 est hors contrôle.

Exemple d'aide au leadership. Le travail consiste à placer une page dans le bon casier. Il y a 80 casiers, chacun correspondant à des caractéristiques propres à une seule page. On suppose que ces caractéristiques peuvent être identifiées à la lecture. Il y a 240 femmes à faire ce travail. L'inspection est faite à 100 %. La proportion totale d'erreurs détectées pendant un mois atteint 44 sur 10 000 pour une catégorie critique. Il est commode de pointer les résultats de chaque employée sur un papier à double échelle racine carrée, conçu par Mosteller et Tukey. Nous pointons le nombre d'échecs (y) sur l'échelle verticale, et le nombre de succès (x) sur l'échelle horizontale, comme nous le voyons sur la Fig. 32. La proportion moyenne est représentée par la droite y = 0,0044x.

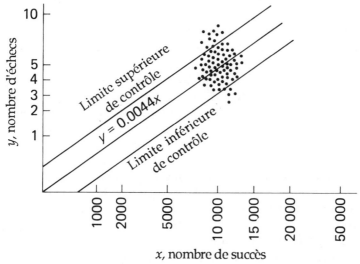

Fig. 32 : Pointage du nombre d'échecs sur l'échelle verticale et du nombre de succès sur l'échelle horizontale. Chaque point représente l'inspection du résultat d'un employé pendant un mois. Il y avait 240 femmes à faire ce travail. Dix points se situent au dessus de la limite de contrôle supérieure, quatre points au dessous de la limite inférieure, 226 points sont entre les limites. Nous n'avons pas essayé de montrer ici tous les points. Les dix points au dessus de la limite supérieure montrent à la surveillante vers quelles employées elle doit orienter ses efforts pour les aider. Elle doit aussi essayer de savoir comment les quatre personnes au dessous de la limite inférieure ont fait pour avoir une si bonne performance.

La construction des limites de contrôle à 3 sigma est extrêmement simple. Il suffit de tracer deux droites parallèles à la droite y = 0,0044x à une distance de 3 écarts-type. Une échelle sur le papier de Mosteller-Tukey donne la longueur de l'écart-type, mais une modification est nécessaire quand l'une des échelles est comprimée, comme sur la Fig. 32. Les limites de contrôle divisent l'ensemble des 240 employées en trois groupes :

A. Performance au dessus de la limite de contrôle supérieure

B. Performance entre les limites de contrôle

C. Performance au dessous de la limite de contrôle inférieure

Les personnes du groupe A ont besoin d'une aide individuelle. Nous ne pouvons pas savoir ici de quelle aide il s'agira. Cette responsabilité incombe au chef d'atelier et à la direction de la société. Nous pouvons cependant faire quelques suggestions :

1. Certaines personnes ne comprennent pas tout de suite le sens des mots qu'elles lisent (C'est une dyslexie plus ou moins accentuée. Mais la dyslexie n'est pas un signe de moindre intelligence ou de retard scolaire). Celles qui souffrent de cette imperfection doivent être affectées à d'autres tâches. On pourra faire appel à un psychologue pour mettre en place un test d'aptitude à la compréhension d'un texte.

2. Certaines personnes ont peut-être besoin de lunettes.

Les femmes du groupe B constituent le système et n'ont pas besoin d'une aide particulière. Ce serait une faute du management de les informer des erreurs qu'elles ont commises, et une autre faute du management de les classer en fonction de leur score. Au contraire, le management doit travailler à améliorer le système. Nous ne pouvons pas tenter ici de définir le rôle du management dans cette opération, mais nous dirons simplement qu'après la visite d'un statisticien, la direction découvrit que certains casiers étaient trop hauts. (On peut s'étonner qu'elle ne l'ait pas vu plus tôt). Une autre suggestion est de faire passer le même test d'aptitude au groupe B qu'au groupe A. Les personnes qui ne réussiraient pas à ce test seraient affectées à d'autres tâches. Une amélioration continuelle du système diminue la pente de la droite qui représente la performance totale.

Les personnes du groupe C méritent aussi une grande attention. Il est juste de les récompenser. Il est important de savoir comment elles font, et quelles sont leurs aptitudes particulières.

Pour commencer, il serait bon d'étudier l'inspection de ce service, son efficacité. Il est bien connu que l'inspection peut laisser passer jusqu'à 40 % des erreurs, et parfois trouver des erreurs là où il n'y en a pas.

Organisation pour une très haute qualité. Dans certaines activités de production ou de service, lorsque les opérations ne sont pas encore parfaitement maîtrisées, la moindre erreur peut être grave de conséquences. Par exemple, l'arbre de l'essieu avant d'une automobile doit subir une inspection à 100 % pour des raisons de sécurité. Ce serait une meilleure solution de réaliser un contrôle statistique de la production de ces pièces, avec des variations très réduites par rapport aux tolérances spécifiées. De même, les calculs dans une banque, ou la préparation des ordonnances dans une pharmacie, exigent le plus grand soin.

Les calculs d'intérêts, d'agios et d'autres transactions bancaires nécessitent 100 % d'inspection (ou de vérification si l'on préfère) non seulement pour des questions de sécurité et de réputation à soutenir, mais aussi pour une simple raison économique.

Si des calculs sont faits par deux personnes différentes, enregistrés séparément, puis comparés à la machine, on trouvera les différences dans les calculs et les enregistrements, mais on ne saura pas si les deux calculs sont faux tous les deux en même temps.

Dans une inspection à 100 %, il est essentiel de savoir éliminer une cause commune d'erreur, ou bien une interaction entre la production et l'inspection. La direction doit faire savoir à tout le personnel concerné qu'il ne faut jamais travailler avec un document douteux ou un chiffre qui n'est pas clair. Par exemple, il doit être impossible de confondre un 5 avec un 8. Si quelqu'un a un doute sur un chiffre (c'est une question d'appréciation personnelle), il doit mettre le document de côté pour le montrer à son chef. Celui-ci a les moyens de vérifier ce chiffre, en cherchant dans une copie ou en téléphonant à un autre service par exemple.

Si l'interaction entre l'opération originale et sa vérification est totalement éliminée, et si chacun des deux processus présente en moyenne un défaut par mille documents, le résultat de l'ensemble est un défaut par million.

Exemple d'inspection incorrecte. Une inspection incorrecte entraine trois types de problèmes : (1) la frustration des ouvriers ; (2) une mauvaise interprétation des points sur les graphiques de contrôle ; (3) l'envoi au client d'un produit incorrect.

L'exemple suivant présente le cas typique d'une inspection incorrecte qui entraine la frustration des ouvriers. Il y a 17 opérateurs et 4 inspecteurs. L'ouvrage des 17 opérateurs est réparti au hasard entre les 4 inspecteurs en utilisant une table de nombres aléatoires.

Le tableau 2 montre les résultats de l'inspection pendant une période de trois semaines, et la Fig. 33 présente graphiquement les résultats par inspecteur. Il est évident que quelque chose ne va pas. Ce graphique est troublant. Les inspecteurs 1 et 4 sont en accord, les inspecteurs 2 et 3 aussi, mais les deux paires ne sont pas d'accord.

Nous avons besoin ici de définitions opérationnelles de ce qui est acceptable et de ce qui ne l'est pas. Nous avons rencontré ce problème au Chapitre 1. Une définition opérationnelle se compose d'une méthode d'essai, d'un essai, et d'un critère par lequel on juge si un ouvrage est considéré comme défectueux ou acceptable (voir Ch.10). Une définition opérationnelle est communicable : c'est un langage par lequel les gens peuvent se comprendre.

Opérateur	Inspecteur				
	1	2	3	4	Tous
1	1	0	0	3	4
2	2	0	0	3	5
3	0	1	1	4	6
4	3	2	2	2	9
5	7	0	0	0	7
6	0	0	0	1	1
7	1	1	1	4	7
8	3	2	3	6	14
9	2	1	0	0	3
10	1	1	1	0	3
11	9	3	5	10	27
12	3	1	0	1	5
13	4	1	1	2	8
14	4	1	1	2	8
15	0	0	1	3	4
16	1	0	0	4	5
17	11	4	6	15	36
Tous	52	18	22	60	152
Nombre total de pièces examinées, n					
	400	410	390	390	1 590
Proportion de défectueux, $\overline{p}$					
	0,130	0,044	0,056	0,154	0,096

Note : Les boîtes de produits finis (cinq pièces par boîte) sont attribuées aux inspecteurs par des nombres aléatoires. Le nombre de pièces produites est sensiblement le même pour tous les opérateurs.

Tableau 2 : Enregistrement de pièces défectueuses trouvées à l'inspection pendant une période de trois semaines, par opérateur et par inspecteur.

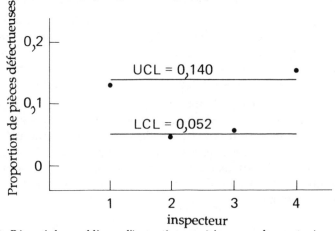

Fig. 33 : Résumé des problèmes d'inspection mis à jour pour les quatre inspecteurs. Le calcul des limites de contrôle est le suivant :

$$\overline{p} = 0,096, \qquad n = \frac{1\,590}{4} \cong 400$$

$$\left.\begin{array}{c} \text{UCL} \\ \text{LCL} \end{array}\right\} = \overline{p} \pm 3 \sqrt{\overline{p}\,(1-\overline{p})/n}$$

$$= \left\{ \begin{array}{l} 0,140 \\ 0,052 \end{array} \right.$$

Inspection incorrecte causée par la crainte. Le graphique de contrôle de la Fig. 34 montre la proportion d'articles défectueux trouvée sur un produit prêt à l'expédition. C'est le résultat d'un audit du produit fini effectué tous les jours pendant deux mois. La proportion moyenne d'articles défectueux pendant les deux mois était 8,8 pour cent. Les limites de contrôle sont :

$$n = 225, \quad \overline{p} = 0,088 \text{ ou } 8,8\,\%$$

$$\left.\begin{array}{c} \text{UCL} \\ \text{LCL} \end{array}\right\} = \overline{p} \pm 3 \sqrt{\overline{p}\,(1-\overline{p})/n}$$

$$= 0,088 \pm 3 \times 0,0189$$

$$= \left\{ \begin{array}{l} 0,144 \text{ ou } 14,4\,\% \\ 0,031 \text{ ou } 3,1\,\% \end{array} \right.$$

La Fig. 34 fait apparaître une curieuse particularité. Les oscillations des points de part et d'autre de la moyenne sont très étroites, par rapport aux limites de contrôle. Deux explications possibles viennent à l'esprit.

1. L'uniformité du pourcentage d'articles défectueux est intégrée au système. Ce cas n'est pas rare. Par exemple, si une machine-outil comporte 12 outils de découpe sur une tourelle, lorsqu'un outil est abimé, les 11 autres continuant à bien marcher, la proportion d'articles défectueux sera de un sur 12, c'est à dire de 8,3 pour cent. Ce chiffre est très proche de celui de 8,8 pour cent que nous avons sur le graphique.

2. Les chiffres du graphique n'ont pas de sens.

La première explication fut rejetée (par David S. Chambers et moi) grâce à une connaissance détaillée du processus. La seconde explication nous semblait plus plausible.L'inspecteur ne se sentait pas en sécurité, il avait peur. Le bruit avait couru que le directeur fermerait l'usine et la déménagerait complètement si la proportion d'articles défectueux trouvée à l'audit du produit fini atteignait 10 pour cent de moyenne journalière. L'inspecteur protégeait l'emploi de 300 personnes.

Une fois de plus, en un endroit où règne la crainte, on trouve des chiffres faux. Une organisation marche en fonction de la manière dont les employés perçoivent leurs chefs. Le fait que le directeur ait l'intention ou non de fermer l'usine à 10 pour cent d'articles défectueux n'avait aucune importance.

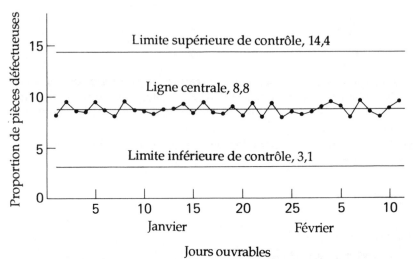

Fig. 34 : Enregistrement journalier du pourcentage d'articles défectueux. 225 articles sont inspectés chaque jour.

Nous avons donné notre explication à la direction générale dans un rapport. C'était la crainte. Le problème a disparu lorsqu'un nouveau directeur d'usine a été nommé.

Deuxième exemple sur la crainte. L'histogramme de la Fig. 35 lance un message. Il nous annonce que l'inspecteur a déformé les résultats de mesure. Ce genre d'histogramme est extrêmement fréquent. Les mesures s'accumulent juste au dessus du minimum spécifié, puis il y a un vide. Les raisons de cette distorsion sont évidentes.

1. L'inspecteur essaye de protéger les personnes qui produisent les pièces.
2. Il craint que son appareil de mesure soit trop sévère, que des pièces soient injustement refusées. Il pense que s'il était bien étalonné, elles seraient acceptées.
3. Il pense que son appareil de mesure est bien étalonné, mais il craint de l'utiliser trop sévèrement.

Troisième exemple sur la crainte. La Fig. 36 montre une distribution de grandeurs mesurées dans un atelier pendant la production. La spécification donnait une limite inférieure de 6,2 mm. Il n'y avait pas de limite supérieure. Apparemment, aucune pièce n'était défectueuse. On remarquera un pic à 6,3 mm, suivi d'un précipice coïncidant avec la limite inférieure. Personne ne saura jamais dans quelle mesure il y avait eu vraiment des pièces défectueuses.

Personne ne souhaite être un porteur de mauvaises nouvelles.

Les pics à 6,5 et 7,0 peuvent s'expliquer par le fait que l'inspecteur a arrondi les chiffres voisins.

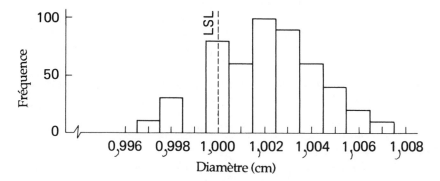

Fig. 35 : Distribution des mesures des diamètres de 500 barres d'acier. Il est évident que l'inspection était défectueuse (LSL est la limite inférieure de la spécification).

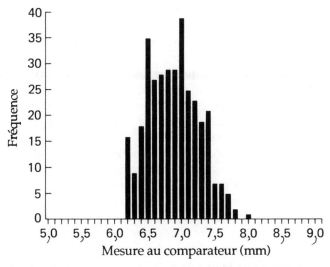

Fig. 36 : Distribution de résultats de mesure. La limite inférieure est de 6,2 mm. Il n'y a pas de limite supérieure.

Quatrième exemple sur la crainte. A ma connaissance, l'Indice de Qualité de l'air des Etats-Unis est transmis tous les jours à midi à Washington par 13 régions du pays. La limite supérieure est 150 (l'unité est le mg de substances polluantes par mètre cube). Quand cette limite est dépassée, un service gouvernemental doit prendre des mesures pour découvrir la source de contamination. C'est peut-être une source naturelle, c'est peut-être des cheminées d'usine. Dans les rapports, le chiffre 150 est rarement atteint, encore plus rarement dépassé. Sur la distribution, il y a une grande concentration de 146 à 149. Les gens ont peur de communiquer de mauvais résultats. Rien d'étonnant : la précision de la mesure est de 20.

Cinquième exemple sur la crainte. Le dialogue suivant m'a été raconté par Kate McKeown. La scène se passe dans un atelier de laminage.

Le mécanicien. (à son contremaître) Ce palier est sur le point de se bloquer. L'arbre de la machine va casser si on ne le répare pas tout de suite.

Le contremaître. C'est hors de question. Il faut absolument faire la production aujourd'hui.

Le contremaître ne pense qu'aux chiffres de production. C'est pourquoi il a dit au mécanicien que ce n'était pas le moment de s'occuper du problème. Par peur, le contremaître agit contre les intérêts de la société. Il n'est jugé par son chef que d'après les chiffres de production. Son chef ne lui demande pas d'éviter les pannes. Qui pourrait blâmer le contremaître de faire ce qu'on lui demande ?

Avant la fin de la production, le palier s'est bloqué, comme le mécanicien l'avait prédit. En démontant la machine, le mécanicien a constaté que l'arbre était gravement endommagé. Il faudra quatre jours pour faire venir un nouvel arbre de Baltimore et le monter.

Nécessité d'un contrôle statistique sur les méthodes d'essai. Un résultat de mesure, qu'il s'agisse d'une mesure visuelle, manuelle ou automatique, est le produit final d'une longue série d'opérations sur l'objet mesuré et sur les appareils de mesure. Pour qu'une méthode de mesure soit valable, il faut effectuer des mesures répétées du même article pendant une certaine période, afin de voir si le système formé par l'opérateur et l'appareil de mesure est en état de contrôle statistique. Mais ceci n'est évidemment pas suffisant. Il faut aussi que le niveau des étendues pour des mesures répétées avec le même opérateur ne soit pas trop élevé, sinon, la précision de la mesure est insuffisante. La méthode doit être reproductible entre des limites spécifiées avec différents opérateurs, même dans le cas d'une inspection visuelle.

On n'a pas le droit d'attribuer une précision, bonne ou mauvaise, à une méthode d'essai tant que le système formé par l'opérateur et l'appareil de mesure n'est pas en état de contrôle statistique ; ceci quel que soit le prix de l'appareil. (Principe établi par Walter A. Shewhart, en 1931).

Certains retards de livraison de matériel sont dus aux différences de méthodes de mesure entre l'acheteur et le vendeur. Quelle est la surface d'une pièce de cuir par exemple ? Comment doit-on compter les chutes ?

Différences entre des appareils de mesure. Des études statistiques révèlent généralement au bout de quelques semaines que :

1. Peu d'ouvriers savent quelle est leur tâche.
2. Peu d'inspecteurs savent quelle est leur tâche. Les ouvriers et les inspecteurs ne sont pas d'accord sur ce qui est bon ou mauvais. Résultat : ce qui était bon hier sera mauvais demain.
3. L'équipement d'essai électronique ne convient pas. Ayant accepté un article, il le refuse dans la minute qui suit, et inversement.
4. Les équipements d'essai électroniques ne sont pas d'accord entre eux.
5. Le client et le fournisseur ne sont pas d'accord entre eux. Ce n'est pas étonnant, l'équipement d'essai utilisé par le client n'est pas logique avec lui-même. Le fournisseur a le même problème. Ni l'un ni l'autre ne s'en rend compte.

Peu de directeurs, d'ingénieurs et de cadres ont conscience de l'importance d'une inspection fiable sur le moral des ouvriers.

Exemple. Il y a huit machines d'essai au bout de la chaine pour séparer les bons et les mauvais produits, afin de protéger les clients. 3 000 articles environ passent à l'inspection chaque jour. Le tableau de la Fig. 37 (fait par une machine) donne les résultats d'une semaine. La règle est de faire tourner la machine d'essai avec le produit tandis que les pièces sortent de la chaine.

Machine d'essai	Rendement	40 %	50 %	60 %
0	66,2			x
7	66,3			x
8	54,1	x		
9	56,0		x	
10	56,9		x	
11	54,1	x		
12	66,5			x
13	57,3		x	
Toutes	59,7			

Fig. 37 : Résultats de huit machines d'essai utilisées pendant une semaine.

Il est évident que les huit machines d'essai se séparent en deux groupes, avec une différence entre les moyennes d'environ 11 pour cent. Il y a donc un problème sérieux et alarmant. Ce que le client obtient dépend, en fait, du mode de fonctionnement de la machine d'essai. Il est vital de trouver pourquoi il y a deux groupes de machines, et d'expliquer la différence entre les deux.

Nous pouvons imaginer la frustration des ouvriers, constatant une variation apparente et inexplicable de jour en jour, et n'imaginant pas que la plus grande partie de leurs ennuis provient des machines d'essai.

Quand on rencontre un problème de la sorte, il faut bien distinguer l'opérateur de la machine. Une machine ne travaille pas d'elle-même. Elle n'a aucune caractéristique propre. La machine et l'opérateur forment une équipe. Un changement d'opérateur peut donner des résultats différents. Dans le cas présent, les machines tournent en trois équipes. Il est bon de se renseigner pour savoir si le même opérateur a travaillé toute la semaine sur la même machine.

Comparaison de deux opérateurs sur la même machine. L'exemple ci-dessus est l'un de ceux où les équipements d'essais (confondus avec les opérateurs) sont en désaccord entre eux. On peut aussi trouver un appareil qui est en désaccord avec lui-même, ou des opérateurs qui sont en désaccord entre eux. Il est impossible d'avoir un bon encadrement si le système de mesure n'est pas en état de contrôle statistique.

Pour rassembler deux ensembles de résultats, une présentation commode est celle d'un tableau 2x2, dont le lecteur trouvera un exemple sur la Fig. 43. Ce type de tableau peut facilement être utilisé dans toutes sortes de comparaisons. Dans le cas présent, nous pouvons faire figurer l'opérateur n° 1 sur l'axe horizontal et l'opérateur n° 2 sur l'axe vertical. Dans un autre cas, nous pouvons tester le même opérateur sur deux appareils de mesure. L'axe horizontal représentera un appareil et l'axe vertical représentera l'autre. Les points situés sur une diagonale indiquent l'accord, ceux situés sur l'autre diagonale indiquent le désaccord.

Si l'inspection se traduit en grandeurs physiques, centimètres, grammes ou secondes par exemple, nous pouvons faire figurer les deux séries de résultats sur les deux axes, comme sur la Fig. 44.

Nous remarquerons incidemment que le Khi-deux et les tests de signification, qui sont enseignés dans les cours de statistiques, n'ont aucune application pratique ici ou ailleurs.

Comparaison d'enquêteurs pour améliorer leurs performances. Nous avons remarqué au Chapitre 2 que presque toutes les activités sont seules de leur espèce. Une fois menées à bien, il est trop tard pour les changer. Encore une fois, comment essaye t-on un porte-avions ? De même, une enquête démographique est seule de son espèce. Elle marche bien ou c'est un fiasco. Une étude de marché ou une enquête sur le matériel d'une compagnie téléphonique sont d'autres exemples ; elles ne se reproduisent jamais de la même manière.

Pendant la période de formation, il y aura de nombreux tests d'inspecteurs et d'enquêteurs. Il y aura une répétition générale. Malgré ces précautions, il faut se préparer à des surprises, des problèmes imprévus et des incompatibilités.

Les résultats d'enquête peuvent être analysés par groupes de deux jours afin de comparer les variances des enquêteurs et les variances inter-enquêteurs. On détectera les défaillances des enquêteurs avant qu'il soit trop tard pour leur donner un complément de formation. Parfois, un enquêteur s'écarte complètement de la norme. Il faut savoir pourquoi ; c'est peut-être lui qui a raison. Les deux premiers jours sont décisifs.

La Fig. 38 donne un exemple. Chaque point représente le résultat d'un enquêteur à la fin des deux premiers jours. Il y avait huit enquêteurs, donc huit points. Comme l'explique la légende, le désaccord entre l'étude présente et le dernier recensement provenait d'une cause commune. Les instructions écrites et la formation des enquêteurs devaient être révisées, notamment en ce qui concerne la définition de certains métiers (conducteur de bus, contrôleur de train, liftier, etc.). Une nouvelle formation a mis les enquêteurs en accord avec le *Census* . (Ces exemples ainsi que les graphiques sont extraits du livre de l'auteur *Sample Design in Business Research,* Wiley, 1960).

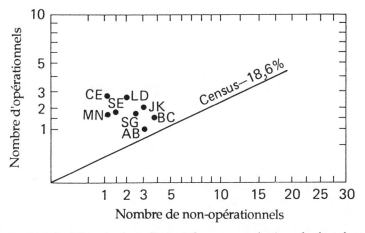

Fig. 38 : Nombre d'employés opérationnels et non-opérationnels dans les activités étudiées par les enquêteurs pendant les deux premières semaines d'une enquête à Wilmington, Delaware, en 1952, et comparaison avec les résultats du recensement de 1950. Tous les points se placent au dessus de la ligne du recensement. C'est un signal d'alarme très fort. Les enquêteurs n'avaient pas compris la notion d'employés opérationnels. Une nouvelle formation était nécessaire.

Remarque. Une bonne pratique veut que l'affectation des enquêteurs et des inspecteurs à des unités d'échantillonnage soit faite à l'aide de tables de nombres aléatoires. Ainsi chaque enquêteur ou inspecteur travaille sur un échantillon aléatoire de toutes les unités concernées par l'étude. Sans cette précaution, les résultats sont difficiles à interpréter.

La Fig. 39 montre des résultats provenant d'une autre enquête, au bout de trois semaines, trop tard pour recommencer. L'échelle verticale indique le nombre d'échecs et l'échelle horizontale le nombre de succès. Les enquêtrices EM et DFB n'avaient enregistré aucun échec. La question était de savoir si cette excellente performance était vraisemblable, ou s'il y avait eu un point faible dans l'enquête. L'étape suivante consistait pour moi à m'entretenir avec les enquêtrices EM et DFB. C'est ainsi que je sus que les deux femmes avaient exercé,auparavant, le métier d'assistante sociale. Or un ami de Hambourg m'avait dit quelques années plus tôt qu'une femme qui a été assistante sociale est toujours une excellente enquêtrice. Elle aime les gens et les gens veulent bien lui parler. C'est tout ce qu'il me fallait savoir.

Le papier utilisé pour ces exemples est du papier à double racine carrée Mosteller-Tukey. Mais les conclusions seraient les mêmes avec n'importe quel autre papier millimétré.

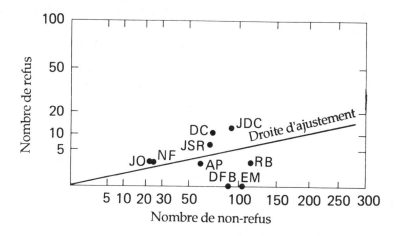

Fig. 39 : Refus et non-refus pour neuf enquêteurs et enquêtrices après quatre semaines. Les enquêtrices DFB et EM sont meilleures que les autres, à moins qu'il y ait une erreur de relevé.

L'illusion de la récompense pour le gagnant de la loterie. Dans une grande entreprise, quelqu'un de la direction du personnel et des affaires sociales présenta un jour une brillante idée, qui plut à tout le monde. Il s'agissait de récompenser le *top man* du mois sur une certaine chaine de production (l'ouvrier qui a fait la plus faible proportion de défauts pendant le mois) et de le citer dans le journal de l'entreprise. Il y aurait une petite cérémonie en son honneur et il aurait droit à une demi-journée de congé supplémentaire. Cette idée pouvait être bonne si le *top man* était vraiment un ouvrier exceptionnel, c'est à dire hors du système.

Il y a 50 ouvriers sur la chaine. Si les 50 résultats de l'inspection sur la chaine forment un système comme les résultats des 20 opérateurs de la Fig. 13, alors le prix du *top man* n'est qu'une loterie. Au contraire, si le *top man* est une cause spéciale de faible proportion de défauts, il est réellement exceptionnel, il mérite d'être reconnu officiellement et doit servir plus tard d'exemple pour la formation des ouvriers.

Il n'y a pas de danger à jouer à la loterie, autant que je sache, à condition de bien l'appeler une loterie. Au contraire, qualifier de récompense au mérite une sélection qui est essentiellement le résultat d'un tirage au sort est une pratique démoralisante pour tous les ouvriers, y compris ceux qui remportent le prix. Quand il y a une sélection, tout le monde suppose que c'est pour de bonnes raisons, chacun cherche une explication et essaye de réduire sa différence avec les autres. C'est un exercice dérisoire quand les différences ne sont dues qu'à des variations aléatoires, en particulier quand les performances de 50 hommes sur une chaine de production forment un système statistique.

Chapitre 10

Définitions opérationnelles, conformité, performance

Je pense que certaines des explications qui ont été publiées sont plus remarquables que le phénomène lui-même.

Hugh M. Smith,
"Sur les éclairs lumineux synchrones des lucioles,"
Science, août 1935.

But de ce chapitre. Beaucoup de personnes dans l'industrie pensent qu'il n'y a rien de plus important pour faire de bons échanges que les définitions opérationnelles. Nous pouvons ajouter que rien n'est tant négligé parmi toutes les exigences de l'industrie. Aux Etats-Unis, on étudie les définitions opérationnelles en classe de philosophie, mais presque jamais dans les écoles d'ingénieurs et les écoles de commerce. Il est vrai que l'enseignement de la physique, de la chimie et des sciences naturelles est autre chose que celui de la philosophie des sciences. Ce chapitre a pour but d'essayer de faire comprendre au lecteur le besoin de définitions opérationnelles et de l'inciter à faire l'effort d'en connaître davantage.

Le sens commence avec le concept, qui est dans l'esprit de chacun et qui est seulement là. Un concept, dit Shewhart, est ineffable, c'est à dire au delà des mots. Le seul sens communicable d'un mot, d'une prescription, d'une spécification, d'une mesure, d'un attribut, d'une méthode, d'un règlement ou d'une loi est le relevé de ce qui s'est passé à la suite de l'application d'une opération ou d'un essai spécifié.

Qu'est-ce qu'une définition opérationnelle ? Une définition opérationnelle donne un sens communicable à un concept. Des adjectifs comme bon, fiable, uniforme, rond, fatigué, sûr, dangereux, inactif, n'ont aucun sens communicable tant qu'ils n'ont pas été exprimés en termes opérationnels d'échantillons, d'essais et de critères. Le concept d'une définition est au delà des mots. On ne peut pas le communiquer à quelqu'un d'autre. Une définition opérationnelle est une définition sur laquelle des hommes raisonnables peuvent se mettre d'accord.

Une définition opérationnelle est une définition avec laquelle des personnes peuvent faire une œuvre commune. La définition opérationnelle d'une qualité telle que fiable ou rond doit être communicable, avec le même sens pour le fournisseur et le client, le même sens hier et demain pour un ouvrier. Exemples :

1. Un essai spécifique pour une pièce détachée.
2. Un critère de jugement.
3. Une décision. L'objet satisfait ou ne satisfait pas au critère.

Une spécification d'un article peut faire référence à des mesures de longueur, de diamètre, de poids, de dureté, de concentration, de floculence, de couleur, d'aspect, de pression, de parallélisme, de fuites, d'inoccupation ou d'autres caractéristiques. La spécification peut aussi faire référence à une performance. Par exemple, le temps moyen de bon fonctionnement d'une machine doit être supérieur à huit heures, ou bien 95 pour cent du parc de machines doit fonctionner plus de une heure sans défaillance.

Nous avons vu à plusieurs reprises combien il est important que l'acheteur et le vendeur se comprennent. Ils doivent utiliser tous les deux le même type de centimètre. L'emploi de leurs appareils de mesure respectifs doit s'accorder suffisamment. Ceci n'a de sens que si les appareils sont en état de contrôle statistique. Sans définitions opérationnelles, une spécification n'a pas de sens.

Les incompréhensions entre deux sociétés ou entre deux départements d'une même société au sujet de matériaux supposés défectueux, ou d'appareils supposés en mauvais état de marche sont nombreuses. Elles proviennent souvent de ce que les protagonistes ont négligé d'établir à l'avance la spécification d'un article, ou d'une performance, en termes intelligibles, et de ce qu'ils ne comprennent rien à la la problématique de la mesure.

Les définitions opérationnelles sont vitales pour les avocats, vitales pour les dispositions administratives, vitales pour les normes industrielles. Par exemple, qu'est-ce que la responsabilité civile ? Que veut dire être à la charge de ?

La pratique est plus astreignante que la science fondamentale ; plus astreignante que l'enseignement. Comme l'a dit Shewhart, les normes de connaissance et de compétence exigées par l'industrie et les services publics sont plus sévères que les exigences de la science fondamentale.

La science fondamentale et la science appliquée ont constamment fait progresser les exigences de justesse et de précision.

Toutefois, la science appliquée, spécialement dans la production de pièces détachées en grande série, est encore plus astreignante que la science fondamentale en ce qui concerne la justesse et la précision. Par exemple, dans un centre de recherches fondamentales, un chercheur fait une série de mesures et, sur cette base, fait les estimations de justesse et de précision qu'il pense être les meilleures, même si le nombre de mesures est très faible. Il admettra facilement que des études ultérieures pourront éventuellement prouver que ses estimations étaient fausses. Il dira peut-être, pour les défendre, qu'un bon chercheur ne pouvait pas, au moment où elles ont été faites, faire de meilleures estimations sur la base des données disponibles. Mais regardons maintenant ce que fait le chercheur dans un centre de recherches appliqués. Il sait que s'il agissait d'après les éléments dont dispose parfois la recherche fondamentale, il ferait les mêmes erreurs dans l'estimation de la justesse et de la précision. Il sait aussi que ses erreurs peuvent faire perdre beaucoup d'argent à la société et peut-être aussi mettre des vies en danger.

Mais celui qui travaille dans l'industrie a aussi une autre inquiétude. Il sait que les spécifications de la qualité, comportant notamment des exigences de justesse et de précision, peuvent devenir la base d'un accord contractuel, et il sait que tout à-peu-près dans le sens des termes qui sont utilisés dans la spécification risque de conduire à des incompréhensions et même à une action en justice. Par conséquent, toute personne qui fait de la recherche appliquée souhaite aller aussi loin que possible dans la définition précise des termes utilisés, avec un sens précis et vérifiable opérationnellement.

(Walter A. Shewhart, *Statistical Method from the Viewpoint of Quality Control* - Graduate School, Department of Agriculture, Washington, 1939).

Pas de valeur exacte ; pas de valeur vraie. Dans le commerce, le problème n'est jamais de savoir si un objet est parfaitement rond, mais de savoir dans quelle mesure cet objet s'écarte de la rondeur. Les pistons de votre voiture ne sont pas parfaitement ronds. Ils ne peuvent pas l'être parce qu'il n'y a aucun moyen de définir la rondeur absolue.

Pourquoi ne pas chercher une aide dans le dictionnaire ? Le dictionnaire dit qu'une figure est ronde si tous ses points sont équidistants d'un point appelé centre dans un espace euclidien à deux dimensions. C'est une définition très utile du point de vue de la logique pure, comme le Postulat d'Euclide. Mais si nous essayons de l'utiliser dans la pratique, nous voyons que le dictionnaire nous donne un concept, pas une définition utilisable dans l'industrie. Le dictionnaire ne nous donne pas une définition opérationnelle de ce qui est suffisamment rond pour un usage déterminé.

Le train n'était pas exactement à l'heure...

Pour comprendre cette vérité, il suffit d'essayer d'expliquer ce qu'il faut faire comme mesures, quels critères adopter pour décider qu'un objet est parfaitement rond, que le train est parfaitement à l'heure.

Alors vous découvrirez bien vite que vous êtes dans des difficultés insurmontables.

Toute mesure physique est le résultat de l'application d'une certaine procédure. Il en est de même pour compter des individus dans une région donnée. Il faut s'attendre à ce que deux procédures différentes de mesure ou de dénombrement (nous les appellerons A et B) donnent des résultats différents. Aucun des deux chiffres n'est juste, aucun n'est faux. Cependant, les experts en la matière peuvent avoir une préférence pour la méthode A ou la méthode B. Comme le dit P. W. Bridgman, "le concept est synonyme d'un ensemble donné d'opérations."

> Quand une procédure est retenue, c'est parce qu'elle donne ou donnera apparemment les résultats les plus proches de ce qui est nécessaire à l'accomplissement d'un projet déterminé ; ce qui ne l'empêche pas d'être onéreuse, longue, ou même impossible à suivre... Etant donné qu'une procédure risque toujours d'être modifiée et de tomber dans l'oubli, nous devons conclure à l'impossibilité de savoir logiquement si une procédure est juste ou fausse.

(W. Edwards Deming, *Sample Design in Business Research*, Wiley 1960, Ch. 4).

Nous avons déjà vu que la moyenne d'un processus dépend de la méthode d'échantillonnage des lots, ainsi que de la méthode d'essai et des critères imposés. Si vous changez la méthode d'échantillonnage ou la méthode d'essai, vous obtiendrez un nouveau décompte de défauts dans le lot et une nouvelle moyenne du processus.

La plupart des gens sont surpris quand ils apprennent qu'il n'y a pas une vraie valeur de la vitesse de la lumière. Le résultat obtenu dépend de la méthode utilisée par l'expérimentateur (ondes millimétriques, interféromètre, géodimètre, spectre moléculaire). De plus, comme nous l'avons déjà fait observer, une méthode de mesure n'existe qu'à partir du moment où les résultats font apparaître un contrôle statistique. Le seul test de contrôle statistique connu sur les résultats de mesure de la vitesse de la lumière s'est révélé négatif.

Si deux méthodes de mesure de la vitesse de la lumière, comme d'une autre constante physique, étaient en état de contrôle statistique, l'étude de leurs différences aurait un intérêt scientifique. D'autre part, si les résultats concordaient, nous aurions aujourd'hui une norme acceptable.

Une telle norme ne serait pas une valeur vraie, parce qu'une autre méthode adoptée dans l'avenir pourrait donner un résultat nettement différent. Il n'y a rien d'étonnant à trouver des écarts irréductibles entre deux méthodes différentes.

La vitesse de 3×10^{10} cm/sec que nous avons apprise à l'école est bien suffisante pour la plupart des calculs qui incorporent la vitesse de la lumière, mais les exigences actuelles de la science et de l'industrie sont telles qu'il faut utiliser d'autres méthodes qui donnent parfois sept ou huit décimales. Shewhart donne à la p. 82 de son livre de 1939, déjà cité, le graphique de toutes les mesures de la vitesse de la lumière jusqu'à cette époque (Fig. 40).

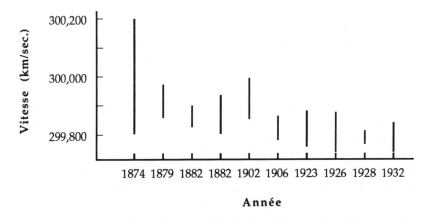

Fig. 40 : relevé graphique des mesures de la vitesse de la lumière qui ont été publiées jusqu'en 1932. Les segments verticaux sont ce que les physiciens nomment les erreurs probables. Le calcul de ces grandeurs n'est habituellement pas clair.

> *Chaque détermination donnait un chiffre inférieur au précédent. Il y a eu ensuite beaucoup d'autres déterminations. Jusqu'à maintenant, elles ont toutes donné, sauf une, des chiffres inférieurs aux précédents. L'exception est venue de l'URSS.*
>
> (David Halliday et Robert Resnick, *Fundamentals of Physics*, Wiley 1974).

Le nombre d'habitants dans un recensement n'est pas exact. Certains principes scientifiques fondamentaux semblent avoir échappé même aux responsables des services de recensement. J'ai entendu un responsable du *Census* dire que le recensement de 1980 était le plus exact que l'on ait jamais connu. Il pensait et faisait penser aux autres, je le crains, qu'un chiffre exact existe et qu'il peut être obtenu à condition que tous les employés du *Census* fassent un effort suffisant.

Plusieurs maires de villes américaines ont protesté en disant que le recensement de 1980 n'avait pas dénombré toute leur population. Les tribunaux leur ont accordé une révision du recensement. Les protestations des maires comme les jugements des tribunaux montrent une égale incompréhension de la notion de dénombrement. Pourquoi n'accorderait-on pas à toutes les municipalités une augmentation de 2,5 pour cent ?

Il n'y a pas de valeur vraie pour le nombre de personnes à Detroit, mais il y a (il y avait) un chiffre donné par les procédures suivies par le *Census*. De toute façon, si les procédures avaient été différentes, un chiffre différent aurait été obtenu.

Je propose un moyen bien simple pour que les maires soient satisfaits d'un recensement de population dans leur ville, c'est de travailler à l'avance avec le Bureau de Recensement. Voici comment :

1. Se familiariser avec les méthodes utilisées pour recenser la population d'une région donnée. Connaître les définitions des individus qui sont comptés et de ceux qui ne le sont pas, ainsi que les règles de passage d'une région à une autre.

Le dénombrement des habitations vacantes dans une région pose des problèmes de classification et des problèmes de décompte total. D'abord, qu'est-ce qu'une unité d'habitation ? Ensuite, qu'est-ce qu'une unité d'habitation vacante ? Ceci semble très simple tant que l'on n'a pas fait une enquête sur les différents types d'unités d'habitations vacantes. Il peut sembler qu'une unité d'habitation qui n'est pas occupée est vacante. Mais que dire d'une unité d'habitation inhabitable ? Est-elle vacante ? Il y a des unités d'habitations vacantes et en vente ; vacantes et à louer ; vacantes mais ni à vendre ni à louer ; vacantes une partie de l'année seulement.

Le nombre d'unités d'habitations vacantes par type de vacance est un indicateur économique important et utile pour certaines activités. Le *Census* doit évidemment donner aux enquêteurs une formation avant de les envoyer sur le terrain collecter des données sur les habitations vacantes.

2. Suivre un cours. Le meilleur moyen pour apprendre ces procédures est de s'inscrire au cours de quatre jours fait par le *Census* et de passer l'examen.

Tous les initiés aux méthodes du *Census* connaissent la nuit historique du 8 avril 1980 qui était un essai bien organisé pour trouver et compter tous les gens dans les missions, les asiles de nuit, les abris, sans domicile fixe. Beaucoup de ces gens n'ont pas d'informations sur eux-mêmes ; certains ne sont pas sûrs de leur nom ou de leur âge. Une armée d'employés du *Census*, après une répétition générale, a participé à ce coup de filet.

Il faut noter que des efforts et des dépenses supplémentaires pour trouver plus de monde sont sans effet, au delà d'un certain niveau, particulièrement en ce qui concerne les jeunes noirs de sexe masculin entre 18 et 24 ans. La recherche peut coûter facilement 100 dollars par unité. Un effort supplémentaire coûte 200 dollars par unité. Où faut-il s'arrêter ?

Mais encore une fois, qu'entend-on par le nombre de gens dans une région ?

Bien entendu, il faut décider à l'avance de l'effort nécessaire et du mode de financement des dépenses qui sortent du champ des méthodes autorisées par le *Census.*

3. *Apprendre* les différentes techniques par lesquelles notre *Census* et d'autres évaluent (a) le nombre d'unités d'habitation et le nombre de gens qui n'ont pas été comptés, (b) le nombre de gens comptés deux fois, et (c) le nombre de gens comptés par erreur.

Incidemment, il faut savoir qu'une liste de gens qui déclarent ne pas avoir été comptés par le *Census* n'a aucune valeur. Vous n'avez pas besoin d'être chez vous pour être compté. Seule une recherche dans les registres du *Census* peut permettre de savoir si quelqu'un a été compté, et sans erreur d'adresse.

4. *Suggérer* des améliorations dans les procédures jusqu'à ce qu'elles donnent satisfaction.

5. *Suivre* le *Census* pendant son travail, constituer des preuves statistiques de l'exactitude de ses informations par des échantillons constitués de petits périmètres bien choisis.

Un périmètre de l'échantillon sera une zone pouvant contenir (d'après le cadastre) 10 à 50 unités d'habitation (à titre indicatif). Une condition impérative est que les limites de ce périmètre ne prêtent pas à confusion.

6. *Accepter* les résultats du *Census* à moins que votre suivi ne montre une erreur d'exécution. Mais les erreurs d'exécution doivent être définies à l'avance.

Si le maire n'a pas participé au recensement de cette façon, il doit accepter ce que lui donne le *Census* ; toute réclamation de sa part serait une tricherie. Il me serait difficile de trouver des partenaires de jeu si je fixais la règle suivante : "face je gagne, pile on recommence". C'est pourtant ce que demandent les maires.

Un juge et ses aides, s'ils veulent être capables d'examiner avec intelligence une réclamation pour un défaut du recensement, devraient (comme le maire) demander une formation rapide aux méthodes du *Census* avec un exposé sur la différence entre un concept et une définition opérationnelle (c'est à dire le contenu de ce chapitre, qui devrait figurer au programme des études de droit, de technologie, d'administration des affaires et de statistiques).

Autres exemples. Tout le monde pense savoir ce que la pollution signifie, jusqu'au moment où quelqu'un essaye de l'expliquer à quelqu'un d'autre. Il faut d'abord trouver une définition opérationnelle de la pollution des rivières, des terrains, des rues. Ces mots n'ont aucun sens tant qu'ils ne sont pas définis statistiquement. Par exemple, il ne suffit pas de dire que si l'air contient 100 parties d'oxyde de carbone par million, il y a un risque. Il faut préciser que (a) ce taux ou un taux supérieur est un risque s'il existe à tout instant, ou bien que (b) ce taux ou un taux supérieur est un risque s'il existe pendant les heures de travail. Et comment la concentration doit-elle être mesurée ?

La pollution signifie-t-elle (par exemple) que la concentration d'oxyde de carbone suffit à donner des troubles après trois respirations, ou bien que la concentration d'oxyde de carbone suffit à donner des troubles après cinq jours d'exposition ? Dans les deux cas, à quoi reconnait-on les effets ? Par quelle procédure détecte t-on la présence d'oxyde de carbone ? Quel est le diagnostic ou les critères d'empoisonnement pour les hommes ? pour les animaux ?

Comment choisit-on un échantillon d'hommes ou d'animaux ? Quel nombre ? Combien d'individus dans l'échantillon doivent satisfaire aux critères d'empoisonnement à l'oxyde de carbone pour que l'on puisse déclarer que l'air est dangereux ? Dangereux pour une exposition de quelle durée ?

Même l'adjectif *rouge* n'a pas de sens pour une affaire tant qu'il n'a pas été défini opérationnellement en termes d'essai et de critère. *Propre* est une chose lorsqu'il s'agit des assiettes, des couteaux et des fourchettes dans un restaurant ; c'est autre chose lorsqu'il s'agit d'une fabrication de disques durs pour ordinateurs ou d'une fabrication de transistors.

Un homme d'affaires ou un haut fonctionnaire ne peut pas se contenter de comprendre superficiellement les spécifications de performance, dans le domaine des produits, de la médecine ou des efforts humains. Les principes de la théorie de la connaissance, souvent considérés comme des passe-temps sans importance dans les cours d'administration et d'organisation, prennent une extrême gravité pour un homme confronté à des problèmes industriels.

Que signifie une loi prescrivant que le beurre mis en vente doit avoir 80 pour cent de matière grasse ? Est-ce que cela veut dire au moins 80 pour cent de matière grasse dans chaque livre de beurre que vous achetez, ou bien 80 pour cent en moyenne ? Qu'entendez-vous par 80 pour cent en moyenne ? Est-ce la moyenne de vos achats de beurre pendant un an ? Ou bien est-ce toute la production de beurre d'une année, achetée par vous et par d'autres, ayant une provenance particulière ? Quelle quantité allez-vous tester pour calculer la moyenne ? Comment allez-vous sélectionner le beurre à tester ? Vous intéresserez-vous aux variations du taux de matière grasse d'un échantillon à l'autre ?

Evidemment, tout effort pour définir opérationnellement 80 pour cent de matière grasse se heurte de plein fouet à la nécessité d'utiliser des techniques statistiques et de se fixer des critères. Encore une fois, l'expression *80 pour cent de matière grasse* n'a aucun sens.

Les définitions opérationnelles sont nécessaires pour l'économie et la fiabilité. Sans définitions opérationnelles, par exemple dans le domaine du chômage, de la pollution, de la sécurité des produits, de l'efficacité des médicaments, des effets secondaires, du temps d'apparition d'effets secondaires, etc. les concepts ne signifient rien tant qu'ils n'ont pas été définis en termes statistiques. Sans une définition opérationnelle, les recherches sur un problème seront coûteuses et inefficaces, et conduiront presque certainement à des querelles sans fin et à des controverses.

Si l'on veut un exemple, on peut prendre celui de la définition opérationnelle de la pollution atmosphérique en termes d'affections nasales. La définition n'est pas impossible (elle peut s'apparenter à une méthode statistique utilisée pour vérifier la qualité des produits alimentaires), mais elle n'aura aucun sens tant qu'elle ne sera pas définie statistiquement.

Le nombre d'échantillons de test, la manière de les sélectionner, la manière de calculer les estimations, la manière de calculer et d'interpréter les marges d'incertitude, les tests de variance entre les instruments, entre les opérateurs, entre les jours, entre les laboratoires, la détection et l'évaluation des erreurs systématiques, sont des problèmes statistiques de grande importance. La différence entre deux méthodes d'investigation (questionnaire, test) peut se mesurer fiablement et économiquement avec un plan statistique et un simple calcul.

Certains textes votés par le congrès et certains règlements édictés par des agences fédérales de contrôle sont bien connues pour l'ésotérisme de leurs définitions, sources d'une confusion coûteuse. Les lignes qui suivent, extraites du New York Times du 9 avril 1980 montrent que la Commission Fédérale des Télécommunications (C.F.T.) a finalement renoncé à faire la distinction entre le traitement et la transmission des données.

*La distinction entre le traitement des donné*es (manipulation de données sous forme de mots et de nombres) et les télécommunications (transmission de la voix, domaine traditionnel des compagnies téléphoniques) va disparaitre. C'est ce dernier point qui, selon de nombreux observateurs, a obligé finalemen*t la commission à entreprendre ce que l'industrie connait sous le nom de Enquête Informatique II.*

Pendant plus de dix ans, la C.F.T. a essayé de résoudre la question fondamentale de ce qui constitue le traitement des données et les télécommunications. Pendant ce temps, les technologies ont été plus rapides que les règlements...

"*Chaque fois que la commission a essayé de séparer le*s deux domaines, ils se sont rapprochés davantage," a dit un observateur de l'industrie des télécommunications. "En réalité, la commission force actuellement la décision en permettant aux entreprises de télécommunication d'accéder aux activités de traitement des *données.* "

Que signifie une étiquette "50 pour cent laine ?" L'étiquette d'une couverture indique : 50 pour cent laine. Qu'est-ce que cela signifie ?

C'est probablement pour vous sans intérêt. Vous vous intéressez davantage à la couleur, à la texture et au prix qu'à la composition. Il existe tout de même des gens qui s'intéressent à la signification des étiquettes, ainsi la Commission Fédérale du Commerce. Mais quelle est la définition opérationnelle ?

Supposons que vous me disiez que vous voulez acheter une couverture 50 pour cent laine, et que je vous vende la couverture de la Fig. 41, avec une moitié pure laine et une moitié pur coton. D'après une certaine définition, cette couverture est 50 pour cent laine. Mais vous pouvez, pour votre propre usage, préférer une autre définition. Vous pouvez me dire que 50 pour cent laine signifie autre chose pour vous. C'est à dire ? Vous pouvez demander que la laine soit dispersée sur toute la surface de la couverture.

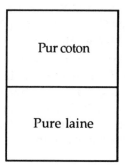

Fig. 41 : Cette couverture est "50 pour cent laine, 50 pour cent coton", si nous considérons la surface totale.

Vous pouvez venir me voir avec une définition telle que :

Découpez 10 pièces d'un diamètre de 1,0 à 1,5 cm, réparties au hasard, dans la couverture. Numérotez les pièces de 1 à 10. Portez ces 10 pièces à votre laboratoire pour un test. Il suivra vos procédures. Demandez lui de relever la proportion de laine, en poids, de chaque pièce. Calculez la moyenne des dix proportions.

Critère : $\overline{x} \geq 0,50$

$$x_{max} - x_{min} \leq 0,002$$

Si l'échantillon ne satisfait pas à l'une de ces conditions, la couverture n'est pas conforme à votre spécification.

Il n'y a rien de vrai ou de faux dans l'une et l'autre de ces deux définitions de 50 pour cent laine. Vous avez le droit et le devoir de spécifier une définition qui correspond à vos besoins. Plus tard, si vous avez d'autres besoins, vous pourrez adopter une autre définition.

Il n'existe pas une valeur vraie de la proportion de laine dans une couverture. Il existe toutefois un nombre que vous pouvez obtenir en faisant un test prescrit.

Jusqu'à présent, nous n'avons parlé que d'une seule couverture. Voyons maintenant le problème d'une série de couvertures. Peut-être achetez-vous des couvertures pour un hôpital ou pour l'armée. Il faudra tenir compte de la différence fondamentale que nous avons déjà rencontrée au Chapitre 2 : un achat isolé comparé à un approvisionnement continu. Vous pouvez spécifier que pour 10 kg de laine le fabricant utilisera 10 kg de coton. C'est une définition possible de 50 pour cent laine ; elle n'est ni juste ni fausse, mais elle correspond à vos besoins, puisque vous le dites.

Application. L'article suivant est paru dans U.S. News and World Report le 23 novembre 1981, p. 82 :

CE QUE VOUS POUVEZ FAIRE ET NE PAS FAIRE SI VOUS DIRIGEZ UNE ENTREPRISE – DECISIONS RECENTES DU GOUVERNEMENT ET DES TRIBUNAUX

Un importateur qui se fie aux étiquettes des fabricants étrangers est en infraction si les étiquettes ne sont pas correctes, déclare un arrêté du Tribunal dans un district des Etats-Unis. Un importateur de tissus comportant un certain pourcentage de laine, installé à New York, est d'accord pour payer une amende de 25.000 dollars en réparation du fait qu'il a vendu des tissus avec moins de laine que ce qui était inscrit sur l'étiquette. La Commission Fédérale du Commerce avait décrété auparavant que cette pratique était illégale. Aux termes de l'accord, la firme devra faire tester ses tissus par un laboratoire indépendant pour vérifier l'exactitude de l'étiquette.

Il serait intéressant de connaître quelle est la définition opérationnelle d'un tissu 25 pour cent laine qui a été adoptée par le plaignant et le défendeur.

Qu'est-ce qu'une ride ? Le produit est un tableau de bord d'automobile. Un certain type de tableau de bord était, pour le constructeur, une source particulière d'ennuis. Le directeur de l'usine me dit que la proportion de pièces défectueuses était tous les jours entre 35 et 50 pour cent. L'examen des données nous montra que les inspecteurs étaient notablement différents. Il était clair que chaque inspecteur avait sa propre perception de ce qu'était une ride, et que cette perception changeait chaque jour. Le directeur se mit d'accord avec moi pour consacrer du temps à des définitions opérationnelles. Six personnes de la direction générale participèrent à la session. Les inspecteurs apportèrent 20 tableaux de bord pour les examiner, certains avec des rides, à ce qu'ils disaient, certains sans rides.

Dans un premier temps, je demandai à toutes les personnes présentes s'il y avait des volontaires pour définir une ride. Il fallait donner une définition que tout le monde comprenne. Personne ne releva le défi. "Essayons encore. Un inspecteur peut-il me dire ce qu'est une ride ?" Pas de réponse. Alors le chef du contrôle qualité montra du doigt ce qui lui semblait être une ride. L'un des inspecteurs dit que c'était bien une ride. Mais sur les quatre inspecteurs qui restaient, il y en a deux qui nous ont demandé : "mais qu'est-ce que vous regardez ?" Pour eux, il n'y avait pas trace d'une ride.

La solution consistait à établir les définitions opérationnelles de ce qui était une ride et de ce qui ne l'était pas. Ensuite, nous avons défini d'autres types de défauts.

Le résultat est que le niveau de pièces défectueuses est tombé à 10 pour cent en l'espace d'une semaine. Les employés qui faisaient des réparations eurent le temps de faire leur travail. La définition opérationnelle a donné aux inspecteurs et aux opérateurs une base pour communiquer. Ils se sont entrainés mutuellement. La production a augmenté de 50 pour cent.

Coût : zéro. Le même personnel, les mêmes matériaux, les mêmes machines ; rien de nouveau sauf des définitions que tous les opérateurs, et les inspecteurs aussi, comprenaient de la même façon.

Sélection aléatoire d'unités. Une procédure de sélection aléatoire d'un échantillon de n unités à partir d'un cadre de N unités peut se définir ainsi :

1. Numéroter les unités du cadre 1, 2, 3... et ainsi de suite jusqu'à N.
2. Préparer avec une procédure déterminée à l'avance n nombres aléatoires sans répétitions compris entre 1 et N. Les nombres préparés ainsi désignent les unités de l'échantillon par leur numéro de série.

Voici donc une définition opérationnelle de la sélection aléatoire d'un échantillon. Mais il faut bien voir qu'un échantillon n'est ni aléatoire ni autrement. C'est sur la procédure de sélection que nous devons porter toute notre attention. La procédure utilisée pour sélectionner l'échantillon est conforme ou non à la définition d'une procédure de sélection aléatoire. Une variable aléatoire ne peut être que le produit d'une opération aléatoire.

Pour tous ceux qui utilisent des tables de nombres aléatoires, ou des programmes générateurs de nombres aléatoires, j'insiste sur la nécessité d'être guidé par un mathématicien connaissant bien les erreurs qui peuvent résulter d'un mauvais usage de ces techniques.

EXERCICES

10. Pourquoi ne peut-il pas y avoir une définition opérationnelle de la valeur vraie de quelque chose ? (*Réponse :* Une valeur numérique observée sur quelque chose dépend des définitions et des opérations utilisées. Les définitions et les opérations sont construites différemment par différents experts en cette matière.)

20.

21. Expliquer pourquoi un système de mesure doit présenter un état de contrôle statistique avant d'être qualifié de système de mesure. Examiner la question des essais non-destructifs répétés d'un même article, de la permutation d'opérateurs, du renouvellement d'un essai un mois plus tard.

22. Expliquer pourquoi la justesse de tout système de mesure ne peut se définir que comme une application du résultat moyen d'une norme de mesure primaire.

23. Un changement de la norme primaire affecte la justesse d'un système de mesure, mais n'affecte pas sa précision.

24. Quelles seraient vos principales considérations d'ordre technique et économique si vous décidiez d'accorder votre système de mesure avec la norme primaire ?

30. Expliquer pourquoi la justesse d'une mesure ne peut se définir qu'à partir du résultat d'une norme de mesure primaire. (*Réponse :* La justesse change quand la norme change.)

40. Comment répondriez-vous aux questions que posait un fabricant de bicyclettes établi à Kaoschung ?
Votre gouvernement (U.S.) a un règlement qui prescrit qu'une bicyclette doit être sans danger si elle est assemblée par un homme d'intelligence moyenne.
Que signifie ce règlement ? Commentl'expliquer à quelqu'un ? Qu'est-ce que le danger ? Comment définir un homme d'intelligence moyenne ? De quelle sorte d'intelligence s'agit-il ? Quelqu'un de moindre intelligence ferait-il l'affaire ? La seule conclusion possible, c'est que le règlement n'a aucun sens.
Commentaire : Une norme volontairement adoptée par l'industrie aurait pu prévenir l'apparition de ce règlement obscur et fâcheux.

50.

51. Expliquer pourquoi il n'est pas possible de vérifier la justesse et la précision d'un système de mesure relativement à une norme tant que le système de mesure et l'utilisation de la norme ne sont pas en état de contrôle statistique.

52. Un essai d'un composé de bromoforme a donné le résultat de 86,5 $\pm$ 1,4 nanogrammes par microlitre. L'intervalle $\pm$ 1,4 est donné par le *National Bureau of Standards* comme étant l'intervalle de confiance à 95 pour cent. Expliquer la signification opérationnelle de cet intervalle ($\pm$1,4). Dans quelles conditions permet-il de prévoir les résultats qui seront obtenus six mois plus tard dans le même laboratoire ?

53. Pourriez-vous préparer un plan donnant la preuve formelle du contrôle statistique de votre système de mesure ?

54. Votre système de mesure comprend-il l'échantillonnage des matériaux soumis aux essais ? Prend-il en compte la variance inter-échantillons ?

60. Pourquoi l'expérience des enquêtes est-elle souhaitable pour comprendre et utiliser des données économiques et démographiques dans les affaires (dont, évidemment, les études de marché) ?

70. Expliquer pourquoi la précision d'un résultat qui est valable au moment de l'expérience, ou de l'enquête, continuera toujours d'être valable alors que cette précision change de temps en temps avec de nouvelles définitions et de nouvelles procédures ?

80. Une spécification de moulage contenait la clause : Les moulages nous seront livrés dans un état de propreté suffisante.Que signifie "propreté suffisante" ? La spécification faisait-elle référence au traitement de surface ou bien à des salissures ordinaires ? Pour signifier quelque chose, cette spécification a besoin évidemment d'une définition opérationnelle de "propreté suffisante".

90. Montrer que certains passages du paragraphe suivant n'ont aucun sens : "Le Congrès a voté la loi sur la reconstruction de la voie ferrée nord-est. Il a été jusqu'à spécifier une vitesse des trains de 120 miles par heure [193 km/h], une exactitude de 99 pour cent, et des temps de parcours de deux heures quarante sur le trajet New York - Washington, trois heures quarante sur le trajet New York - Boston."
Remarques : Evidemment, la définition de l'exactitude n'a pas de sens tant qu'elle n'est pas formulée en des termes opérationnels.

Des expressions telles que *bon service, mauvais service,* n'ont aucun sens communicable tant qu'elles ne sont pas définies en termes statistiques tels que les propriétés des graphiques de tendance des temps d'arrivée ou les propriétés des distributions des temps d'arrivée.

Il est facile de voir que l'espoir du Congrès d'obtenir une exactitude de 99 pour cent n'a aucun sens tant que l'on n'a pas une définition opérationnelle de l'exactitude. N'importe qui peut garantir qu'un train arrivera régulièrement à l'heure à Penn Station 99 fois sur 100 en définissant l'exactitude comme toute arrivée avec un retard de moins de quatre heures. Cet exemple sur la performance d'un train s'adapte facilement à des horaires de production.

100. Montrer que les exemples suivants, empruntés à des spécifications de l'industrie et du gouvernement, n'ont aucun sens communicable (par manque de définition opérationnelle).

101. *Echantillon représentatif* "Un échantillon qui a la même composition que le matériau est considéré comme un tout homogène" (British Standard). Comment peut-on déterminer que l'échantillon a la même composition que le matériau ? Expliquer pourquoi les mots : "même composition que..." n'ont aucun sens.

102. *Echantillon ponctuel* "Un échantillon de dimension spécifiée, ou une quantité prise en un point spécifié dans un matériau, ou en un point et à un instant spécifiés dans un flux, est représentatif de son environnement immédiat ou local."
Que signifie l'adjectif : représentatif ? Réponse : Ce mot ne veut rien dire. Les statisticiens ne l'utilisent jamais. Pourquoi ne pas vouloir utiliser des procédures d'échantillonnage provenant de la théorie statistique ? Elles ont pour avantages un coût moindre et des tolérances calculables.

110. *Les meilleurs efforts.* "Le contractant exercera ses meilleurs efforts." (Extrait d'un contrat entre la Division des Taxes du Ministère de la Justice et un statisticien.) Qui connait ses meilleurs efforts ? Comment prouverez-vous que quelqu'un a exercé ses meilleurs efforts ? Peut-il le faire pour chaque engagement ? Certains efforts tomberont-ils au dessous de la moyenne ?

120. Montrer que la citation suivante extraite d'un livre bien connu sur les plans d'expériences peut induire en erreur parce que l'expression *valeur exacte* n'a pas de sens : "Evidemment, nous ne pouvons pas demander que la solution fournisse une valeur exacte des différences que nous cherchons".

130. Que peut signifier l'expression : "une éducation égale pour tous" ?

Chapitre 11

Essais des produits entrants et des produits finis. Plan pour un coût total moyen minimum

J'enfonce dans la bourbe du gouffre, et rien qui tienne ; je suis entré dans l'abîme des eaux et le flot me submerge.

Psaumes 69:2

But de ce chapitre. Même lorsque vendeur et acheteur collaborent pour réduire la proportion de pièces défectueuses, il faut une ligne directrice pour utiliser le plus économiquement possible les produits achetés. Faut-il essayer de trier les pièces défectueuses de chaque livraison ? Ou bien faut-il envoyer les lots directement sur la chaine de production, que les pièces soient bonnes ou mauvaises ?

Les principes que nous présentons ici montrent, pour de nombreux cas réels, comment réduire autant que possible le coût de l'inspection des produits achetés et le coût des réparations résultant de la mise en production d'un article défectueux.

La section qui va suivre expose les conditions d'application de la théorie de l'inspection par tout-ou-rien ayant pour but un coût total moyen minimum. A la fin du chapitre, des exercices sur cette théorie mettent en évidence que, dans un état de contrôle statistique, il n'y a pas de corrélation entre l'échantillon et le reste. Dans ce chapitre, les règles de l'inspection par tout-ou-rien sont étendues à des articles provenant d'un processus qui est dans un mauvais état de contrôle statistique. Puis nous en viendrons à l'état de chaos lui-même. Nous présenterons le cas d'un produit fini non réparable, puis celui des pièces multiples. On verra aussi que l'utilisation des normes de contrôle statistique de réception ne permet pas de satisfaire l'objectif du coût total minimum. Une section enfin est consacrée à la comparaison de deux séries de mesures, en particulier de deux inspections visuelles ; nous verrons que l'accord entre deux inspecteurs n'est pas une garantie de fiabilité du résultat.

Quelques règles simples susceptibles d'une large application

Hypothèses. Nous étudions pour commencer le cas de l'approvisionnement d'une seule catégorie de pièces détachées. Le problème de plusieurs catégories sera examiné ensuite. Le produit est soumis à des essais avant de quitter l'usine.

Par définition, une pièce détachée est défectueuse si l'assemblage dont elle fait partie est refusé aux essais. Si une pièce jugée défectueuse ne cause aucune difficulté sur la chaine d'assemblage ou chez le client, il faudra reconsidérer la définition des défauts et la méthode d'essai de la pièce.

Le fournisseur livre un lot de remplacement pour chaque pièce détachée défectueuse trouvée par le client. Ces lots sont facturés, et c'est pour le client un coût supplémentaire.

Dans certains cas, le défaut d'une pièce détachée ne peut être mis en évidence que par un essai destructif, ou bien par un essai très onéreux. On laissera au client le soin de découvrir plus tard ce défaut.

Les symboles algébriques utilisés dans ce chapitre sont :

p = proportion moyenne de pièces défectueuses dans une livraison.

$q = 1 - p$

k_1 = coût de l'inspection d'une pièce.

k_2 = coût du démontage, de la réparation, du remontage et du nouvel essai à la suite de l'entrée d'une pièce défectueuse dans un assemblage.

k = coût moyen d'un essai séquentiel destiné à trouver une pièce bonne dans un lot de remplacement. (Nous verrons dans l'exercice 7 que k est sensiblement égal à k_1/q .)

Dans les applications ci-dessous, nous considérons que $k = k_2$ car nous supposons que p est assez petit et que q est voisin de un. Si $p = k_1/k_2$, le coût total sera k_1, avec ou sans inspection. Si $p > k_1/k_2$, il faut tout inspecter. k_1/k_2 est le point d'indifférence.

Règle du tout ou rien. Les règles d'obtention d'un coût total moyen minimum sont très simples dans certaines conditions.

Premier cas : Pas d'inspection. Si, sur le plus mauvais lot arrivant à l'usine, $p < k_1/k_2$, il ne faut rien inspecter et le coût total moyen minimum sera $p\, k_2$.

Deuxième cas : Inspection à 100 pour cent. Si, sur le meilleur lot arrivant à l'usine, $p > k_1/k_2$, il faut tout inspecter et le coût total moyen minimum sera k_1.

La démonstration de cette règle, développée dans l'exercice n° 4 (voir plus loin), ne présente aucune difficulté.

Remarque 1. Le fait de ne pas pratiquer d'inspection ne signifie pas que l'on ignore la qualité des pièces. Il faut être sûr en effet, d'après les résultats antérieurs, que dans le premier cas les résultats seront à gauche du point d'indifférence, et que dans le deuxième cas ils seront à droite. Il est souhaitable que l'acheteur et le vendeur commencent par se mettre d'accord, sur la base de graphiques de contrôle, pour se placer dans l'un de ces deux cas. Si la qualité du produit entrant est dans un état de chaos, l'acheteur peut facilement le constater (voir la section intitulée : "ne jamais manquer d'information").

Remarque 2. Toute règle de décision nécessite au départ une prévision. C'est pourquoi la proportion p et les règles de tout ou rien données ci dessus n'ont un sens que si la qualité des produits entrants est en état de contrôle statistique.

Le dilemme binomial. Supposons que le processus est en état de contrôle statistique et produit des lots dont la proportion de pièces défectueuses est distribuée de façon binomiale autour d'une moyenne p. Les règles d'obtention d'un coût total minimum sont très simples, même si la distribution des lots chevauche le point d'indifférence k_1/k_2 :

Premier cas : si $p < k_1/k_2$, pas d'inspection

Deuxième cas : si $p > k_1/k_2$, inspection à 100 pour cent

Nous voyons ici l'intérêt que présente un état de contrôle statistique.

Remarque 1. Dans le premier cas, le coût total minimum est $p\,k_2$ par pièce. Dans le deuxième cas, il est k_1 par pièce.

Remarque 2. Il est important de noter que dans un état de contrôle statistique, il n'y a aucune corrélation entre les échantillons et les parties de lot dont ils sont tirés. Les échantillons ne fournissent aucune information sur le reste. (Cette question surprenante sera étudiée dans l'exercice n° 1.)

Autres conditions rencontrées en pratique

Le dilemme quand on s'écarte peu du contrôle statistique. Quand l'acheteur et le vendeur prévoient qu'une faible partie de la distribution se trouvera à droite du point d'indifférence, il faut adopter la règle de l'absence d'inspection. Si la distribution est régulière, le coût total sera proche du minimum. Inversement, si une faible partie de la distribution se trouve à gauche du point d'indifférence, il faut adopter la règle de l'inspection à 100 pour cent. Ces deux situations, ainsi que l'état de chaos, sont représentées sur la Figure 42.

Problèmes causés par les sources d'approvisionnement multiples. Nous avons étudié au Chapitre 3 les problèmes qui surviennent lors d'un changement de source dans les matériaux. Nous nous limiterons ici au cas de deux sources. Si l'une et l'autre sont dans un état proche du contrôle statistique et alimentent la fabrication séparément, chacune pendant quelques jours, il est possible à la rigueur de leur appliquer les règles précédentes.

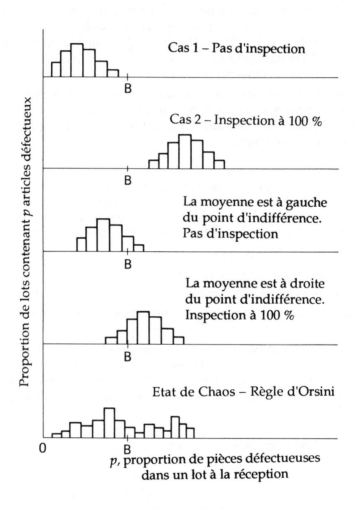

Fig. 42 : Voici différentes situations que l'on peut rencontrer quand on reçoit des lots d'articles pour l'approvisionnement d'une usine. Le point B est le point d'indifférence, pour lequel : $p = k_1/k_2$.

Mais si les matériaux en provenance des deux sources sont mélangés en proportion constante, l'usine rencontrera nécessairement des difficultés avec ces matériaux, même si les sources sont dans un état de contrôle statistique.

L'état de chaos. Lorsque la proportion de pièces défectueuses est voisine du point d'indifférence et passe alternativement d'un côté à l'autre, le fait de pratiquer une inspection ou non a peu d'importance. Je préfère cependant pratiquer l'inspection à 100 pour cent, parce que l'information est accumulée ainsi le plus vite possible. Mais lorsque les variations de la qualité sont trop grandes pour que l'on puisse prévoir où celle-ci se placera par rapport au point d'indifférence, nous sommes dans un état de chaos. Cette situation intolérable se produit lorsqu'une seule source donne des matériaux de grande variabilité et de qualité imprévisible, ou bien lorsque plusieurs sources de qualités différentes, dont les distributions se situent de part et d'autre du point d'indifférence, sont mélangées inconsidérément. Il faut échapper à ces ennuis le plus vite possible et essayer d'atteindre, naturellement, la situation n° 1. Cependant il est urgent de trouver une solution pour les lots qui continuent d'être livrés.

Si chaque lot arrivait accompagné d'une étiquette indiquant la proportion de pièces défectueuses, il n'y aurait pas de problème : nous pourrions réaliser un coût total moyen minimum en plaçant chaque lot individuellement à droite ou à gauche du point d'indifférence et en appliquant la règle du tout-ou-rien.

Les lots n'arrivent pas avec l'indication de la qualité. Mais dans un état de chaos, il existe une certaine corrélation entre la qualité de l'échantillon et la qualité du lot. C'est pourquoi l'on peut, dans ce cas, être tenté de tester chaque échantillon et de décider, suivant une certaine règle, de trier le lot correspondant ou de l'envoyer en fabrication. Malheureusement, le hasard placera quelques lots du mauvais côté du point d'indifférence et le coût total sera maximum pour ces lots.

Dans un état de chaos, il est possible d'adopter la règle de l'inspection à 100 pour cent. Cette idée mérite réflexion, mais une solution plus intéressante a été mise au point. C'est la règle d'Orsini.

La règle d'Orsini. Cette méthode, applicable à l'état de chaos, est préférable à une inspection systématique à 100 pour cent car elle réduit considérablement le coût total.

$k_2/k_1 > 1\ 000$ Inspecter tous les lots à 100 pour cent.

$1\ 000 > k_2/k_1 > 10$ Tester un échantillon de 200 pièces. Accepter le lot si l'échantillon ne compte aucune pièce défectueuse. Trier le lot dans le cas contraire.

$k_2/k_1 < 10$ Pas d'inspection.

L'échantillon de 200 pièces donne une information permanente sur la qualité du produit acheté. Il est intéressant de tracer un graphique de tendance sur lequel on porte le nombre de pièces défectueuses trouvées sur chaque échantillon. On peut grouper systématiquement plusieurs échantillons afin d'augmenter le nombre de pièces défectueuses représentées par un même point. Ce type d'information est utile pour le fournisseur comme pour l'acheteur car il montre chaque jour les variations de la qualité et fait apparaître les problèmes du fournisseur. Il vous apprendra également si la qualité se rapproche d'un état de contrôle statistique.

Il est facile évidemment de critiquer la règle d'Orsini quelques semaines après l'avoir mis en œuvre, quand la distribution des pièces défectueuses est connue. Ces critiques sont sans intérêt car dans un état de chaos aucune distribution n'est prévisible. Au contraire, si la distribution des lots futurs était prévisible, nous ne serions pas dans un état de chaos.

Il y a une procédure facile à expliquer et qui permet de réaliser presque en toute circonstance le coût total moyen minimum ; c'est le plan séquentiel d'Anscombe. Selon ce plan, le premier échantillon a pour taille :

$$n = 0{,}375 \, \sqrt{N(k_2/k_1)}$$

N est la taille du lot. La taille des échantillons suivants est : $n = k_2/k_1$. Il faut continuer à échantillonner jusqu'à ce que le nombre de pièces défectueuses soit inférieur d'une unité au nombre d'échantillons inspectés, ou jusqu'à ce que le lot entier soit inspecté. Malheureusement, cette méthode est difficile à gérer.

La théorie que nous venons d'étudier et les règles qui en découlent s'appliquent bien si l'on connait le coût de la réparation et du remplacement des pièces chez le client. Le seul ennui est que le coût réel d'une pièce défectueuse est bien supérieur au coût de la réparation et du remplacement. La perte de clientèle résultant du mécontement d'un client peut être énorme ; elle est malheureusement impossible à chiffrer.

Nécessité de la simplicité administrative. Pour qu'un principe, quel qu'il soit, soit réalisable, il faut qu'il soit facile à gérer. Le coût total de son application doit prendre en compte les difficultés administratives et les pertes résultant des erreurs d'interprétation. Il faut bien savoir que toute méthode qui comporte éventuellement les conseils d'un statisticien recèle un piège dans lequel chacun peut tomber. La règle d'Orsini a le mérite de la simplicité.

Difficultés provenant d'une charge de travail variable. Les méthodes suivant lesquelles l'inspection d'un lot dépend du résultat d'un test sur un échantillon ont toutes le même inconvénient. Elles sont pénalisées par une charge de travail variable. Quand un chef d'atelier a été pris une fois au dépourvu par manque de pièces détachées, il fera attention de ne pas avoir de nouveaux ennuis avec des approvisionnements incertains. Il a besoin de ses pièces, il les exige, il les obtient, inspection ou pas, défauts ou pas. C'est ainsi que de beaux plans d'inspection sont anéantis. Il peut y avoir une exception quand l'approvisionnement est si énorme et le niveau de qualité si faible que l'équipe d'inspecteurs est constamment occupée à vérifier les lots.

Ne jamais manquer d'information. La règle "pas d'inspection" ne signifie pas que vous devez conduire sans éclairage la nuit. Vous pouvez surveiller tous les matériaux entrants, si possible en prenant un échantillon sur chaque lot, pour vous informer et pour comparer vos résultats avec ceux de votre fournisseur.

Si vous avez deux fournisseurs, tenez un enregistrement séparé pour chacun d'eux. Il est recommandé de faire en sorte de n'avoir, à terme, qu'un fournisseur par article et de travailler avec lui pour améliorer la qualité de son produit.

Erreurs et rectifications dans une organisation de service. La théorie que nous venons de voir s'applique aux erreurs administratives dans une banque ou dans un grand magasin, et à une multitude d'autres situations, dont nous verrons plus loin des exemples. Le travail se déroule en plusieurs étapes pour aboutir finalement à une facture, à une inscription sur un chèque ou à une décision. Plusieurs étapes peuvent être franchies avant que l'erreur soit trouvée. A mesure que le travail avance, le coût de la rectification peut être 20, 50, ou 100 fois plus élevé que le coût d'une rectification immédiate.

Essais destructifs. Cette théorie est fondée, comme nous l'avons déjà remarqué, sur le fait que les essais ne sont pas destructifs. Mais certains tests détruisent l'échantillon. Ce sont par exemple des essais sur la durée de vie d'une lampe, le pouvoir calorifique d'un carburant, le temps d'action d'un détonateur, le pourcentage de laine dans un tissu. Dans ce cas, il ne peut pas être question de trier un lot qui a été refusé.

A la suite d'un essai destructif ayant donné des résultats négatifs, la seule action possible est évidemment la mise en place d'un contrôle statistique dans l'atelier où la pièce est fabriquée. Ainsi, les défauts seront éliminés à la source. C'est toujours la meilleure solution, que les essais soient destructifs ou non.

Exemples d'application des règles de tout-ou-rien

Exemple 1. Un fabricant de postes de télévision inspectait tous les circuits intégrés qu'il recevait. J'ai demandé au directeur de l'usine :
– Combien de circuits intégrés défectueux trouvez-vous ?

Il m'a répondu : "Très peu". Puis il est allé regarder les chiffres des semaines précédentes et il m'a déclaré qu'en moyenne ils trouvaient une ou deux pièces défectueuses sur dix mille qui étaient testées.

Pour voir s'il est utile d'inspecter tous les circuits intégrés, nous prendrons donc une proportion moyenne de pièces défectueuses :

$$p = (1+2)/2/10\,000 = 1,5/10\,000 = 0,00015$$

D'autres questions m'ont appris que le coût du test d'un circuit intégré était de 30 cents, que chaque sous-ensemble était testé en bout de chaine, et que le remplacement d'un circuit intégré en ce point coûtait trois francs. Donc :

$$k_2 = 100 \, k_1$$

Et par conséquent :

$$p = 0{,}00015 < k_1 \, / k_2 = 0{,}01$$

Concernant les circuits intégrés, cette usine était donc dans la situation n° 1 et se comportait comme si elle se trouvait dans la situation n° 2 (inspection à 100 %). En d'autres termes, elle maximisait son coût total. Avec cette méthode, son coût total moyen par pièce était :

$$k_1 + kp$$

Alors que sans inspection ce coût aurait été :

$$p(k_2 + k)$$

La différence est :

$$[k_1 + kp] - [p(k_2 + k)] = k_1 - pk_2 = 29{,}6 \text{ cents}$$

c'est la perte réalisée sur chaque circuit intégré. Or chaque poste de télévision comporte 60 à 80 de ces composants. Le mauvais choix du plan d'inspection a donc coûté au moins, par téléviseur :

$$60 \times 29{,}6 = 1776 \text{ cents (17,76 dollars)}$$

soit environ dix pour cent du prix de revient usine. C'est un bel exemple de gaspillage dans la fabrication d'un produit.

Au début de la visite, l'ingénieur responsable de la production m'expliqua qu'il n'avait pas besoin de contrôle statistique de la qualité parce que toutes ses inspections étaient faites à 100 pour cent. Il ajouta qu'il inspectait les circuits intégrés à 100 pour cent parce que son fournisseur n'avait pas les moyens de faire ses propres essais avec toute la sévérité nécessaire.

Il m'avait semblé pourtant que le fabricant de circuits intégrés faisait un assez bon travail, pour obtenir $p = 0{,}00015$.

Comme cela arrive bien souvent en l'absence de théorie, cet ingénieur, tout en cherchant à faire de son mieux, avait réussi à obtenir un coût maximum. Les calculs que nous venons de faire, quand il les a vus, ont certainement marqué un tournant dans sa carrière.

J'ai noté incidemment au cours de la visite que l'ingénieur responsable de la production avait installé devant toutes les ouvrières de l'usine des postes de télévision en couleur fonctionnant en permanence. Sur l'écran, un diagramme montrait le nombre de défauts, classés par catégories, que l'atelier avait provoqués la veille. Ce spectacle dans l'usine n'était pas seulement inutile ; il était une source de frustration et d'inefficacité. Il n'aidait aucune ouvrière à améliorer son propre travail.

Exemple 2. Un constructeur automobile fait l'essai des transmissions avant de les assembler sur le chassis. Nous nommerons A le point où l'essai est effectué, et B le point où la transmission est mise en place. Le coût de l'essai en A est k_1 = 20 dollars. Le coût de la réparation d'une transmission qui ne réussit pas aux essais est k = 40 dollars. Le coût de la réparation d'une transmission en B est k_2 = 960 dollars. Une transmission sur mille de celles qui réussissent aux essais en A est défectueuse en B. La question est de savoir s'il faut continuer à faire des essais en A (tableau 1).

Le point d'indifférence est :
$$p = k_1/k_2 = 20/960 = 1/48$$

Inpection en A ?	Coût total pour moteur
Oui	$k_1 + pk + (1/1\,000)\,\$\,1\,000$
Non	$0 + p\,(k_2 + k) + (1/1\,000)\,\$\,1\,000$

Tableau 1

Donc, si 2 pour cent des transmissions sont défectueuses en A, il est souhaitable de continuer l'inspection à 100 pour cent en A, et d'essayer d'améliorer la qualité jusqu'à pouvoir, par la suite, supprimer cette inspection.

Mais si, par exemple, le coût de la réparation passe à 500 dollars au lieu de 960, le point d'indifférence devient : 1/25. Si la proportion de transmissions défectueuses en A reste égale à 2 pour cent, la différence entre le coût de l'inspection et celui de la non-inspection est :
$$k_1 - pk_2 = 20 - 500/50 = 10 \text{ dollars}$$

Dans ces conditions, il faut cesser, évidemment, de faire des essais en A.

Exemple 3. Dans une banque ou un grand magasin, un dossier passe d'un service à un autre. Le coût de l'inspection dans un certain service est de 25 cents par inscription vérifiée, et la dépense pour réparer une erreur de ce service plus tard, dans un autre service, est de 500 dollars (soit 50.000 cents). La proportion d'erreurs dans les inscriptions est évaluée par ce service à un pour cent.
$$p = 1/1000$$
$$k_1/k_2 = 25/50.000 = 1/2000$$

Puisque $p > k_1/k_2$, nous sommes dans la situation n° 2 et pour obtenir un coût total moyen minimum, nous devons faire une inspection à 100 pour cent dans le service en question.

Il est difficile de mettre au jour des erreurs dans les opérations d'une industrie de services, peut-être plus difficile que dans une fabrication. Un vérificateur ne trouve généralement que la moitié des erreurs qui ont été faites, et dans les meilleures conditions il en trouvera les deux tiers. Il est évidemment important d'améliorer le système, ce qui se traduit par des actions sur la lisibilité des documents, l'éclairage, l'implantation des bureaux, la formation, l'encadrement, etc.

Il est recommandé, comme nous l'avons dit au chapitre 4, de faire effectuer les traitements par deux personnes travaillant sur des exemplaires lisibles, de ne pas divulguer les résultats, d'enregistrer les deux séries de résultats en informatique et de laisser la machine détecter les différences.

D'après mon expérience, il n'y a qu'une seule méthode satisfaisante pour vérifier des opérations critiques : c'est de faire travailler deux personnes en parallèle et de comparer les résultats à la machine.

La qualité résultante sera nettement meilleure que le produit $p_1 p_2$, dans lequel p_1 et p_2 sont les prévisions du niveau de qualité des deux opérateurs. Par exemple, si ces deux chiffres sont chacun de un pour mille, le résultat sera meilleur que un pour un million. Il en est ainsi parce que la probabilité d'avoir exactement la même erreur de la part de deux personnes travaillant indépendamment est très faible. Mais la loi de Murphy reste vraie : tout ce qui peut arriver arrivera.

Il faut inciter les deux opérateurs à interrompre leur travail dès qu'un chiffre leur semble incertain, quel que soit le temps perdu pour vérifier ce chiffre à la source. Un chiffre illisible dans un bureau peut être aussi dangereux qu'un défaut dans un atelier.

Méthode pour un produit à grande valeur ajoutée. Une entreprise reçoit un produit et lui fait subir un certain traitement qui augmente sa valeur. Après inspection, le produit fini est affecté en premier, second ou troisième choix, ou mis au rebut. Le coût moyen de l'inspection d'un produit entrant est :

$$k_1 + kp = k_1/q$$

Soit k_2 la perte moyenne résultant du déclassement ou de la mise au rebut d'un produit fini. Si nous n'inspectons pas le produit entrant, le coût moyen du déclassement est pk_2. Le point d'indifférence est la valeur de p qui satisfait l'équation :

$$k_1 + kp = pk_2$$

Etant donné que $k = k_1/q$ (ce que nous démontrerons plus loin), cette équation devient :

$$k_1 + pk_1/q \; pk_2$$

La partie gauche de l'équation est sensiblement égale à k_1/q, en sorte que l'équation est satisfaite si :

$$p = k_1/k_2 q$$

Nous retrouvons donc la même règle de tout-ou-rien que précédemment.

Exemple 4. Cet exemple est la reproduction d'un mémorandum que j'ai adressé à une société cliente alors que j'écrivais ce livre.

Si j'ai bien compris, au cours de notre réunion d'hier, la pièce en acier traité, article n° 42, est pour vous un produit important dont la production, qui est aujourd'hui de 20.000 pièces par semaine, devrait prochainement doubler.

Le nombre de pièces par lot de produits non traités est de 2800, ce qui me semble d'ailleurs très mauvais.

Les coûts que vous m'avez indiqués, en supposant que la main-d'œuvre, les matières premières, les essais et d'autres frais sont bien utilisés, sont :

$$k_1 = 7 \text{ cents}$$
$$k_2 = 15 \text{ dollars}$$

Par conséquent, le point d'indifférence est :

$$k_1 / k_2 = 0{,}00047$$

soit un peu moins que 1/200.

Toujours d'après vos chiffres, la proportion moyenne de produits défectueux est environ 1 pour cent. Il est évident (tableau 2) que vous êtes dans la situation n° 2 et que, pour obtenir un coût total moyen minimum, vous devez inspecter les produits entrants à 100 pour cent.

Si votre taux de produits entrants défectueux devenait inférieur au point d'indifférence (par exemple 1/300 ou 1/500), vous devriez supprimer cette inspection et vous fier à l'inspection des produits finis.

Vous m'avez posé une question à propos du suivi de la qualité des produits entrants. Il est certain que vous devez le faire. Je vous recommande pour cela de tracer un graphique de contrôle de p pour tous les types de défauts réunis, et un autre pour le type de défaut prédominant. Vous pouvez tracer un point par lot. Vous m'avez dit que votre fournisseur souhaite étudier avec vous vos méthodes et vos résultats d'inspection. Il lui serait utile de recevoir périodiquement, par exemple tous les mois, un relevé de vos graphiques. Il pourrait aussi vous adresser ses propres graphiques.

Pièces multiples

Probabilité de défaut d'assemblage. Alors que nous avons étudié jusqu'ici les effets de l'inspection d'un seul type de pièce, nous abordons maintenant l'étude simultanée de la qualité de plusieurs pièces dans un assemblage. L'exercice 4, à la fin du chapitre, expose la théorie relative à cette situation. Voyons pour commencer le cas particulier d'un assemblage de deux pièces qui ne sont pas inspectées.

Soient p_1 et p_2 les proportions de pièces défectueuses. La probabilité de trouver un ensemble défectueux est :

$$p = 1 - (1 - p_1)(1 - p_2) = p_1 + p_2 - p_1 p_2$$

Si p_1 et p_2 sont assez petits, $p_1 p_2$ est négligeable.

En généralisant ce calcul, on trouve facilement que, dans le cas d'un assemblage de m pièces, et à condition que les taux de pièces défectueuses soient assez faibles, la probabilité de trouver un ensemble défectueux est :

$$p = p_1 + p_2 + p_3 + \cdots + p_m$$

Inspection entrante des pièces	Coût total par pièce
Aucune	$pk_2 = 0{,}01 \times 1\ 500$ cents
100 %	$k_1/q = 7{,}07$ cents

Données : $p = 0{,}01$; $k_1 = 7$ cents ; $k_2 = 1\ 500$ cents

Tableau 2 : Coût correspondant aux deux procédures possibles.

La probabilité de défaillance augmente donc avec le nombre de pièces détachées. Un poste de radio comporte environ 300 pièces détachées. Une automobile comporte environ 10.000 pièces détachées. On peut compter les pièces de différentes façons (par exemple, dans une automobile, la pompe à eau peut être comptée soit pour une pièce, soit pour sept) ; il n'en reste pas moins que le nombre de pièces détachées d'un ensemble est souvent énorme.

Autre problème : quand un assemblage tombe en panne, le diagnostic devient de plus en plus difficile et le coût de la réparation augmente quand le nombre de pièces augmente.

Si l'on veut que les prix de revient soient raisonnables, plus les produits sont compliqués, plus les composants doivent être fiable. Un mauvais travail se répercute sur toute une chaine de production sous forme de rebuts, de réparations, de stocks pléthoriques, de dépenses de garantie et parfois de dégradation de l'image de marque.

Lorsqu'un ensemble comporte de nombreuses pièces détachées, il faut tendre à observer les deux règles suivantes :

1. On ne peut tolérer qu'un petit nombre de types de pièces qui soient dans la situation n° 2 (inspection à 100 pour cent) ; sinon, le coût de l'inspection de ces pièces sera prohibitif.
2. On ne peut pas tolérer autre chose qu'une qualité voisine du zéro défaut pour les pièces qui sont dans la situation n° 1.

Le test d'un appareil complexe nécessite du temps et une préparation minutieuse, car les différents composants peuvent subir diverses sortes de contraintes et ont des résistances plus ou moins grandes dans le temps.

Quand une entreprise achète plusieurs types de composants et rencontre avec ceux-ci de nombreuses difficultés, ses problèmes ne sont pas simples. Souvent, la qualité et la régularité des caractéristiques d'un produit entrant sont vitales pour la fabrication ; l'entreprise est hantée par la crainte de variations intempestives. Mais d'autre part, cet approvisionnement peut ne représenter qu'une faible partie du chiffre d'affaires du fournisseur ; il est difficile de lui demander d'investir pour en améliorer la qualité.

Une solution possible, qui s'est parfois révélée excellente, consiste à traiter ces produits comme des matériaux de tout-venant, c'est à dire en acceptant beaucoup de défauts et une grande variabilité. Vous construisez une usine pour raffiner, trier, réparer le produit acheté, et la qualité ne dépend alors plus que de vous.

Il arrive souvent que l'on se trompe au sujet de la répétition d'un même défaut. Le Professeur Myron Tribus du M.I.T. m'a donné un exemple simple. Les petits moteurs électriques, utilisés dans les aspirateurs, les robots ménagers etc. tombent en panne chez le consommateur dix fois moins souvent qu'il y a quinze ans. Cependant, il peut se faire que le même ménage utilise aujourd'hui dix fois plus de moteurs qu'il y a quinze ans. Le consommateur a donc l'impression que ces moteurs tombent aussi souvent en panne.

Un certain luminaire utilise trois lampes à incandescence d'une certaine puissance. Si une lampe, dans les conditions normales d'utilisation, dure trois mois, la maîtresse de maison devra changer en moyenne une ampoule chaque mois.

Le coffre de votre voiture comporte environ 70 soudures. Quiconque a essayé de faire des soudures électriques sait que le fait d'obtenir un seul défaut sur 2000 soudures est une magnifique performance. La soudure par des robots ne fait pas mieux. Pourtant, ce beau travail nécessite des essais coûteux et des heures de réparations en usine.

Supposons qu'un robot fasse un défaut sur 2 100 soudures. Le risque de trouver un défaut sur toutes les soudures d'un coffre est de :

$$1- (2\,099/2\,100)^{70} \text{ soit environ } 1/30.$$

C'est à dire que trois pour cent des coffres des automobiles sont mal réalisés et nécessitent une réparation (heureusement, très peu de ces défauts sortent de l'usine). Nous voyons ici tout l'intérêt d'une amélioration du processus de soudage.

Conclusion : les défauts sont inadmissibles. La théorie qui précède montre à quel point il est important de ne tolérer aucun défaut sur toute la chaine de production. Le produit fini d'une opération est le produit entrant de l'opération suivante. Un défaut, quand il est fait, reste sur la chaine de production jusqu'à ce qu'il soit découvert et réparé, ce qui coûte généralement très cher.

Les coûts k_1 et k_2 de cette théorie ne sont pas les seuls coûts à consi - dérer. En effet les défauts engendrent des défauts. Un ouvrier est tou- jours fortement démoralisé lorsqu'il reçoit un article en cours d'élabora- tion qui est déjà défectueux. Comment peut-il fournir les meilleurs ef- forts en sachant que, de toute façon, le produit sera défectueux ? Si per- sonne ne se soucie des défauts, pourquoi s'en préoccuperait-il ? Au con- traire, quand les défauts sont absents, rares ou clairement identifiés, l'ouvrier comprend que la direction générale accepte sa propre responsabilité, et il est moralement obligé de fournir ses meilleurs efforts : ils ne seront pas vains.

Malheureusement, des défauts sont parfois créés sur une chaine par un mauvais usinage, une erreur de produit ou une manutention trop brutale. Les défauts de manutention peuvent arriver par négligence ou simplement par ignorance. Un ingénieur des travaux publics m'a montré des photos de détériorations faites par négligence, par exemple un chargement de tuiles renversé après que le chariot ait heurté un pilier ; une ficelle jetée dans un sac de plâtre (celle qui précisément fermait le sac). Personne n'avait jamais expliqué aux ouvriers les conséquences de leurs actes. J'ai vu dans une usine d'électronique une femme manipuler un disque de mémoire avec une pince, aussi soigneu- sement qu'une infirmière dans une salle d'opération, et puis réduire à néant le fruit de ses efforts en y posant le pouce. Une seule négligence peut entrainer une réparation coûteuse ou une mise au rebut.

Exception. Un certain nombre de matériaux ne sont pas du ressort de cette théorie. Considérons par exemple un camion citerne rempli de mé- thanol. Après une agitation suffisante du liquide, un prélèvement en un point ou en un autre de la citerne aura toujours les mêmes caractéristi- ques. Il en est de même pour tous les liquides et les gaz contenus dans un réservoir.

Utilisation des plans de contrôle normalisés

Plans d'échantillonnage normalisés. Il existe des normes destinées soi-disant à accepter des produits lot par lot. En bref, elles comportent le test d'un échantillon et l'application d'une règle de décision qui con- siste à trier le lot ou bien à le mettre directement en production, suivant le nombre d'articles défectueux que l'on a trouvés dans l'échantillon.

La théorie sous-jacente aux tables de Dodge-Romig consiste à mini- miser le coût de l'inspection en conservant un niveau de qualité spéci- fié. C'est clair, mais en revanche il est difficile de comprendre quel est le but des tables Military Standard 105D, sauf le fait de mettre le fournisseur à l'index si sa qualité prend une mauvaise tournure.

Le Military Standard 105D est une méthode d'indexation d'un plan d'échantillonnage sur le NQA (niveau de qualité acceptable). "Indiquez-moi le NQA ainsi que la taille du lot, et je vous trouverai dans le MIL. STD. 105D un plan qui me donnera ce NQA", disent certains ingénieurs. Vous êtes forcé de choisir un NQA. Nulle part il n'est question d'un coût. Il ne faut pas s'étonner ensuite de voir que le plan que vous avez choisi coûte deux fois plus cher qu'une inspection à 100 pour cent.

N'importe quel plan d'échantillonnage, même s'il est mis en œuvre avec l'intention de réduire la proportion de défauts, ne peut qu'augmenter le coût total moyen par article. (Voir l'exercice n° 5 à la fin de ce chapitre.)

Une entreprise qui commande des produits sur la base d'un niveau moyen de trois pour cent d'articles défectueux ne fait qu'encourager son fournisseur à tolérer dans ses livraisons la présence de pièces mauvaises. Pour le fournisseur c'est une bonne nouvelle, mais pensez-vous que ce soit une bonne façon de rester compétitif ?

Malheureusement, les normes de contrôle de réception occupent une place capitale dans tous les ouvrages sur les méthodes de contrôle statistique de la qualité, sans excepter mes propres livres sur l'échantillonnage. Comme le dit Anscombe, "il est temps de réaliser ce que le problème est réellement, et de le résoudre le mieux possible au lieu de lui substituer un problème de notre invention que nous pourrons résoudre exactement mais qui est sans rapport avec la question".

L'application rituelle des plans de contrôle normalisés. La plupart des applications des plans de contrôle Dodge-Romig et MIL STD 105D sont, je le crains, de simples rites. Ils ont pour but de respecter les exigences d'un contrat rédigé par des gens qui ne sont pas qualifiés et appliqué par d'autres qui ne le sont pas davantage. Tout le monde le fait, alors faisons-le aussi. Le résultat est une augmentation des coûts. Comme le dit Feigenbaum : " Nous avons un problème majeur avec l'emploi irréfléchi de plans de contrôle dans des domaines où ils ne s'appliquent pas."

Exemple : Augmentation des coûts avec la norme MIL STD 105D. Un sous-ensemble arrive de chez un fournisseur par lots de 1500 pièces. Il faut environ deux heures pour tester une pièce avec un coût moyen (réparations comprises) de 24 dollars. La fabrication donne en moyenne deux pour cent de produits défectueux, une information qui est confirmée à la réception des produits. Le coût du remplacement d'un sous-ensemble défectueux à l'inspection finale est de 780 dollars. Quel est le plan d'échantillonnage à utiliser ?

$$p = 0,02 k_1 / k_2 = 24/780 = 0,031$$

La proportion de pièces défectueuses est inférieure au point d'indifférence, nous sommes donc dans la situation n° 1. Pour que le coût total
soit minimum, il faut supprimer le contrôle de réception. L'utilisation
de la norme MIL STD 105D doublerait le coût total (nous ferons ce calcul plus loin, dans l'exercice n° 5). Le fait d'inspecter des échantillons
ne donnerait alors, si le processus est stable, pas plus d'informations
que de jouer à pile ou face.

Autres problèmes de mesure des produits entrants

**Economie possible par la réalisation de sous-ensembles intermé-
diaires.** En général, dans la théorie qui précède, le coût k_2 augmente
rapidement (jusqu'à dix fois peut-être) à chaque étape de la chaine de
production. Il est parfois possible d'éviter un coût excessif en réalisant
des sous-ensembles intermédiaires qui suivent ensemble le même
chemin jusqu'à l'ensemble final. Chaque sous-ensemble , après avoir
subi les inspections et les réparations nécessaires, constitue un nouveau
point de départ. L'expérience, associée à la théorie, montrera que
certains sous-ensembles ne doivent pas être inspectés alors que d'autres
doivent être inspectés à 100 pour cent.

Dans les paragraphes précédents, notre but était surtout de montrer
qu'il existe des moyens de s'approcher d'un coût minimum en étant
guidé par la bonne théorie. Cependant, il faut toujours s'efforcer
d'éliminer totalement les articles défectueux. On peut le faire d'une
façon systématique en comparant les essais avec ceux du fournisseur et
en utilisant les méthodes statistiques appropriées, telles que les
graphiques de contrôle.

Une bonne coopération avec les fournisseurs de pièces détachées et
la mise en œuvre d'essais de sous-ensembles permettent d'éviter
complètement les problèmes sur le produit fini.

La difficulté de trouver des défauts très rares. Lorsque la proportion
de produits défectueux diminue, la difficulté de trouver les défauts
augmente. L'inspection, visuelle ou automatique, ne réussit pas à
trouver toutes les pièces défectueuses. Il n'y a aucune raison d'accorder
plus de confiance à un fabricant qui annonce une pièce défectueuse sur
10.000 qu'à un autre qui annonce une pièce défectueuse sur 5000. Dans les
deux cas, la proportion est difficile à estimer.

Par exemple, si p est égal à 1/5000, et si le processus est en état de
contrôle statistique, il faudrait inspecter 80.000 pièces pour trouver en
moyenne 16 pièces défectueuses. Ce nombre est une variable aléatoire
dont l'écart-type est $\sqrt{16} = 4$. L'estimation du nombre de produits
défectueux n'est donc pas précise, bien que l'inspection porte en
moyenne sur 80.000 pièces. On peut d'ailleurs se demander si le

processus est resté stable pendant la production des 80.000 pièces. C'est une question difficile.

Dans certains cas, il est fait état d'une défaillance pour plusieurs millions de pièces. Lorsque le taux de produits défectueux est si faible, aucune inspection ne peut donner l'information nécessaire. Le seul moyen possible de savoir ce qui se passe dans ces conditions extrêmes consiste à utiliser des graphiques de contrôle avec des mesures de pièces en cours de fabrication.

Par exemple cent observations par jour, sur des échantillons de 4 pièces prélevés 25 fois, donnent 25 points sur le graphique de contrôle de la moyenne et 25 points sur celui de l'étendue. Ces graphiques montrent si le processus reste stable, ou si une difficulté survient en production. Dans ce cas, il faut examiner une partie de la production et chercher la cause de la difficulté. Lorsque la cause a été trouvée, l'action à mener sur la production est décidée rationnellement. On voit ici la grande efficacité des graphiques de contrôle.

Utilisation de la redondance. Dans la conception d'appareils complexes, il est possible et souhaitable de mettre plusieurs pièces en parallèle afin que si l'une d'elles tombe en panne, une autre prenne automatiquement la relève. Deux pièces en parallèle, chacune ayant une probabilité de défaillance p ont ensemble une probabilité de défaillance p^2. Par exemple, d'une proportion d'un défaut sur mille pièces on passe à un défaut sur un million de pièces en assemblant deux pièces en parallèle. La redondance est évidemment limitée par des questions de poids et de taille. Il faut aussi faire en sorte que les pièces supplémentaires fonctionnent en temps voulu.

Les théories mathématiques de la défaillance et de la redondance présentent un extrême intérêt et conduisent à des techniques statistiques d'une grande importance, mais sortent du cadre de cet ouvrage.

Une méthode d'inspection économique est-elle vraiment économique ? Dans ce chapitre, nous avons supposé précédemment que la méthode d'essai des pièces entrantes est fiable. Elle identifie toute pièce entrante qui nuirait à la qualité de l'assemblage final comme une pièce défectueuse et toute autre pièce comme une pièce bonne. C'est la méthode idéale, elle ne fait pas d'erreur.

Supposons que, après avoir considéré le coût total, on inspecte toutes les pièces entrantes (deuxième cas). Quelqu'un peut alors suggérer de chercher une méthode d'inspection économique qui diminuerait le coût total. Cette proposition mérite que l'on s'y arrête.

Que peut-on gagner à remplacer la méthode normale par la méthode économique ? Que peut-on y perdre ? Nous pensons que l'essai d'une pièce avec la méthode économique coûtera moins cher. Mais il faut envisager la possibilité de perdre quelque chose. D'une part, la méthode économique proposée condamnera et mettra aux rebuts des pièces en-trantes que la méthode normale aurait acceptées. D'autre part elle ne condamnera pas et mettra en production des pièces entrantes que la méthode normale aurait rejetées. Nous allons essayer ici d'évaluer les pertes et les gains pour voir quelle méthode est préférable du point de vue du coût total. Tout d'abord, définissons certains symboles.

Notations

p Comme précédemment, proportion d'articles rejetés du lot avec la méthode normale. Dans un état de contrôle statisti-que, c'est la proportion moyenne de produits entrants rejetés avec la méthode habituelle.

p' Proportion d'articles rejetés avec la méthode économique proposée.

(pp') Recouvrement moyen des pièces inspectées avec les deux mé-thodes.

$p' \not\subset p$ Proportion des pièces rejetées avec la méthode proposée et acceptées avec la méthode normale.

méthode normale $\rightarrow$ o o o o o o o o o o o o o

méthode proposée $\rightarrow$ x x x x x x x x x x x x x

$$\underbrace{}_{(pp')} \quad \underbrace{}_{p' \not\subset p}$$

k_1 Comme précédemment, coût de l'essai d'une pièce avec la mé-thode normale.

k'_1 Coût de l'essai d'une pièce avec la méthode proposée. On supppose que k'_1 est notablement inférieur à k_1.

k_2 Comme précédemment, coût de la réparation et de la nouvelle inspection d'un assemblage défectueux à cause d'une pièce dé-fectueuse entrée en production. Ce coût est indépendant de la méthode d'inspection des pièces entrantes.

c Coût d'une pièce. (Jusqu'à présent, mes calculs ne compor-taient pas ce coût ; il s'annule entre les deux termes de l'équa-tion qui conduit à la décision d'inspecter ou non.)

Nous pouvons maintenant construire un tableau des coûts. La partie inférieure du tableau donne les formules utiles. L'éventualité d'une réduction de coût est fondée sur la comparaison de k'_1 et k_1, mais la ligne 3 ne représente malheureusement qu'une partie du problème. La ligne 5 peut offrir un intérêt, si la valeur de **c** est assez grande. La ligne 6 est claire. Le coût k_2 peut chasser tout espoir d'adopter la méthode proposée. En pratique, k_1 peut être 100 fois supérieur à k_2, ou même beaucoup plus. Mais l'effet de k_2, quelle que soit sa valeur relative par rapport à k_1 et k'_1, peut se trouver annulé par le facteur $p - (pp')$. Ce facteur varie de 0 à p. Il est nul si toutes les pièces trouvées bonnes ou mauvaises avec la méthode normale le sont aussi avec la méthode proposée. Il est égal à p s'il n'y a aucun recouvrement, ce qui se produit rarement en pratique.

Quelques essais permettent d'évaluer avec une approximation suffisante les termes intéressants et conduire à : (1) adopter immédiatement la méthode proposée ; (2) la rejeter immédiatement ; ou (3) rester dans le doute tant qu'une évaluation plus précise n'a pas été faite. En ce cas, il est préférable de continuer avec la méthode normale.

Description du coût	Méthode normale	Méthode économique proposée
1 Coût de l'inspection d'une pièce entrante	k_1	k'_1
2 Nombre moyen d'inspections nécessaires pour avoir une pièce bonne (cf. exemple à la fin du chapitre).	$1/q$	$1/q'$
3 Coût moyen de l'inspection d'une pièce entrante	k_1/q	k'_1/q'
4 Nombre moyen de pièces rejetées pour en avoir une bonne	$1/q - 1 = p/q$	p'/q'
5 Coût moyen des pièces supplémentaires inspectées pour avoir une pièce bonne en production	pc/q	$p'c/q$
6 Perte due aux pièces rejetées avec la méthode proposée et acceptées avec la méthode normale	0	$(p' \not\subset p)\, c$
7 Coût de la réparation d'un assemblage défectueux	k_2	k_2
8 Coût moyen de la réparation d'un assemblage défectueux, comprenant le coût des pièces de rechange	0	$[p - (pp')]\,(k_2 + k'_1 c/q')$
Coût total par assemblage (lignes 3, 5, 6, 7)	$k_1/q + pc/q + k_2$	$k'_1/q' + p'c/q + (p' \not\subset p)\,c + [p - (pp')]\,(k_2 + k'_1 c/q')$

Plusieurs pièces. Le calcul qui précède s'applique à une seule pièce détachée. Supposons maintenant qu'un assemblage comporte plusieurs pièces et que l'on veuille trouver une méthode économique d'inspection pour chaque pièce. Il est évidemment possible de faire ce calcul pour chaque pièce indépendamment des autres.

Mais attention. Certains produits finis comportent des pièces mauvaises qui ont été acceptées avec la méthode économique (ces points figurent en haut et à droite du tableau). Bien que plusieurs pièces mauvaises puissent se trouver dans un même assemblage, le nombre de produits finis défectueux augmente énormément quand le nombre de pièces augmente. Par exemple, si un produit comporte vingt pièces, et si l'inspection laisse passer une pièce défectueuse sur vingt, la proportion de produits finis défectueux sera :

$$1 - (1 - 1/20)^{20} = 1 - 0,36 = 0,64 \text{ (plus d'un produit sur deux).}$$

Remarque. Dans l'industrie, beaucoup de produits sont condamnés à tort parce que les méthodes de mesure donnent des résultats erronés. Toute méthode de mesure doit être en état de contrôle statistique. Si un assemblage série est défectueux, chaque pièce peut en être responsable. Pour découvrir le défaut, il faut essayer les pièces les unes après les autres. Quand une pièce défectueuse a été trouvée, la pièce essayée ensuite peut être défectueuse aussi. C'est pourquoi l'essai d'un assemblage série défectueux nécessite l'essai de toutes les pièces.

Comparaison de deux contrôleurs. Cinquante articles sont présentés l'un après l'autre à deux contrôleurs, n° 1 et n° 2, afin de déterminer s'ils trouvent sensiblement les mêmes résultats. Ils doivent classer chaque article dans une catégorie : supérieure ou inférieure. Les 50 résultats sont enregistrés sur deux colonnes de 50 lignes, dans l'ordre des observations.

Un tableau 2 x 2 sur laquelle sont inscrits les numéros des articles donne les mêmes informations, mais sous une forme plus condensée (figure 43).

Examinateur n° 2	Examinateur n° 1	
	Premier choix	Second choix
Premier choix	5 15 17 18 19 20 21 22 25 26 27 29 30 32 33 34 39 43 44 45 48	1 14 35 36 37 38 41 42
Second choix	4 49 50	2 3 6 7 8 9 10 11 12 13 16 23 24 28 31 40 46 47

Fig. 43 : Tableau 2 x 2 permettant de comparer des tests faits par deux examinateurs sur 50 articles. Le chiffre indiqué est le nombre d'articles.

On peut remarquer que le rectangle en haut et à droite renferme quatre numéros successifs (35, 36, 37, 38). La probabilité d'un tel événement étant très faible, il existe peut-être une cause spéciale de désaccord.

Utilisation d'une méthode réduite comme filtre. Un plan bien connu de ceux qui font des études sur la mortalité est parfois utile pour l'inspection. Supposons que le calcul donne : $pk_2 > k_1$; le coût total minimum sera obtenu avec une inspection à 100 pour cent. Une méthode réduite capable de refuser tous les articles qui seraient refusés par la méthode classique (mais risquant aussi d'accepter quelques articles qui seraient refusés par la méthode classique) est disponible. Le lot est inspecté suivant la méthode réduite, puis divisé en deux classes.

Méthode réduite	Total	n
	Acceptable	n_1
	Inacceptable	n_2

On peut sans aucun risque mettre en production les n_1 pièces acceptées, mais il faut inspecter suivant la méthode classique les n_2 pièces refusées.

Méthode classique	Total	n_2
	Acceptable	n_{21}
	Inacceptable	n_{22}

Si le coût de l'essai des n_2 pièces par la méthode classique n'est pas trop élevé, ce plan sera mis en œuvre sans considérer les coûts. Les calculs sont simples. Soient :

k_1 = le coût de l'essai unitaire par la méthode classique
k'_1 = le coût de l'essai unitaire par la méthode réduite

Le filtrage par la méthode réduite économise, par pièce :

$$D = nk_1 - nk'_1 - n_2 k_1$$
$$= n (k_1 - k'_1 - k_1 n_2 / n)$$

Par exemple, si
$k_1 \quad = \$1,20$
$k'_1 \quad = \$0,10$
$n_2 / n = 0,4$

La différence est
$D = n (1,20 - 0,10 - 0,4 \times 1,20)$
$= 62¢$

Ce qui représente une économie d'environ 50 pour cent.

Utilisation d'une échelle de comparaison. Une méthode de comparaison plus efficace est possible lorsque les mesures s'expriment en grandeurs physiques (centimètres, grammes, secondes, ampères, etc.). On peut alors tracer les résultats sur un plan de coordonnées rectangulaires graduées. La figure 44 présente ainsi quatre diagrammes de comparaison entre une méthode réduite et une méthode classique. Le nombre d'essais nécessaires pour juger de l'accord de deux méthodes de mesure est plus faible que le nombre de pièces nécessaires avec une inspection par tout-ou-rien. L'observation du diagramme indique aussitôt la concordance des deux méthodes d'essai, les points placés sur la diagonale 10h/4h traduisant un accord parfait. Avec une certaine expérience, il est facile d'améliorer les résultats de la méthode réduite.

Une autre possibilité d'utilisation des résultats d'une méthode réduite, lorsque la corrélation avec ceux de la méthode classique est assez étroite (figure 44, diagramme B), consiste à calculer une table de conversion. En particulier, pour une relation linéaire, certaines calculatrices de poche donnent facilement les paramètres de la droite de régression.

Il faut remarquer incidemment que l'accord entre deux méthodes ne signifie pas qu'elles sont correctes, car elles peuvent être fausses toutes les deux.

Le diagramme de corrélation permet aussi de comparer la sensibilité des deux méthodes. Une droite de pente supérieure à 45° indique que la méthode réduite est moins sensible que la méthode classique (c'est le cas habituel). Une droite de pente inférieure à 45° montre que la méthode réduite est plus sensible que la méthode classique (c'est le cas du diagramme C de la figure 44). Si cette supériorité est confirmée par une assez longue expérience, il faudra rejeter la méthode classique et la remplacer par la méthode réduite, après une bonne mise au point.

Risque du consensus à l'inspection. Lorsque chacun a pu présenter son point de vue et poser des questions en toute sécurité, la recherche d'un accord est avantageuse pour toute l'équipe, et donne en plus la possibilité à chacun de s'instruire au contact de ses collègues.

Malheureusement, l'accord dans l'inspection (ou ailleurs) risque de traduire simplement le fait qu'une personne domine les autres, et que toute l'équipe s'aligne sur les opinions de cette personne.

Par exemple, si deux médecins sont d'accord sur l'état d'un patient, leur opinion commune n'est peut-être rien d'autre que l'opinion du plus âgé, le plus jeune étant trop heureux de l'accompagner et de bénéficier de son expérience. Les relations cordiales entre les deux hommes risqueraient de prendre fin si le jeune médecin était trop imaginatif. Supposons de plus qu'il est interne des hôpitaux : il ne voudra pas prendre le risque d'échouer à son examen. C'est pourquoi il est d'accord sur toute la ligne et ne pose des questions qu'avec prudence. Il vaudrait mieux que chacun écrive de son côté son jugement sur l'état de chaque patient. Ensuite, les deux médecins compareraient leurs notes, et le jeune homme poserait des questions sur les points de désaccord, sans qu'il y ait affrontement. Ce système fait disparaître la crainte de poser des questions. Un simple graphique tel que celui de la figure 45 montre les points d'accord et de désaccord. Quelques notes ajoutées sur le graphique permettent de préciser l'aide dont le jeune homme a besoin.

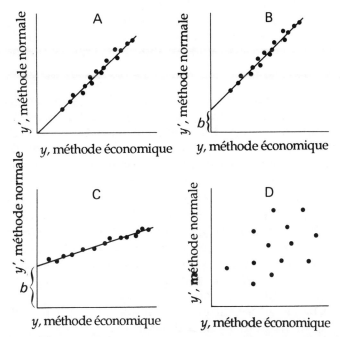

Fig. 44 : Comparaison de la méthode normale avec la méthode économique. La mesure d'un article avec une méthode puis avec une autre permet de porter un point sur le graphique. Un point sur la première bissectrice (droite à 45° passant par l'origine) indique que les méthodes concordent parfaitement. (A) Les points sont très proches de la première bissectrice. Les deux méthodes sont en accord. (B) La pente de la droite est sensiblement 45°, mais elle ne passe pas par l'origine. Un simple réglage suffit généralement à mettre les deux méthodes en accord. (C) La pente de la droite est très différente de 45°, et elle ne passe pas par l'origine. Un simple réglage peut suffire à mettre les deux méthodes en accord. On peut aussi appliquer aux résultats de la méthode économique une formule de correction. (D) Les points sont dispersés sur le graphique, ce qui indique de sérieux problèmes.

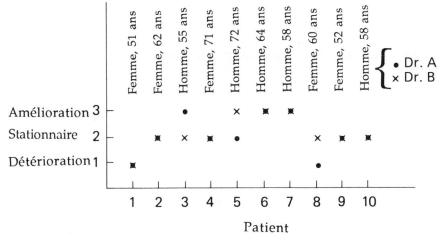

Fig. 45 : Enregistrement du diagnostic de deux médecins sur une série de patients. L'étude des accords et des désaccords, par type de patient, peut aider ces deux personnes à mieux comprendre ce qu'ils font, et à les faire évoluer vers un accord durable.

Toutefois, si deux hommes qui émettent des opinions indépendamment sont en accord parfait, il ne faut pas en conclure pour autant qu'ils ont raison. Cette constatation signifie seulement qu'ils constituent un système.

Comparaison de deux inspecteurs. Depuis des années, deux inspecteurs sont en accord parfait sur l'examen visuel d'échantillons de pièces de cuir prélevées sur l'approvisionnement d'une usine. Quand nous avons discuté, ils ont bien compris les risques du consensus. Ils ont admis qu'il faut tenir des enregistrements individuels pour pouvoir comparer les résultats et s'informer mutuellement si les résultats divergent.

Une pièce de cuir est notée de 1 à 5, le n° 1 étant la meilleure note. Nous avons défini le plan suivant :

1. Chaque inspecteur sélectionne un échantillon de pièces de cuir sur chaque arrivage. Il prend une pièce en haut, une au milieu, une en bas. (C'est ce que nous avons nommé précédemment un échantillonnage mécanique car il n'est pas fait usage d'une table de nombres aléatoires.)
2. Chaque inspecteur examine de son côté l'échantillon qu'il a sélectionné et il note le résultat.
3. Toutes les vingt sélections, les deux inspecteurs examinent le même échantillon et notent le résultat indépendamment l'un de l'autre. En cas de désaccord, les résultats sont maintenus mais ils en recherchent ensemble la cause.
4. Tous les résultats sont portés sur un graphique dont la figure 46 donne une version simplifiée.

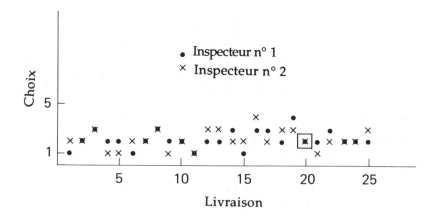

Fig. 46 : Diagramme montrant les résultats de deux inspecteurs travaillant indépendamment l'un de l'autre. Cette figure n'indique aucune divergence. Le vingtième point, que nous avons encadré, correspond à l'observation de la même balle de cuir par les deux inspecteurs.

Les différences entre les deux ensembles de résultats peuvent provenir de deux sources : (a) les différences entre les deux hommes ; (b) les différences entre les échantillons. Pendant environ un an, les résultats n'ont pas montré de différence sensible, notamment sur les échantillons inspectés deux fois.

Remarque sur la présentation graphique. La présentation des figures 45 et 46, qui comportent chacune deux symboles graphiques, peut se généraliser facilement à des cas comportant un plus grand nombre d'observations ou de mesures distinctes (les difficultés apparaissent à partir de six). J'ai utilisé notamment cette présentation pour étudier les caractéristiques d'un acier, avec trois symboles qui indiquaient respectivement le début, le milieu et la fin d'un traitement thermique.

Exercices

Exercice 1. On utilise un bol qui contient des billes rouges et des billes blanches ; les proportions sont p pour les rouges, q pour les blanches (fig. 47).

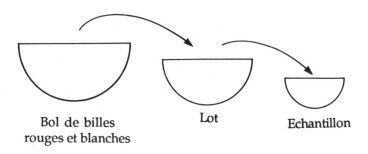

Bol de billes   Lot   Echantillon
rouges et blanches

Fig. 47 : Un lot est d'abord tiré d'un bol qui contient des billes rouges et blanches. Ensuite, un échantillon est tiré du lot. La proportion p dans le lot est maintenue constante par le remplacement, à chaque tirage, de chaque bille tirée du lot.

Etape n° 1. En utilisant une table de nombres aléatoires, tirer du bol avec remplacement, un lot de N billes. Le tirage avec remplacement consiste à prendre une seule bille dans le bol, noter sa couleur et la remettre dans le bol avant de prendre une autre bille. Résultat :
total : N
rouges : X
blanches : $N - X$

Etape n° 2. Tirer du lot, en utilisant des nombres aléatoires sans remplacement, un échantillon de n billes. Résultat :

Dans l'échantillon Dans les restants
total : n total : $N - n$
rouges : s rouges : $r = X - s$
blanches : $n - s$ blanches : $N - n - r$

Etape n°3. Remettre les billes de l'échantillon dans le lot.

Etape n°4. Répéter plusieurs fois les étapes 1, 2, 3, en conservant le même nombre de billes dans le lot et dans l'échantillon. Enregistrer les résultats de r et de s .

Montrer que la distribution théorique de r et de s est :

$$P(r, s) = \left[\binom{N-n}{r} q^{(N-n)-r} p^{r} \right] \left[\binom{n}{s} q^{n-s} p^{s} \right]$$

Conclusion : (a) Le nombre de billes rouges dans les échantillons et dans les restants ont tous deux une même distribution binomiale. (b) Ces nombres sont indépendants. Autrement dit, le nombre r de billes rouges des restants qui correspond à des échantillons comportant s = 17 pièces défectueuses sera distribué exactement comme celui des restants qui correspond à des échantillons sans aucune pièce défectueuse.

Ce théorème est surprenant. Il montre que si les articles défectueux sont indépendants, ce qui est le cas lorsque le processus est en état de contrôle statistique, il est impossible de trouver un plan d'acceptation par échantillonnage. Le résultat n'aurait pas plus de sens qu'un tirage à pile ou face.

Exercice 2. Si la distribution des pièces défectueuses dans des lots est plus étroite que la distribution binomiale, et si la règle d'acceptation est fondée sur le test d'un échantillon, il faudrait accepter le reste du prélèvement quand l'échantillon comporte beaucoup de défauts, et le refuser quand il en comporte peu. Cette règle paradoxale est facile à comprendre. Supposons que les lots comportent toujours le même nombre de pièces défectueuses ; les pièces qui sont dans l'échantillon ne sont pas dans le reste du prélèvement, et inversement. Donc, la présence d'un grand nombre de pièces défectueuses dans l'échantillon indique la présence d'un grand nombre de pièces bonnes dans le reste du prélèvement.

On m'a cité le cas particulier d'une production de qualité uniforme. Dans un atelier, 19 machines identiques produisent des pièces bonnes et une machine produit des pièces mauvaises. Si les lots sont formés à parts égales de la production des vingt machines, la proportion de pièces mauvaises sera constamment de cinq pour cent.

Les entreprises reçoivent fréquemment des lots de qualité constante. Par exemple, il m'est arrivé de voir une machine à plateau tournant comportant douze outils identiques, dont le but est de découper des pièces dans un ruban métallique. Quand un outil est cassé, il ne produit que des pièces mauvaises alors que les onze autres ne produisent que des pièces bonnes. Le résultat est une proportion constante de $1/12$, soit $8,3$ pour cent, de pièces défectueuses dans tous les lots pendant un certain temps.

Exercice 3. Prélevons au hasard une pièce d'un lot (en utilisant une table de nombres aléatoires). Qu'elle soit bonne ou mauvaise, nous n'en savons rien. Faut-il l'inspecter ou bien la faire entrer directement en production ?

Inspecter la pièce ?	Coût total moyen
Oui	$k_1 + kp + 0$
Non	$0 + p(k_2 + k)$
Différence	$k_1 - pk_2$

Tableau 2

La réponse est donnée par la règle décrite au début du chapitre. Alexander Mood a nommé le point $p = k_1/k_2$ *point d'indifférence*. En ce point, le coût total moyen ne change pas suivant que les lots sont utilisés sans inspection ou avec une inspection à 100 pour cent.

Evidemment, si le plus mauvais lot est à gauche du point d'indifférence, nous n'inspecterons pas les lots. Inversement, si le meilleur lot est à droite du point d'indifférence, nous inspecterons les lots à 100 pour cent. La figure 48 montre la variation du coût total moyen minimum en fonction de la proportion de pièces défectueuses. Elle est représentée par la ligne brisée OCD.

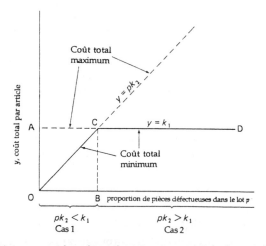

Fig. 48 : Ce graphique montre le coût total minimum par article dans un lot qui contient des articles défectueux en fonction de la qualité p à l'entrée. Il est représenté par la ligne brisée OCD. Le point C est le point d'indifférence pour lequel $p = k_1/k_2$. Le coût total est maximum quand une inspection à 100 pour cent est faite alors que l'absence d'inspection donnerait le coût minimum, et inversement.

Exercice 4. Soit un produit comprenant M pièces détachées ; soit p_i la proportion moyenne de pièces défectueuses et k_i le coût moyen de l'inspection d'une pièce de type i. Soit K le coût moyen de réparation du produit (nous supposons que ce coût ne dépend pas du type de pièce). Devons nous inspecter toutes les pièces ? Quelques-unes seulement ? Lesquelles ? Le calcul qui va suivre est basé sur l'approximation :

$$p = p_1 + p_2 + \dots + p_m$$

La différence entre le coût d'une inspection complète et le coût de l'absence d'inspection est :

$$\sum (k_i - Kp_i)$$

Pour obtenir un coût total minimum, c'est à dire faire en sorte que la somme précédente soit maximum, il faut ranger les termes de la série

$$(k_i - Kp_i)$$

par ordre de valeurs décroissantes. Nous trouverons probablement d'abord des valeurs positives, puis des valeurs négatives. La règle pour un coût total moyen minimum est alors :

$k_i - Kp_i > 0$ Pas d'inspection de ce type de pièce.
$k_i - Kp_i < 0$ Inspection à 100 pour cent de ce type de pièce.

Plan	Coût total moyen
1. Inspecter toutes les pièces	$\displaystyle\sum_{1}^{M} k_i + 0$
2. N'inspecter que les pièces $m, m+1, m+2, \dots, M$	$\displaystyle\sum_{m}^{M} k_i + K \sum_{1}^{m-1} p_i$

Il faut inciter tous les fournisseurs à obtenir un état de contrôle statistique pour toutes leurs pièces et à réduire *pi*. Le succès de cette tentative fera diminuer le coût total et entrainera la suppression de certaines inspections.

Remarque 1. Une petite variation de p autour du point d'indifférence n'a pas un effet sensible sur les coûts ; une grande variation a un effet considérable.

Remarque 2. On peut considérer que chaque pièce a un point d'indifférence défini par : $p = k_1/K$. La méthode de calcul est finalement la même pour des pièces multiples que pour une seule pièce.

Remarque 3. Lorsqu'une distribution est de part et d'autre du point d'indifférence, traiter ce cas comme celui d'une seule pièce.

Remarque 4. Si une pièce n'est pas en état de contrôle statistique, et notamment si elle est en état de chaos, l'inspecter à 100 pour cent.

Exercice 5. Le but de cet exercice est de montrer que lorsque la qualité d'un produit entrant se situe nettement, sans aucun doute possible, d'un côté ou de l'autre du point d'indifférence, un plan d'acceptation qui ne respecte pas la règle du tout-ou-rien conduit très certainement à augmenter le coût total.

Supposons que l'on inspecte une proportion f (comprise entre 0 et 1) de lots d'un produit entrant dont la proportion moyenne de pièces défectueuses est p. La sélection est faite au hasard (c'est-à-dire en utilisant une table de nombres aléatoires). Le coût total de la non-qualité par article, c'est à dire de l'inspection du produit entrant et de la réparation du produit fini en raison d'une pièce défectueuse, est (en négligeant le coût des pièces de rechange) :

(5) $$y = fk_1 + (1 - f)\, pk_2 \quad \text{(on néglige le coût } kp)$$

La question est de savoir quelle valeur de f conduit à la valeur de y minimum. Notons d'abord qu'au point $p = k_1/k_2$ nous trouvons $y = k_1$, quelle que soit la valeur de f.

Lorsque $p < k_1/k_2$ (à gauche du point d'indifférence), il est utile d'écrire l'équation 5 sous la forme :

(6) $$y = pk_2 + f\, (\, k_1 - pk_2)$$

Nous voyons que le minimum de y correspond à $f = 0$. Autrement dit, toute inspection du produit entrant augmente le coût total.

Lorsque $p > k_1/k_2$ (à droite du point d'indifférence), il est utile d'écrire l'équation 5 sous la forme :

(7) $$y = k_1 + (1 - f)\, (pk_2 - k_1)$$

Nous voyons que le minimum de y correspond à $f = 1$. Autrement dit, c'est avec une inspection à 100 pour cent du produit entrant que le coût total est minimum. Toute réduction de l'inspection fait augmenter le coût total.

Exemple pour illustration. Une société reçoit, par lots de 1 000 piè-ces, des substrats d'aluminium destinés à la fabrication de disques durs. Après la réception d'un lot, la première opération consiste à inspecter visuellement un échantillon de 65 pièces prélevées suivant une table de nombres aléatoires. L'expérience a montré qu'une pièce reconnue non conforme à l'inspection visuelle provoque, si elle est mise en produc-tion, un défaut du produit fini. Toute pièce défectueuse éliminée à l'inspection est remplacée par une pièce correcte.

La proportion moyenne de pièces trouvées non conformes à l'inspec-tion visuelle était de l'ordre de 1/40, soit 0,025. La règle était de refu-ser un lot lorsque 5 pièces ou plus étaient défectueuses dans l'échantil-lon (5 est la limite supérieure à trois sigma). L'expérience montrait que peu de lots étaient refusés. Nous pouvons donc supposer que le produit entrant était en état de contrôle statistique pour quelque temps.

La proportion moyenne de pièces défectueuses (selon un examen visuel) qui entraient en production était donc :

$$0,025 - (65/1\ 000) \times 0,025 = 0,023.$$

Un pour cent des pièces du substrat étaient détériorées par des mauvaises manipulations avant et pendant l'inspection.

D'autres défauts qui échappaient à l'inspection visuelle provoquaient des défauts sur le produit fini dans la proportion de un pour cent. Le coût de ces défauts, qui est constant, ne sera pas pris en compte dans nos calculs.

Le coût de l'inspection visuelle d'une pièce est de 7¢, le coût du substrat de $2, la valeur ajoutée de $11. Récapitulons ces données :

f = proportion de pièces inspectées   0,065
k_1 = coût de l'inspection d'une pièce   7¢
B = coût d'une pièce de substrat $2
k_2 = valeur ajoutée par pièce $11
p = proportion moyenne de défauts visuels   0,025
p' = proportion moyenne d'autres défauts   0,01
p'' = proportion moyenne de pièces défectueuses mises en production mais qui auraient été refusées par un examen visuel   0,023
F = proportion de pièces détériorées avant et pendant l'inspection   0,01

Nous pouvons maintenant préparer le tableau 6 pour la prévision des coûts.

Plan	Coût moyen par pièce entrante			
	Inspection visuelle	Détérioration du substrat	Défaut sur le disque terminé	Total
Situation présente	$fk_1 = 0,065 \times 7¢$ $= 0,46¢$	$0,01 \times 200¢$	$(p'' + 0,01)\ k_2$ $= (0,023 + 0,01)\ k_2$ $= 0,033 \times 1\ 100¢$	39¢
Inspection visuelle à 100 %	$k_1 = 7¢$	$0,01 \times 200¢$	$(0 + 0,01)\ k_2$ $= 0,01 \times 1\ 100¢$	20¢
Pas d'inspection visuelle	0	$0,01 \times 200¢$	$(0,025 + 0,01)\ k_2$ $= 0,035 \times 100¢$	40¢

Tableau 6

Conclusion. La différence entre le coût de l'inspection à 100 pour cent et celui du plan pratiqué actuellement est si grande qu'il est recommandée de pratiquer immédiatement l'inspection visuelle à 100 pour cent. Même si les données ci-dessus étaient sensiblement modifiées, ce changement resterait souhaitable.

Cependant, le fournisseur doit poursuivre ses efforts avec l'acheteur pour améliorer la qualité des produits entrants et si possible dépasser le point d'indifférence, ce qui permettra de supprimer les opérations de l'inspection visuelle.

Remarque. Dans cet exemple, le point d'indifférence n'est pas simplement égal à k_1/k_2, mais il est inutile de se lancer ici dans un calcul un peu compliqué.

Exercice 6. Nous allons montrer la vanité d'une règle édictée par une très grande entreprise pour ses fournisseurs :

> *La confiance que nous portons à l'inspection par échantillonnage pour l'acceptation de votre matériel nous conduit à refuser un lot dès la première pièce défectueuse.*

Commentaires. (1) En fait, la plupart des lots, inspectés ou non, sont envoyés directement à la production. L'entreprise ne peut pas supporter un retard causé par l'inspection complète ou le retour d'un lot chez le fournisseur. (2) Si $p < k_1/k_2$, le mieux est de ne pas faire d'inspection. L'inspection par échantillonnage augmente le coût total ; alors pourquoi augmenter les coûts ? (3) Si $p > k_1/k_2$, le mieux est de faire une inspection à 100 pour cent. L'inspection par échantillonnage augmente le coût total ; alors encore une fois, pourquoi augmenter les coûts ? (4) Si la distribution de la qualité des produits entrants est très en dehors du contrôle, et chevauche le point d'indifférence, la meilleure solution consiste à faire une inspection à 100 pour cent ou à utiliser la règle d'Orsini. Il faut ensuite sortir de cet état déplorable, travailler avec le fournisseur pour atteindre la stabilité du produit et ensuite, si possible, le zéro défaut. (5) En résumé, l'exigence citée plus haut est dépassée et inefficace, elle donne une mauvaise qualité et des coûts élevés.

Exercice 7. Supposons que le coût de l'inspection d'une pièce prélevée sur un lot de rechange S est le même que celui d'une pièce provenant d'un lot normal N. Nous prendrons comme notations : $x_i = 1$ quand la pièce est mauvaise, et $x_i = 0$ quand elle est bonne. Si une pièce est mauvaise, elle est rejetée. Une autre pièce est prise dans le lot de rechange, elle est inspectée, rejetée si elle est mauvaise et ainsi de suite, jusqu'à ce que l'on trouve une pièce bonne. Le coût de l'inspection est k_1. Ces événements sont représentés sur un arbre de probabilités (figure 49). Le coût moyen sera évidemment :

(8) $$k = k_1 (q + 2pq + 3p^2q + ...) = k_1q /(1 - p)^2 = k_1/q$$

avec : $q = 1 - p$

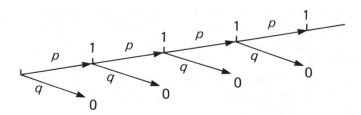

Fig. 49 : L'inspection d'une pièce conduit à $x_i = 1$ (pièce défectueuse), avec une probabilité p, et à $x_i = 0$ (pièce non défectueuse), avec une probabilité $q = 1 - p$.

Le coût total moyen pour inspecter une pièce et remplacer un article défectueux par un article correct est donc :

$$k_1 + pk = k_1/q$$

Dans un grand nombre d'applications, p est faible et q est voisin de 1 ; nous pouvons alors remplacer k_1/q par k_1.

Exercice 8.

Notations

N = Nombre de pièces du lot

n = Nombre de pièces de l'échantillon (prélevé dans le lot au moyen de nombres aléatoires)

p = Proportion moyenne de pièces défectueuses à l'entrée (prévision pour quelques semaines)

q = $1 - p$

p' = Proportion moyenne de pièces défectueuses dans les lots qui sont refusés et seront triés

p'' = Proportion moyenne de pièces défectueuses dans les lots acceptés et mis sur la chaine de production

k_1 = Coût de l'inspection d'une pièce

k_2 = Coût du démontage d'un produit, de la réparation, du remontage et des essais consécutifs à la présence d'une pièce défectueuse sur la chaine de production

P = Proportion moyenne des lots refusés à l'inspection et triés

Q = Proportion des lots acceptés à l'inspection

Quel que soit le plan d'acceptation, on peut être certain que :

$$P = 0 \text{ et } Q = 1 \text{ si } n = 0$$
$$P = 1 \text{ et } Q = 0 \text{ si } n = N$$

Etudions maintenant ce qui peut arriver à un lot quand nous appliquons notre plan.

n pièces vont entrer en production sans défaut.

$(N - n)\,Q$ pièces vont entrer en production avec la qualité p

$(N - n)\,P$ pièces vont être triées, puis entrer en production sans défauts.

a. Le coût total moyen par pièce est

$$C = k_1\,[1/q + Q\,(k_2/k_1)\,(p'' - k_1/k_2)\,(1 - n/N)]$$

b. Si $p < k_1/k_2$, l'expression $p'' - k_1/k_2$ sera négative et nous obtiendrons le coût total moyen minimum avec $n = 0$ (premier cas).

c. Si $p > k_1/k_2$, et si nous réussissons à trouver un plan qui rende l'expression $p'' - k_1/k_2$ négative, le coût total moyen sera inférieur au coût de l'inspection à 100 pour cent.

d. Mais si, malgré nos efforts, l'expression $p'' - k_1/k_2$ reste positive, le coût total sera plus grand que celui obtenu avec une inspection à 100 pour cent. C'est le piège que l'exercice 5 nous a dévoilé.

Annexe

Démonstration empirique de l'absence de corrélation entre le nombre de défauts de l'échantillon et le nombre de défauts du reste quand le processus est en état de contrôle statistique.

L'expérience avec les billes rouges et blanches décrite dans le chapitre 11 peut facilement être modifiée pour démontrer en quelques minutes l'absence de corrélation entre le nombre de pièces défectueuses de l'échantillon et le nombre de pièces défectueuses du reste.

La preuve mathématique se trouve dans l'équation 4 de l'exercice 1. Les mêmes expériences montrent l'existence d'une légère corrélation entre les échantillons et le lot.

Il est seulement nécessaire de diviser en deux parties le lot de 50 billes tirées au cours de l'expérience. Une partie sera l'échantillon, l'autre partie sera le reste (figure 50). Pour chaque lot, compter et enregistrer le nombre de billes rouges dans l'échantillon et le nombre dans le reste. Remettre les 50 billes dans le lot, agiter les billes et faire un nouveau tirage.

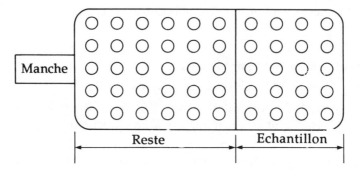

Fig. 50 : Un lot de 50 billes est tiré mécaniquement avec une palette à 50 trous d'un grand volume de billes rouges et blanches. Nous désignons 20 billes sur la palette comme étant *l'échantillon*, et les 30 autres comme étant *le reste*.

Certaines notations seront utiles. Des lots de taille constante N arrivent avec une distribution binomiale de moyenne p. Tirer sans rem - placement dans chaque lot un échantillon de taille constante n. Comp- ter les billes rouges dans chaque échantillon et dans chaque reste. Soit s le nombre de billes rouges dans l'échantillon et r le nombre de billes rouges dans le reste. Ces nombres sont deux variables aléatoires dont la distribution est donnée par l'équation 4.

Soient p = s/n, la proportion de billes rouges dans l'é- chantillon

p' = $r/(N-n)$, la proportion de billes rouges dans le reste

Ep = p

$\text{Var } p$ = pq/n

Ep' = p

$\text{Var } p'$ = $pq/(N-n)$

$\text{Cov } (p,p')$ = 0

$\text{Var } p$ et $\text{Var } p'$ diminuent quand N et n augmentent.

Donc un échantillon de grande taille tiré dans un lot de grande taille donne une information sur le nombre de pièces défectueuses du reste du lot.

Dans un problème de dénombrement, dont le but est de connaître les caractéristiques d'un lot à partir de celles d'un échantillon, il faut appliquer la théorie de l'estimation pour connaître l'erreur-type.

Regardons maintenant quelques résultats réels avec différentes tailles de lot et d'échantillon. Les figures 51, 52 et 53 donnent la proportion de billes rouges dans les échantillons et dans les restes pour différentes valeurs de N et de n. (Ces résultats ont été préparés sur ordinateur par mon ami Benjamin J. Tepping). En fait, l'échantillon et le reste ne sont que deux échantillons d'un même lot. Chaque graphique comporte 100 points. L'absence de corrélation entre l'échantillon et le reste apparait clairement. Cependant, plus l'échantillon est grand, plus l'estimation de la proportion de billes rouges dans les autres échantillons et dans le reste est valable. Par exemple, pour un échantillon de 1000 pièces et un reste de 9000 pièces, la figure 54 indique clairement qu'un grand échantillon donne une bonne estimation du reste et du lot entier. Mais encore une fois, il n'y a pas de corrélation entre un échantillon et le reste. Une remarquable propriété de la théorie statistique est qu'elle permet de calculer à partir d'un échantillon, s'il est assez grand, la dimension de la zone circulaire qui contient 95 pour cent des points de l'une de ces trois figures. Ainsi, la théorie de l'échantillonnage donne l'estimation des caractéristiques du reste et du lot, ainsi que les erreurs-type qui s'y rattachent.

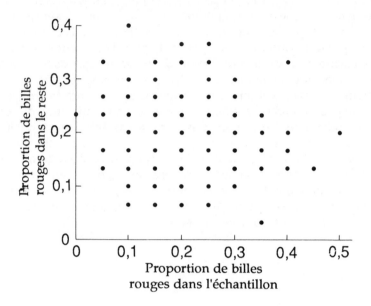

Fig. 51 : $N = 50$, $n = 20$. L'échantillon et le reste n'ont pas des tailles très différentes. Ce graphique indique qu'il n'y a aucune corrélation entre la proportion de billes rouges dans l'échantillon et celle dans le reste.

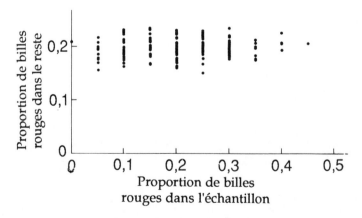

Fig. 52 : $N = 600$, $n = 20$. Il est clair que la variation de la proportion de billes rouges dans le reste est bien plus petite que la variation dans l'échantillon. C'est parce que la taille du reste, $N - n = 580$, est plusieurs fois celle de l'échantillon. Ici encore, la corrélation est pratiquement nulle entre la proportion de billes rouges dans l'échantillon et celle dans le reste.

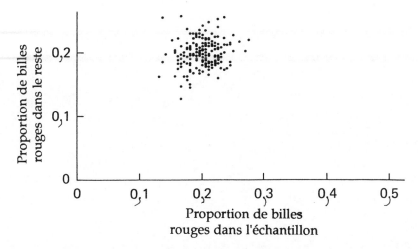

Fig. 53 : $N = 600$, $n = 200$. Nous voyons ici ce qui se passe en augmentant la taille de l'échantillon et en réduisant celle du reste. Comme les précédents, ce graphique illustre l'absence de corrélation entre les proportions de billes rouges dans l'échantillon et dans le reste.

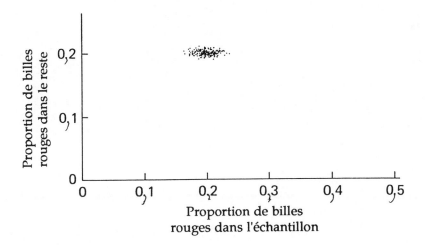

Fig. 54 : $N = 10\,000$, $n = 1\,000$. Il n'y a toujours aucune corrélation.

Chapitre 12

Organisation pour augmenter la qualité et la productivité

> *Beaucoup de sagesse, beaucoup de cha-*
> *grin ; plus de savoir, plus de douleur.*
>
> L'Ecclesiaste 1:18

But de ce chapitre. Le problème central du management, du leadership et de la production, comme je l'ai fait remarquer à plusieurs
reprises dans ce livre, vient de ce que l'on ne comprend pas la nature
des variations et que l'on ne sait pas comment les interpréter.

Dans la plupart des entreprises et des services publics, les moyens
pour améliorer la qualité et la productivité sont fragmentaires. La
direction générale est incapable de les guider. Tous les membres d'une
organisation ont besoin d'acquérir de nouvelles connaissances. Malheureusement, dans une organisation mal dirigée, les gens vont en tous sens,
s'ignorant mutuellement. Ils n'ont donc aucune chance de travailler
pour le bien de leur société et pour leur propre bien. Ce chapitre donne
un fil directeur pour qu'une organisation, en utilisant la connaissance
de façon optimale, puisse développer continuellement ses processus et
les aptitudes de ses membres.

La connaissance est une ressource nationale rare. En tout pays, la
connaissance des choses est une ressource indispensable. A la différence
de matériaux rares dont la quantité disponible est limitée, la
connaissance peut être augmentée dans tous les domaines par l'éducation. Elle peut être de type conventionnel (scolaire ou universitaire),
ou elle peut ne pas l'être, comme quand on étudie chez soi ou dans le
cadre de son travail. L'éducation peut être complétée par un travail
supplémentaire sous la conduite d'un maître qui s'assure que toutes les
difficultés sont surmontées. Pour assurer son existence, une entreprise

doit utiliser la somme de connaissance qu'elle possède et faire appel aux connaissances extérieures lorsqu'elles peuvent être utiles.

Pourquoi gaspiller la connaissance ? Nous avons déploré tout au long de ce livre le mauvais usage qui est fait des efforts du personnel et du temps de fonctionnement des machines. Le gaspillage de la connaissance, c'est à dire le fait qu'une entreprise ne sait pas utiliser la connaissance disponible chez elle pour assurer son développement, est encore plus déplorable.

Plan proposé. La figure 55 présente un organigramme concernant la qualité et la productivité. Nous ne pouvons ici que schématiser les principes d'une bonne organisation pour le développement de la qualité. Nous n'avons pas cherché à les adapter à un secteur particulier.

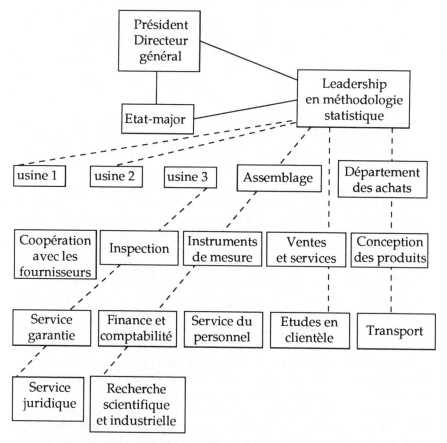

Fig. 55 : Plan schématique d'une organisation pour la qualité et la productivité. Nous n'avons pas cherché à donner ici un organigramme valable pour une entreprise particulière. Ce plan s'applique aux activités de service et de distribution aussi bien qu'à une production. Ce type d'organisation pour la qualité et la productivité fut mis en place pour la première fois par le Dr. Morris H. Hansen au Bureau du Census en 1940.

Dans une grande entreprise, comportant plusieurs divisions, il convient de nommer un directeur des méthodes statistiques, d'une compétence indiscutable, attaché directement à la direction générale. Ce directeur a pour mission de conduire l'utilisation des méthodes statistiques dans toute l'entreprise. Par délégation de la direction générale, il peut intervenir dans toute activité quand bon lui semble. En effet, ceux dont la spécialité n'est pas l'analyse statistique n'identifient pas toujours les problèmes statistiques quand ils surviennent. Ce directeur participe à toutes les réunions majeures du comité de direction. Il a le droit et le devoir, à propos de toute activité, de poser des questions et d'obtenir des réponses. Il est libre de déterminer son plan d'action selon son propre jugement, tout en aidant ceux qui lui demandent conseil autant qu'il le peut.

Les qualifications nécessaires pour accomplir cette mission sont au minimum : (1) un titre d'ingénieur spécialisé en statistique ; (2) une expérience dans l'industrie ou un service public ; (3) l'autorité que donne la publication d'articles sur la théorie et la pratique de la science statistique ; (4) une aptitude reconnue à la formation et au conseil pour l'amélioration constante de la qualité et de la productivité auprès d'une direction générale.

Le directeur des méthodes statistiques devra lui-même améliorer constamment ses connaissances. Personne ne doit enseigner la théorie statistique et ses applications, surtout à des débutants, sans posséder une bonne connaissance de cette science. Des études sanctionnées par un diplôme universitaire doivent être complétées par une expérience sous la conduite d'un professeur.

Une partie de son activité consistera à travailler en collaboration avec les universités. Il s'agit en effet de les aider à mettre sur pied une véritable formation en matière de théorie et de méthodes statistiques, et de leur fournir des exemples d'application.

L'organisation pour les activités statistiques du *Census* (le Bureau de Recensement américain) fut mise en place en 1940 par le Docteur Morris H. Hansen suivant le plan de la figure 55. Le *Census* est un service public. Dès 1945, les services de recensement du monde entier s'accordaient pour reconnaître la suprématie absolue du *census* dans les domaines de la qualité et de la productivité.

Où trouver la personne qui convient ? La combinaison de la connaissance et du leadership est extrêmement rare. Il faut de la patience et compter sur le ciel pour trouver un tel candidat. Avant de trouver la personne qui vous donnera satisfaction, il vous faudra en recevoir un grand nombre.

Etant donné la rareté des candidats qualifiés, un bon directeur des méthodes statistiques demande naturellement un haut salaire. Mais la question n'est pas de savoir combien vous le payerez, la question est de trouver quelqu'un de compétent.

Une personne compétente sollicitée pour ce poste s'informera très vite sur les objectifs de votre entreprise et sa persévérance à garder le cap de sa mission. Le candidat voudra savoir si vous prenez la qualité au sérieux.

Sur le terrain. Tous les exemples intéresssants de ce livre proviennent du fait qu'à une certaine époque j'étais sur le terrain, essayant de me rendre utile, d'identifier des méthodes inadaptées et de trouver des sources d'amélioration. Si j'étais resté chez moi à attendre que des exemples viennent, j'attendrais encore.

Il est essentiel évidemment d'avoir sur le terrain, comme le montre la figure 55, des gens connaissant la théorie statistique. C'est le seul moyen de voir ce qui convient ou ne convient pas à un bon travail, et que les autres ne voient pas.

Ces personnes devraient théoriquement avoir les mêmes qualifications que leur directeur, mais en pratique elles sont moins qualifiées. Le manque de bons statisticiens est tel qu'il est souvent nécessaire de placer plusieurs non-statisticiens sous l'autorité d'un statisticien.

Pour travailler sur le terrain, on trouve parfois dans une entreprise des ingénieurs connaissant assez bien la théorie statistique et désireux de compléter leurs connaissances sous l'autorité d'un directeur compétent, ayant le goût de l'enseignement.

Il est certain qu'aucun plan ne peut réussir, pas même celui que nous proposons ici, si les divisions d'une entreprise n'ont pas une bonne compétence en matière de leadership statistique, si elles n'accordent pas à cette méthode une confiance absolue, et si elles n'ont pas l'ardente volonté d'améliorer leur travail.

Un statisticien délégué doit être accepté par le directeur de la division, mais l'efficacité de son action n'est jugée que par le directeur des méthodes statistiques. De cette façon, personne ne risque d'être encouragé à justifier de mauvaises méthodes statistiques proposées par quelqu'un de la division. Le directeur des méthodes statistiques doit assister en permanence le statisticien délégué et le directeur de la division au sujet de tout nouveau problème ou d'une différence d'opinion. Il conseille et use de pédagogie.

Il est vrai que le statisticien délégué d'une division est responsable devant deux personnes : le directeur de la division pour les affaires courantes, et le directeur des méthodes statistiques pour les études statistiques et le programme de formation. Mais en pratique cette organisation ne pose aucun problème.

Il n'y a pas lieu de mettre en question les avantages du plan proposé ici. Il marche bien. Aucun des autres plans que j'ai eu l'occasion d'observer ne va dans le sens des intérêts de l'entreprise. Ils n'apportent tous que des déceptions.

Exemples d'autres relations fonctionnelles. En fait, des relations fonctionnelles existent dans presque toutes les grandes firmes. Le directeur financier, rattaché au président directeur général, est responsable de la situation financière de la firme. Dans chaque usine, un contrôleur de gestion a pour mission de contrôler les finances locales. Il est rattaché à la fois au directeur financier et au directeur de l'usine. Par exemple, les budgets sont établis par le directeur de l'usine et suivis par son contrôleur de gestion. Mais en raison de la complexité des procédures financières et juridiques, la direction financière de l'établissement est assurée par le directeur financier. Les aspects techniques de la gestion financière sont la responsabilité du directeur financier et les aspects administratifs celle du directeur de l'usine. Personne ne met en doute la valeur ou la nécessité de cette organisation, et le fait que le contrôleur de gestion soit rattaché à deux personnes ne pose aucun problème. On trouve d'autre exemples de postes ayant un double rattachement dans la recherche, la profession médicale, etc.

Résultats obtenus par le Bureau de Recensement. Les articles et les livres édités par le Bureau de Recensement américain ont donné au monde entier de meilleures méthodes d'échantillonnage pour les études démographiques. Elles ont pour résultats la réduction du nombre d'erreurs, une meilleure préparation des enquêtes et la mise au point de recensements complets. L'amélioration de la qualité des données et la réduction des coûts sont continuelles.

Pour apprécier les méthodes du *Census,* il suffit de consulter les résultats d'une enquête permanente sur la population, publiés dans un rapport mensuel et largement utilisés aux Etats-Unis. C'est un recensement en miniature effectué tous les mois au moyen des procédures statistiques les plus avancées, sur environ 55.000 ménages. Le *Census* fait aussi des enquêtes mensuelles, trimestrielles ou annuelles, ainsi que d'autres recensements en modèle réduit sur la santé, le mode d'habitation, les vacances, les déplacements, les ventes au détail, l'industrie.

Autres remarques sur les besoins de formation de l'industrie. Comme le disait Shewhart en 1939, l'industrie américaine a besoin de milliers d'ingénieurs, chercheurs, commerçants, cadres supérieurs, ayant l'esprit statistique. Heureusement, chacun peut apprendre à se servir de méthodes statistiques simples et efficaces, applicables à son secteur d'activité, et comprendre les principes qui en forment la base, sans être statisticien. Néamoins, il est nécessaire d'être toujours guidé dans cette démarche par un statisticien possédant bien la théorie. Sans une telle assistance, des pratiques fausses et coûteuses risquent d'apparaître et certains problèmes de production et de distribution peuvent rester totalement méconnus.

On peut établir un parallèle entre les statisticiens et la statistique d'une part, et la médecine et la santé d'autre part. Des millions de gens ont appris des règles utiles pour la santé et comprennent les principes de base de l'infection, de l'alimentation, de l'exercice. Des milliers de personnes ont appris à donner les premiers soins en l'absence d'un médecin. Des milliers de personnes font des tests médicaux, des piqûres, des tests psychologiques, sous la direction de docteurs en médecine. C'est en partie grâce à leur contribution que nous vivons mieux et plus longtemps.

Presque toutes les grandes firmes américaines ont maintenant, ici et là, dans leur personnel, des gens qui étudient les statistiques à l'université, mais dont les talents ne sont pas exploités. J'en ai trouvé certains qui ont un diplôme d'ingénieur et qui se demandent s'ils auront un jour la chance d'utiliser leur savoir. Les entreprises font l'inventaire de leurs biens physiques, mais elles ne savent pas faire celui de leurs connaissances. Les personnes qui ont reçu une certaine formation statistique devraient avoir la possibilité de travailler sous la conduite d'un statisticien compétent et de progresser dans ce domaine.

Un bon conseil à tous ceux qui voudraient se perfectionner dans la résolution des problèmes est de suivre des cours de statistique théorique et appliquée (dont évidemment la théorie de la décision). Mais il faut que le professeur soit compétent dans le domaine de la théorie. Si certaines applications proposées pendant le cours et dans le texte ne sont pas satisfaisantes, l'étudiant, qui connait déjà bien son métier, saura les reconnaître et les améliorer.

Conseils aux consultants et aux entreprises. Dans la conduite de mes propres interventions, je fais usage des règles suivantes.

1. L'invitation à venir travailler avec une entreprise doit provenir de la direction générale.
2. Tous les ingénieurs et cadres de l'entreprise, c'est à dire le président, les directeurs de division, les ingénieurs, les responsables du personnel, des achats, du marketing, des relations extérieures, etc. doivent passer avec moi un temps suffisant pour étudier les responsabilités du management. Ils formeront une masse critique de personnes bien décidées à étudier les 14 points pour les mettre en œuvre, et à éliminer les maladies mortelles du management.
3. Une condition nécessaire à toute intervention de ma part est que l'entreprise mette en place progressivement et avec prudence

une organisation conforme au schéma de la figure 55. L'une de mes principales responsabilités consiste à aider l'entreprise à bâtir cette organisation. Elle a pour but de faire un usage optimal de toute connaissance pour améliorer la qualité, la productivité et la position compétitive. Sans une organisation appropriée et sans un directeur compétent, mon intervention a peu de chance d'aboutir à un résultat positif.

4. La direction générale doit comprendre que mon travail s'étend à toute l'entreprise. Je pourrai décider d'intervenir dans tout secteur d'activité qui, à mon avis, nécessitera une intervention de ma part. Je visiterai des usines, des divisions, des départements, à la demande d'un directeur ou sur ma propre initiative. Mon but sera toujours d'aider à améliorer les performances.

5. Le contrat sera à long terme, bien que l'entreprise ou moi-même puissions le rompre à tout moment. Mes honoraires seront fixés au début de chaque intervention.

6. Je resterai dans l'entreprise tout le temps que je jugerai nécessaire.

7. Je continuerai à travailler dans l'entreprise au delà de trois ans si j'estime qu'en prolongeant mon intervention je ferai réussir plus vite le plan d'amélioration.

8. Il peut se faire que je conseille à l'entreprise d'engager un spécialiste temporairement pour un problème spécifique ou pour étendre mon action. Dans ce cas, l'entreprise n'engagera personne sans mon accord, et je serai responsable de l'effort que nous poursuivrons en commun.

9. Je veux pouvoir travailler simultanément avec des firmes qui se font concurrence. Mon but n'est pas de me mettre au service du bien-être d'un client particulier, mais d'élever le niveau de la spécialité à laquelle je me suis consacré.

La transformation au Japon

Ne confonds pas ta finesse d'esprit avec de la sagesse.

Tirésias à Dionysos,
Euripide, Les Bacchantes.

La sagesse semble idiote aux idiots.

Dionysos à Cadmos,
Euripide, Les Bacchantes.

Raison d'être de cette annexe. Le miracle japonais est un phénomène connu dans le monde entier, et chacun sait qu'il a commencé par une se-cousse en 1950. Auparavant, les produits japonais de grande consommation avaient acquis de par le monde une réputation de camelote bon marché. En revanche, au cours de la dernière guerre mondiale, tous les marins de la flotte américaine engagée dans le Pacifique étaient en droit d'affirmer que les japonais connaissaient la qualité. Simplement, ils n'avaient pas encore orienté leurs efforts vers la qualité dans le commerce international.

Or subitement, vers 1950, les japonais se sont mis à améliorer la qualité et la fiabilité de leurs produits, et en 1954, ils avaient déjà conquis des marchés un peu partout dans le monde. Une nouvelle ère économique avait commencé. Que s'est-il donc passé au Japon ?

Toute l'explication réside dans l'attitude des dirigeants de l'industrie japonaise. Ils ont acquis alors la conviction que la qualité était vitale pour l'exportation et qu'ils pouvaient accomplir le changement. Au fil des conférences, ils ont appris quelle était leur propre responsabilité pour atteindre ce but, et ils ont accepté de prendre la tête d'un mouvement vers la qualité dans lequel les cadres et les ouvriers mettraient toutes leurs forces.

L'association JUSE. A ce que j'ai compris, le haut état major japonais avait réuni plusieurs groupes de scientifiques pour l'effort de guerre. L'un d'eux était animé par Kenichi Koyanagi. Après la guerre, il réunit son groupe en lui donnant un nouvel objectif : celui de reconstruire le Japon. Ce groupe prit le nom de *Japanese Union of Scientists and Engineers* . L'abréviation JUSE est celle utilisée sur le réseau télex international.

Un certain nombre d'ingénieurs japonais avaient déjà pressenti à quel point les méthodes de Shewhart pouvaient contribuer à améliorer la qualité et la productivité de l'industrie japonaise. C'était en 1948 et 1949.

Des ingénieurs de la Bell Telephone expliquaient un jour aux membres de la JUSE comment des méthodes statistiques avaient amélioré la précision de l'armement américain. Mon ami Nishibori, qui les écoutait, leur fit cette remarque : "Oui, j'en sais quelque chose. Six bombes incendiaires sont tombées sur ma maison pendant la guerre, et pas une seule n'a explosé."

Là-dessus, la JUSE prit sérieusement en charge l'enseignement des méthodes pour l'amélioration de la qualité. La Japanese Management Association fit de même. Les membres de la JUSE décidèrent que la première étape consisterait à faire venir un expert étranger. Je reçus leur invitation en 1949 et je m'y rendis en juin 1950. (J'avais déjà fait deux voyages au Japon pour aider les statisticiens japonais à faire une étude sur l'habitat et l'alimentation, et à préparer leur recensement de 1951.)

Conférences avec les dirigeants industriels. Les méthodes statistiques avaient fait un départ foudroyant aux Etats-Unis en 1942 à la suite d'un programme de formation pour ingénieurs (dix jours de cours intensifs) organisé à l'Université de Stanford, en Californie, sur une suggestion de l'auteur. A cette époque, le Ministère de la Guerre donna également des cours dans les usines d'armement. Le public fut séduit par quelques brillantes applications, mais les dirigeants industriels n'avaient pas conscience de leurs responsabilités. Dans cette ambiance, la flamme des méthodes statistique monta, déclina, vacilla et s'éteignit. Les gens ne s'intéressaient qu'à la résolution de problèmes individuels. On vit proliférer les graphiques de contrôle. Plus il y en avait, plus on était content. Les services qualité poussaient comme des champignons. Ils préparaient des graphiques que l'on regardait, puis que l'on archivait. Ils s'attribuaient la responsabilité du contrôle de la qualité, ce qui était évidemment une erreur complète car la qualité est le travail de tous. Ils éteignaient des incendies sans percevoir la nécessité d'améliorer les processus. Nous n'avions aucune structure capable de montrer aux dirigeants industriels leurs nouvelles responsabilités. Le Professeur Holbrook Working, l'un des conférenciers du Programme de Stanford, essaya sans succès, entre 1942 et 1945, d'inviter des chefs d'entreprise à suivre un cours d'une demi-journée.

Le Japon en 1950. Il était vital de ne pas recommencer au Japon en 1950 les erreurs commises en Amérique. Il fallait que les dirigeants comprennent leurs responsabilités, et le problème était d'atteindre les plus hauts dirigeants de l'industrie japonaise. Cet obstacle fut franchi grâce à l'intervention de Monsieur Ichiro Ishikawa, président du très puissant Kei-dan-ren (Fédération des Communautés Economiques), qui était aussi président de la JUSE. En juillet 1950, il fit venir à mes conférences les vingt-et-un plus hauts dirigeants industriels.

Je donnai plusieurs conférences semblables à des dirigeants japonais au cours de l'été 1950. L'année suivante, je fis deux voyages au Japon pour parler devant un auditoire toujours plus nombreux de chefs d'entreprise. J'ai fait ensuite plusieurs voyages au Japon chaque année et le succès de mes conférences n'a fait que grandir.

L'organigramme simplifié de la figure 1 (chapitre 1) m'a été utile pour faire comprendre aux dirigeants japonais leurs responsabilités. Le consommateur est la partie la plus importante de la chaine de production - c'est maintenant un principe de base du management japonais. Il est donc nécessaire que le chef d'entreprise surveille de près les performances du produit. Mais il faut aussi qu'il voie plus loin et participe à la conception des nouveaux produits et des nouveaux services. Il doit choisir un fournisseur pour chaque article et et travailler avec lui loyalement pour améliorer l'uniformité et la fiabilité des produits entrants. Le chef d'entreprise doit également porter l'attention la plus stricte à la maintenance des moyens de production, aux instructions de travail et à la fiabilité des appareils de mesure.

Mais il n'est pas suffisant d'obtenir ici et là quelques brillants succès. Les efforts désordonnés n'ont aucun impact national. La qualité en termes de besoins du consommateurs pour le présent et l'avenir est devenue tout à coup un mot d'ordre national dans tous les secteurs d'activité. En 1950, l'amélioration de la qualité est devenue, au Japon, **totale.**

Extension de la formation aux cadres, ingénieurs et contremaîtres. La JUSE, avec le soutien constant de l'industrie japonaise, a étendu aux cadres, ingénieurs et contremaîtres, sur une très grande échelle, une formation aux rudiments des méthodes statistiques pour améliorer la qualité. Les statisticiens et les ingénieurs ont reçu en même temps une formation avancée en statistique théorique. Le fléau des mauvaises habitudes qui privent les ouvriers américains de la fierté de leur travail n'existait pas, ou pratiquement pas, au Japon. Les ouvriers pouvaient donc apprendre à tracer et à utiliser les graphiques de contrôle.

Au cours de l'été 1950, avec des séminaires de huit jours animés par l'auteur, à Tokyo, Osaka, Nagoya et Hakata, plus de 400 ingénieurs ont étudié les méthodes et la philosophie de Shewhart. J'ai continué, les années suivantes, à donner la même formation à des ingénieurs.

J'ai commencé mon enseignement sur les études de marché en 1951, avec une introduction aux méthodes modernes d'échantillonnage. Les étudiants ont formé des groupes de travail qui ont fait des enquêtes porte-à-porte sur les besoins des ménages concernant les machines à coudre, les bicyclettes, les médicaments.

Le Professeur Juran fit sa première visite au Japon en 1954 à la demande de la JUSE. Son enseignement magistral a donné aux dirigeants japonais une nouvelle vision des responsabilités du management pour améliorer la qualité et la productivité.

Entre 1950 et 1970, la JUSE a enseigné les méthodes statistiques à 14.700 ingénieurs et à un nombre bien plus grand de contremaîtres. En 1986, l'année de la première édition de ce livre, les cours de gestion de la qualité pour chefs d'entreprise étaient affichés complets sept mois à l'avance. Les cours d'études de marché, donnés par les meilleurs statisticiens japonais, ont un égal succès.

Autre remarque sur les dirigeants japonais. Le premier obstacle à franchir au Japon en 1950 était la croyance générale qu'il était impossible de concurrencer les industries occidentales, étant donné la mauvaise réputation de qualité que les produits de grande consommation réalisés au Japon avaient acquise dans le monde. L'année 1950 fut celle de l'avènement d'un nouveau Japon concernant la qualité. En 1950, j'avais prédit que les produits japonais envahiraient les marchés mondiaux en cinq ans, et que le niveau de vie au Japon arriverait un jour au même niveau que celui des pays les plus riches.

Ma confiance en cette prévision était fondée sur **(1)** mes observations sur le comportement des travailleurs japonais ; **(2)** la connaissance des dirigeants et leur désir d'apprendre ; **(3)** la confiance des japonais dans le fait que leurs dirigeants acceptaient leurs responsabilités ; **(4)** le vaste développement de formation organisé par la JUSE.

Encouragements pour des résultats ultérieurs. Monsieur Keizo Nishimura, de la compagnie électrique Furukawa, travaillant avec l'aide du Docteur Nishibori, annonça en janvier 1951 une réduction de dix pour cent des réparations de cables et une réduction considérable du nombre d'accidents dans son usine de Nikko. La productivité et les bénéfices augmentaient en conséquence.

Monsieur Kenichi Koyanagi (disparu en 1965), co-fondateur et directeur général de la JUSE, présenta au cours du congrès de la célèbre *American Society for Quality Control* en 1952, à Rochester, de grands progrès dans la qualité faits par 13 sociétés japonaises. Chaque rapport avait été préparé par un directeur général.

Monsieur Gohei Tanabe, président de Tanabe Pharmaceutical, annonçait dans son rapport que sa société produisait, grâce à l'amélioration des processus, trois fois plus de PAS (acide paraaminosalicylique) que précédemment avec les mêmes hommes, les mêmes machines, les mêmes matières premières.

Fuji Steel annonçait une réduction de 29 pour cent de la consommation de pétrole pour produire une tonne d'acier.

Des exemples comme ceux-ci ont fait savoir à tout le Japon que l'amélioration de la qualité signifie l'amélioration du processus, et que le résultat est à la fois l'amélioration du produit et de la productivité.

On dit souvent que toute l'industrie japonaise a mis en œuvre les meilleures pratiques pour la qualité. C'est inexact. Cinq des exemples les plus horribles que je donne dans ce livre proviennent du Japon.

Les cercles de contrôle de la qualité. C'est le professeur Kaoru Ishi-kawa qui a officialisé les cercles de contrôle de la qualité vers 1960. Un cercle de contrôle de la qualité est la façon naturelle pour les japonais de travailler ensemble. Le professeur Ishikawa a attiré l'attention des dirigeants sur l'importance d'utiliser pleinement les petits groupes de travail pour éliminer les causes spéciales de variabilité du produit et pour améliorer le système, par des changements apportés aux outils, à la conception et aux méthodes. Les réalisations d'un cercle de contrôle de la qualité en un point particulier de l'entreprise peuvent très bien s'appliquer à toute l'entreprise et à d'autres entreprises. Les dirigeants ont la responsabilité de propager ces succès.

Le journal *Contrôle de la qualité pour le contremaître*, fondé en 1960 par la JUSE et édité par le professeur Kaoru Ishikawa permet aux cercles de s'instruire mutuellement dans tout le Japon. Les visites d'une société à une autre et les conventions régionales des cercles de contrôle de la qualité stimulent l'intérêt des membres. La convention nationale à Tokyo rassemble 1800 participants qui viennent de tout le pays, de tous les secteurs de l'industrie. Les responsables des cercles qui ont obtenu des résultats extraordinaires sont sélectionnés par leur société pour faire des voyages d'étude organisés par la JUSE en Amérique et en Europe.

L'un des cent rapports présentés à la convention nationale des cercles de contrôle de la qualité tenue à Tokyo en novembre 1980 présentait une nouvelle organisation dans laquelle cinq personnes faisaient le travail qui était auparavant celui de sept personnes. En clair, cela veut dire que 100 personnes suffisent alors qu'il en fallait 140 précédemment. Mais il n'a pas été question de mettre quarante personnes à la porte : on leur a trouvé une autre activité.

De telles contributions aident l'entreprise à devenir plus compétitive, et le résultat final n'est pas la réduction des emplois, mais son augmentation.

Table des matières

Réalisé en P.A.O. par C.R.-STDI - Rue du Couvént - LASSAY-LES-CHATEAUX

Imprimé en France. — JOUVE, 18, rue Saint-Denis, 75001 PARIS
Nº 10602. Dépôt légal : Juin 1988